GRENSGEV

GRENSGEVAL

MARITA
VAN DER
VYVER

Uitgegee in 2019 deur Penguin Random House Suid-Afrika (Edms.) Bpk.

Maatskappyregistrasienr. 1953/000441/07

The Estuaries Nr. 4, Oxbow-singel, Century-rylaan, Century City, Kaapstad, 7441

Posbus 1144, Kaapstad, 8000

www.penguinrandomhouse.co.za

Eerste uitgawe, eerste druk 2019

Eerste uitgawe, tweede druk 2019

3 5 7 9 8 6 4 2

ISBN 978-1-4859-0379-6 (Druk)

ISBN 978-1-4859-0393-2 (ePub)

Omslagontwerp deur publicide

Skrywersfoto deur Antonia Steyn

Teksontwerp deur Chérie Collins

Geset in Minion Pro

Gedruk deur Novus Print, 'n Novus Holdings-maatskappy

Also published in English as *Borderline*.

Ter nagedagtenis aan David Bishop

Opgedra aan al die mans wat nie wou gaan nie
en al die vroue wat nie kon bly nie

1. 'N HOUER VOL HERINNERINGE

Sy sien 'n middeljarige vrou met 'n stokou skoenboks op haar skoot. Die vrou sit op 'n houtvloer, gemaklik kruisbeen, want ná drie dekades van joga kan sy haar bene so grasieus soos skoenlappervlerke oopvou sodat albei knieë aan die vloer raak, ondanks haar silwerwit hare en die groewe op haar gesig. En sy huil, hierdie vrou, geluidloos.

Sy sou hardop kon gehuil het, sy sou dramaties kon gesnik en geween en geweeklaag het, want sy woon alleen en niemand sal haar hoor nie. Maar huil is vir haar nie maklik nie, trane is haar vyand, en op die ouderdom van vyf-en-vyftig kan sy nie sommer so aan enige vyand toegee nie.

"Toe nou, Tété," troos sy haarself met die troetelnaam uit haar kinder-dae, "toe nou."

Sy sien haarself soos sy nou hier sit, in haar kothuis in Observatory, asof sy deur iemand anders se oë na die vrou op die vloer kyk. Sy kruis haar arms oor haar bors – sy kry koud, besef sy toe sy die hoendervleis op haar boarms opmerk – ondanks die swoel someraand buite haar oop houtraamvensters. Agter die diefwering. Sy luister na die geluide van mense op straat, in Lower Main Road, naby genoeg dat sy die bedrywig-heid in haar stiller systraat kan hoor.

Observatory beteken 'n plek waarvandaan 'n mens iets observeer, soos die sterre en die planete, maar vanaand voel haar huis vir haar soos 'n plek waar sy geobserveer word. Ontelbare onsigbare oë hou haar dop, almal wat haar en haar gewese man saam geken het, vriende en familie, kollegas en bure.

Haar gewese, oorlede man. Eers gewese, twintig jaar gelede al, en on-langs oorlede.

Hoe treur jy oor iemand van wie jy meer as twintig jaar gelede reeds afskeid geneem het? Vir Theresa Marais is Theo van Velden lank-al dood. Die aanvanklike woede en smart wat haar van binne swart geskroei het – soos die leë landskap ná 'n brand, dis hoe sy jare lank gevoel het – is nou net 'n vae herinnering. Die ontkenning, die skuldgevoel, al die onhanteerbare emosies het verander in 'n onskadelike vlammetjie wat nou en dan 'n stukkie van haar verlede verlig, die kersie op 'n koek wat onwillekeurig op sekere dae aangesteek word – verjaardae, herdenkings, die eerste keer toe, die laaste keer toe – voordat sy dit gou weer doodblaas.

Sy dog dis alles verby. Sy was te besig, sy kon nie die pyn bekostig nie – hoe gaan daardie liedjie van Carly Simon nou weer? – sy het geweier om toe te laat dat die hartseer weer vatplek kry. Sy wieg liggies vorentoe en agtertoe, vorentoe en agtertoe.

Nou waar kom hierdie stortvloed van trane dan vandaan?

Een van haar trane drup op die boonste vergeelde foto in die oop skoenboks. Goeie genade, as sy só aanhou, gaan die kiekies almal waterskade ly, dan sal hulle nog dowwer word as wat hulle klaar is, nog moeiliker om te vertolk. Terselfdertyd wens sy sy kon so oorvloedig huil dat die kiekies heeltemal wegspoel, dat haar trane 'n rivier word waarin die ou boks en alles binne-in soos 'n boot wegdryf, die ongewenste foto's, briewe, herinneringe, weg, weg, weg.

Dis 'n lelike ligbruin boks vir 'n paar manskoene, nommer elf; sy kan nie die skoene onthou nie, goddank nie, nie dít ook nog nie. Daar is heeltemal te veel wat sy vanaand onthou. Die boonste kiekie lyk dof. Sy weet nie of die wasigheid te wyte is aan haar trane, of omdat die foto effens uit fokus is, of omdat haar leesbril nie op haar neus is nie. Waarskynlik 'n kombinasie van al hierdie faktore.

'n Groep dienspligtiges in vodderige groenerige klere iewers in 'n geilgroen boslandskap. Sommige se bolywe is kaal, sommige se langbroeke is afgeknip om kortbroeke te word, ander se hempsmoue is afgeskeur sodat seningrige arms ontbloot is. Die meeste van die bolywe en arms behoort nie aan mans nie; dis die haarlose borskaste en dun arms van seuns wat nie genoeg kry om te eet nie. Party van die gesigte lyk te jonk vir die snorre op die bolippe. Die té lang kuiwe en té kort kortbroeke maak dit met die eerste oogopslag duidelik dat die foto uit die jare sewentig kom. Die onversorgde baarde van daardie dae lyk so anders as die pynlik getemde baarde wat jong mans deesdae weer kweek. Die hipster in die huis langs hare, die popsangers

8

en rugbyspelers, die getatoeëerde en bebaarde rolmodelle van die byderwetse jeug.

As sy kinders gehad het, sou hulle seker ook só gelyk het.

As.

Theresa vee oor haar oë, vat haar bril raak op die koffietafel langs haar, bekyk die foto weer om Theo te probeer herken. Dit was 'n hele paar jaar voordat sy hom as nagraadse student op Stellenbosch ontmoet het. Watter een van hierdie grynslaggende tienerseuns sou verander het in die gefolterde man wat sy liefgekry het? Dalk die maerste ou in die middel, die wilde bos swart hare, die skewe glimlag – tóé al? Ja, sy herken die kuite onder die toiingrige afgeknipte langbroek. Sy onthou hoe mooi sy bene altyd vir haar was, die lang lenige dye, die skerp knieë en gespierde kuite en dun enkels en smal Griekse voete.

Troep Theo van Velden in die somer van 1975/1976 "iewers aan die grens".

Net, hy was toe eintlik al ver oor die grens.

In Angola mag hulle nie die bruin weermaguniforms gedra het nie, het sy eers baie later gehoor. Hulle het sulke groen "tronkklere" gedra wat aan hulle lywe gevrot het. Bata-tekkies, pleks van weermagstewels. Dog tags aan die ketting om die nek afgehaal, handelsmerke verwyder van tandepastabuisies en seep, geen persoonlike besittings wat aandui dat hulle Suid-Afrikaners is nie. Ingeval hulle gedood of gewond of gevange geneem word. Want dit was mos veronderstel om 'n geheime inval te wees. Sommige van hierdie besonderhede het sy stuk-stuk deur die jare gehoor, altyd onverwags en gewoonlik ongevraag, wanneer hy saans te veel gedrink het of snags hygend uit 'n nagmerrie wakker geskrik het.

Maar daar is soveel wat sy nooit gehoor het nie.

Wat sy waarskynlik nie wóú hoor nie.

Aan die einde van 1975 was sy vyftien jaar oud, in standerd sewe op 'n Bolandse dorp so 'n uur se ry van Kaapstad af. "Sorgvry" is nie die woord wat sy destyds sou gebruik het om haar lewe te beskryf nie, want haar tienerjare was die ene sorge en kwellinge. Sy was nie so maer soos sy graag wou gewees het, nie naastenby so gewild onder die ander skoolkinders soos sy gedroom het om te wees nie, en haar ouers kon nie verstaan het waarom sy ure lank in haar bedompige slaapkamer na Pink Floyd se *The dark side of the moon* lê en luister het nie. Oor en oor. Sy het nie geweet wat sy eendag wou word nie, sy het skaars geweet wat sy wás, behalwe verward, verveeld, vervreemd.

Haar aardrykskunde-onderwyser het te veel aan haar gevat, kamtig vaderlik oor haar rug gevryf of tergend aan haar vlegsel getrek, en sy was so naïef dat sy nie eens kon uitwerk waarom dit haar ongemaklik laat voel het nie. Heimlik was sy verlief op die jong kunsonderwyser met die sielvolle donker oë en die skraal vingers, maar aangesien haar pa geweier het dat sy kuns as vak neem – hoe sou dit haar help om eendag 'n ordentlike werk te kry? – moes sy die kunsonnie maar van ver af dophou. "Stalk" sou dalk 'n beter woord gewees het. Tussen klasse het sy keer op keer "per ongeluk" in hom vasgeloop – letterlik teen hom gebots, om sy lyf teen hare te voel – asof sy blind was. Blind van kalwerliefde.

"As *hy* maar aan my vlegsel wou vat!" het sy giggelend teenoor Karien gebieg. "Eintlik kan hy maar aan enige deel van my lyf vat."

Karien was die bure se dogter, 'n jaar of twee ouer en veronderstel om 'n "wilde meisie" te wees. Volgens die skinderbekke in die skool het sy "al die pad gegaan" met meer as een seun in matriek. Maar wanneer Theresa haar oor hierdie fassinerende onderwerp probeer pols het – Wat presies beteken "al die pad" nou eintlik? Hoe ver is "te ver"? Wat moet jy doen om 'n "wilde meisie" te word? – het Karien net geheimsinnig geglimlag.

En die kunsonderwyser het nooit die geringste belangstelling getoon nie. Jare later het sy gehoor hy is gay.

Dít was haar sorge in die somer van 1975. Haar gewig, haar voorkoms, haar gebrek aan gewildheid, haar sotlike verliefdheid, haar konserwatiewe ouers wat haar nie verstáán nie.

Alles onbenullig, weet sy vandag.

In dieselfde jaar, in dieselfde land, moes ander kinders van haar ouderdom veel groter probleme hanteer. Armoede, hongersnood, dakloosheid, ouers wat nie werk het nie, klaskamers wat nie boeke het nie, familielede wat in die tronk is, nie omdat hulle misdadigers is nie, maar omdat hulle in opstand gekom het teen die regering, omdat hulle 'n verbode byeenkoms bygewoon of 'n verbode boek gelees of 'n verbode gedagte uitgespreek het.

Van dié soort sorge het die vyftienjarige Theresa Marais net mooi niks geweet nie.

En "iewers aan die grens" het haar toekomstige minnaar en man – en duisende ander dienspligtiges soos hy – mense doodgemaak, nie slegs "terroriste" nie, maar soms ook vroue, kinders, bejaardes, babas. Oorkant die grens, in 'n ander land, het die negentienjarige troep Theo van Velden 'n groot swart gat in homself ontdek, dinge gedoen en gesien en gehoor wat hy vir die res van sy lewe nooit weer sou kon vergeet het nie. Jare lank reggekry om die gat weg te steek, bedags, in elk geval, versigtig 'n fasade opgebou om almal te flous.

Snags was dit 'n ander storie.

Tot alles uiteindelik uitmekaar geval het, helder oordag, die fasade opgeblaas soos 'n gebou wat deur 'n bom getref is. Daarna het daar nie veel van Theo van Velden oorgebly nie.

Van hierdie onvertelbare en onvoorstelbare dinge het die vyftienjarige Theresa ook niks geweet nie. Maar dit maak haar nie onskuldig nie. Dit weet sy vandag. Guilty by association.

Sy kyk skrams na 'n paar van die ander foto's, tel een of twee op en laat hulle gou weer val, asof die papier haar vingers sal brand as sy dit 'n oomblik te lank vashou. Almal weermagkiekies. 'n Hele boks vol army memorabilia wat hy met niemand kon deel nie. Beslis nie met die vrou met wie hy getroud was nie.

In die chaos van die egskeiding het die boks in hulle eertydse huis in Tamboerskloof agtergebly. Hy het verdwyn, haar alleen gelos met haar woede en haar skuldgevoelens en 'n pak herinneringe uit 'n tydperk voordat hulle mekaar geken het. Toe sy 'n paar jaar later 'n tweede of derde keer moes trek, het sy die onbekende kartonhouer tussen haar persoonlike besittings ontdek. *Army 1975/76* op die deksel geskryf, in vet swart viltpenletters, in 'n skewe handskrif wat sy onmiddellik herken het.

Maar toe was dit reeds te laat om dit vir hom terug te gee.

Sy het die boks oopgemaak, hier rondom 2000, as sy reg onthou, gesien dis gevul met vergeelde foto's en briewe van sy ma en persoonlike papiere, en die deksel dadelik weer toegedruk. Niks met háár te doen nie. Buitendien, sy het toe nog gesukkel om die egskeiding te verwerk, haar vel het rou en blou en bloederig gevoel, daar was nog nie genoeg tyd om rowe te vorm nie.

Pandora se boks, het sy besluit, beter om dit styf toe te hou. Heel agter op die hoogste rak in 'n donker kas te druk. En voort te gaan met haar "herstelproses".

Dit was 'n lang pad wat sy moes stap.

Sy dog dis klaar gestap, al die pad. Oplaas, in haar vyftigerjare, het sy begin verstaan wat "al die pad" beteken, en dat dit soms niks met tienerseks te doen het nie. Dis 'n pad wat jy soos 'n pelgrim aflê terwyl jy jou verliese verwerk. Die verlies van 'n huwelik en 'n lewensmaat, van 'n prentjie van persoonlike geluk wat jy gereken het jou beskore is, later ook die verlies van professionele ambisies en politieke illusies, en uiteindelik kom jy by 'n soort aanvaarding uit.

Jy het soveel minder as wat jy gehoop het jy sou hê, maar jy het nogtans genoeg om min of meer gelukkig verder te lewe. 'n Gemaklike kothuis in 'n buurt wat al hoe gevaarliker voel (maar jy sê vir jouself dis nog nie so gevaarlik soos baie ander buurte in die land nie), 'n bevredigende pos by 'n groot mediamaatskappy (al droom jy steeds soms dat jy gaan bedank en jou eie baas word, bly jy eerder veilig waar jy is; jy raak in elk geval nou te oud om sulke kanse te waag, dis beter om nog 'n paar jaar aan te hang tot jy met 'n behoorlike pensioen kan aftree), genoeg vriende saam met wie jy kan gaan fliek of uiteet of naweke iewers kan gaan stap.

Maar vanaand vermoed sy dat sy twintig jaar lank in 'n sirkel gestap het, want hier is sy dan nou weer terug waar alles begin het. By die verinneweerde man wat sy liefgehad het, die deel van hom wat hy wou weggesteek het, die herinneringe wat hy nie met haar kon gedeel het nie, alles ingeprop in die skoenboks op haar skoot. Die enigste tasbare voorwerp wat oorbly van sy lewe vóór haar.

Theo vóór Theresa.

Sy sal nooit vir die inhoud van dié boks gereed wees nie. Maar noudat die eienaar dood is, het sy nie meer 'n keuse nie. Sy kan dit tog nie net weggooi nie. Wat ook al tussen hulle gebeur het, sy skuld hom minstens dít: dat sy sal kyk wat alles in die boks is. Die briewe van sy ma behoort sy dalk weer aan sy ma terug te gee? Sover sy weet, lewe die ou tannie nog iewers in Pretoria, dalk selfs in dieselfde woonstel waar sy vroeg in die jare negentig vir die laaste keer op haar ongewenste skoondogter neergekyk het. Hoewel sy teen dié tyd sekerlik in 'n versorgingsoord vir bejaardes sou wees? Maar indien sy nie seniel is nie, het sy die reg om hierdie lank verlore briewe aan haar seun weer te lees. Of minstens self te besluit of sy hulle weer wil lees.

Sy blaai deur 'n paar van die dun ligblou lugposvelletjies om seker te maak dat alles deur sy ma geskryf is. Dalk was daar 'n meisie wat elders op hom gewag het, vir hom kospakkies gepos het of bemoedigende boodskappe op die radioprogram Forces Favourites gestuur het. "Vasbyt, min dae. Aan Theo, iewers aan die grens, van jou verlangende meisie in Pretoria." Tannie Esmé Euvrard se heuningstem Sondae oor die draadloos.

Maar dit lyk soos presies dieselfde suinige klein handskriffie op elke blou velletjie.

My liewe seun
Dankie vir jou briefie, hoor. Ek het dit oor en oor gelees. Ek het gister wol gaan koop om vir jou 'n trui te brei. Ek weet jy sal dit seker nie nodig hê daar bo in Suidwes waar dit altyd warm is nie en julle moet in elk geval seker heeltyd uniform dra, maar ag wat, dis eintlik net om my hande besig te hou terwyl ek en Pappa saans na die draadloos sit en luister. En dan het ek darem iets om vir jou te gee as jy die dag huis toe kom …

My liewe seun
Dominee het Sondag in die kerk so mooi gebid vir al die seuns op die grens. Ons het die kiekie van jou in jou "step-outs" geraam en langs die foon in die voorportaal neergesit. Pappa wil graag nog ene hê om op die nuwe TV neer te sit. Ja, ons het wraggies ook nou 'n TV gekry! Ons verkyk ons aan die toetsprogramme en ons kyk alles, selfs die kinderprogramme, so my breiwerk vorder natuurlik nou 'n bietjie stadiger. Ek het al 'n paar keer amper 'n lelike woord laat uitglip as ek steke laat val omdat ek nie my oë kan wegskeur van die skerm af nie!

My liewe seun
Pretoria bly darem maar die mooiste stad op aarde as die strate so pers word van die jakarandas! Pappa het so 'n bietjie van 'n lenteverkoue, en Keiser is nou so oud dat hy nie eens meer vir die outa blaf wat in die tuin werk nie, maar verder gaan dit goed met ons. Dis net die verlange

wat nou rêrig erg raak, hoor. Jou trui is uiteindelik klaar gebrei en ek kan
nie meer wag om jou daarin te sien nie …

Ag, hemel, hier brand haar oë al weer. Theresa druk die brief terug in die boks. Dat selfs haar ongeliefde skoonma se onoorspronklike woorde haar vanaand tot trane kan dryf!

Sy dwing haar om deur die res van die inhoud te krap. 'n Kettinkie met sy soldatenommer en sy naam en bloedgroep en kerkverband op 'n silwerplaatjie gegraveer, 'n koperarmband en 'n gebreekte stringetjie krale, 'n paar koerantknipsels oor "gesneuweldes" wat met volle militêre eer begrawe word, heel onder op die bodem 'n klein groen notaboekie wat hy blykbaar as 'n soort dagboek gebruik het – kort slordige stukkies wat lyk asof hulle oorhaastig neergekrap is – maar ook kolomme syfers, rye name, los aantekeninge. Dít gaan sy beslis nie nóú probeer ontsyfer nie. Dalk op 'n ander dag wanneer sy minder weerloos voel.

Net voordat sy die boks toemaak, sien sy 'n reghoekige koevert wat tussen die blaaie agter in die notaboekie uitsteek. Sy haal dit uit, versigtig, want die papier is voos gevat en bruin gevlek en die ene voue asof dit in 'n stadium veel kleiner opgevou was. Dis die agterkant van 'n ligbruin koevert, soos dié waarin amptelike dokumente gepos word, met 'n groot donkerbruin vlek oor die linkerhelfte. Dalk die brief waarin hy opgeroep is om sy diensplig te verrig, raai Theresa, hoewel sy nie weet waarom hy dít so klein sou wou opvou soos iets wat jy moet wegsteek nie.

Dan draai sy die koevert om en sien die adres: *Mercedes Perez Amat, Calle Obracate. La Habana Vieja. Cuba.*

Nou éérs versigtig haal sy die brief uit die koevert, want die drie velletjies papier is selfs dunner as die koevert. Dis in Spaans geskryf, aan iemand wat – *Que … ja? Queleda? Querija?* – genoem word. 'n Naam wat sy moet raai omdat dieselfde donkerbruin vlek as op die koevert die letters onleesbaar maak. Van iemand wat *Angel* genoem word.

Engel?

Angel Perez Gonzalez.

Die bruin vlek op die papier is bloed, besef sy. Wat anders?

2. TWEE TIENERDAGBOEKE

Die volgende dae probeer Theresa pligsgetrou die inskrywings in troep Theo van Velden se groen notaboekie ontsyfer. Op sommige bladsye is daar duidelike datums neergeskryf, 18 Oktober 1975, 3 Januarie 1976, soms ook watter dag van die week dit was of watter tyd van die dag. Sondagoggend, laatmiddag, douvoordag. Partykeer is die tyd met 'n soldaat se puntenerige presisie aangedui, uur en minuut, 10:12 of 23:25. Ander bladsye is bloot vol onsamehangende woorde of los frases gekrap, g'n rigtingwysers wat Theresa kan help om in haar soektog koers te hou nie.

Theo het die boekie blykbaar saam met hom oor die grens na Angola gesmokkel. In plastiek toegedraai, lei Theresa af, en iewers ingedruk. Sy wil liewers nie raai waar nie.

Hy moes dit gedoen het omdat so 'n notaboekie vol Afrikaanse woorde 'n persoonlike besitting is wat sy nasionaliteit kon verklap het indien die vyand dit in die hande sou gekry het – nes die handelsmerk van sy tandepasta of die etikette op blikkies ingemaakte kos wat alles sorgvuldig verbloem moes word – en indien die vyand die nuus aan die buitewêreld uitbasuin, sou almal bewus geword het van die grootskaalse bedrogspul waarmee die Suid-Afrikaanse regering besig was.

Hoewel Theo in dié stadium van sy jong lewe nog nie die Angola-uitstappie as 'n "bedrogspul" sou beskryf het nie. Die ontnugtering en die bitterheid het eers later gekom. Aanvanklik het dit vir hom soos 'n avontuur gevoel, 'n angswekkende, dodelik gevaarlike avontuur wat niemand kon kritiseer sonder om as 'n verraaier of 'n lafaard beskou te word nie, maar nogtans 'n avontuur. Dit was sy patriotiese plig om sy familie en vriende by die huis teen terroriste en Kommuniste te beskerm. Dis hoe hy daaraan gedink het, in elk geval voordat hy vir die eerste keer in 'n regte o-fok-hier-vrek-ek-vandag-skermutseling betrokke geraak het, toe sy grenservaring nog hoofsaaklik uit hitte en vlieë en ure van vervelige ballasbak bestaan het.

Op 9 Oktober 1975 skryf hy byvoorbeeld:

En hier is ons nou uitfokkeneindelik op pad Grens toe na al die maande van oefen en klippe kou en afkak. Jammer, Ma, ek hoop nie jy hoef ooit hierdie boekie te lees nie, maar indien ek iets oorkom en dit beland in jou hande, wel, blame the army. Hier het ek leer vloek. Dis 'n survival tactic, soos om te leopard crawl en te leer skiet. Nou lê die eintlike afkak seker voor, maar die ouens om my lag en spot asof ons by die see gaan vakansie hou. Miskien net om hulle senuweeagtigheid weg te steek. En tog is ons ook opgewonde – a change is as good as a holiday! – en ons gaan eindelik die kans kry om te doen wat ons al van die begin van die jaar af getrain word om te doen. Ek gaan in 'n pantserwa sit en 'n moerse kanon van 'n geweer hanteer en die teikens gaan mense wees, regte mense, en ek gaan self ook 'n teiken wees. Maar daaraan dink ons liewers nie te veel nie. Dis nou te laat om bang te word. Ons moet doen wat gedoen moet word.

Dis een van die maklikes, dink Theresa, waar sy oor middagete by haar lessenaar op die tiende verdieping van 'n kantoorgebou in Kaapstad sit, dankbaar vir die genade van lugverkoeling, want die strate onder haar bewe in 'n laatsomer-hittegolf. 'n Spesifieke datum, volledige sinne met werkwoorde en leestekens, die handskrif heeltemal leesbaar. Hy het genoeg tyd gehad om sy frases netjies te formuleer, alles rustig neer te skryf. Vloekwoorde en al.

Waar was sý op 9 Oktober 1975? In standerd sewe op Worcester, swetend in haar lelike skooluniform terwyl hulle buite in die son staan en kyk hoe die landsvlag gehys word? Of in haar wyepypjeans en haar tie-dye grandpa vest op haar bed uitgestrek, oor en oor aan die luister na 'n langspeelplaat van Pink Floyd?

Op ander bladsye word haar selfopgelegde taak bitter frustrerend. Sy kan 'n uur lank na drie sinne sit en staar, in 'n oopplankantoor met 'n asemrowende uitsig op Tafelberg, sonder om ooit die berg raak te sien of die taai toebroodjie te proe wat sy saam met 'n beker louwarm koffie afsluk, en wanneer sy weer opkyk, kom haar kollegas terug van hulle middagete en die leë lessenaars rondom haar word weer beset en moet sy Theo se boekie in haar handsak bêre en voortgaan met die taalversorging van vervelige tydskrifartikels waarvoor sy betaal word. Sonder dat sy enigsins wyser geword het oor wát Theo in dié drie sinne wou sê. En elke dag word sy ongeduldiger, want as sy die groen boekie nie kan ontsyfer nie, kan sy die raaisel van die Kubaanse brief ook nie oplos nie.

Binne 'n week word dit so 'n obsessiewe bedrywigheid dat sy die boekie ook saans in haar kothuis bestudeer. Sy sit voor 'n elektriese waaier, en terwyl sy 'n bord pasta eet en 'n glas koue witwyn drink en met een oog TV kyk en met een hand e-pos op haar selfoon beantwoord – sy was nog altyd 'n trotse multitasker – bly die boekie heeltyd langs haar lê. Oopgemaak op een van die bladsye waar sy vasgehaak het.

Dit herinner haar aan die manier waarop haar onderwyser-pa destyds moeilike blokkiesraaisels aangepak het. Adriaan Marais se tegniek was om die tydskrif met die onvoltooide blokkiesraaisels oral in die huis saam met hom te dra, van sy studeerkamer na die badkamer, na die toilet, na die bed. Asof hy die vermiste woorde sou vind indien hy net lank genoeg na die leë blokkies staar. Nou het haar pa se hele lewe in 'n leë blokkiesraaisel verander. Al sy woorde is vermis, selfs sy kinders se name kan hy nie meer onthou nie.

Maar daaraan wil Theresa nie nou dink nie. Sy blaai liewers na 'n bladsy met 'n verstaanbare inskrywing. Dis 20 November 1975. En sy wonder weer eens waar sy op dié dag was.

Diep innie bos. Ver annerkant die Grens. Verby alle grense voel dit soms want ons het lankal ons eie grense van honger en hitte en gatvolgeit en gebrek aan slaap oorgesteek, van alles wat die lyf kan vat of van wat ons gedog het die lyf kan vat. Van wat die kop kan vat, nee fokkit, daaroor praat ons nie, behalwe om grappies te maak oor die arme ouens wat bossies raak. Bosbefok. Die bosse hier is ongelooflik ruig, alles lyk anders as die plat oop vlaktes waar ons getrain is, en agter elke bos kan die dood wag. Die Eland kan nie vinnig genoeg beweeg op hierdie terrein nie, ons kan nie ver genoeg sien om behoorlik te skiet nie, as ons in 'n lokval beland, gaan die kak spat.

Teen die tweede aand gaan krap sy in 'n ou bliktrommel onder haar bed en vind 'n boek met 'n omslag van harde swart karton waarin sy as vyf-tienjarige gereeld haar hart uitgestort het. Laas toe sy dit probeer lees het, maklik 'n dekade gelede, het sy so skaam gekry vir die sentimentele snert wat hierdie tienerjarige skoolmeisie kwytgeraak het dat sy ná 'n paar bladsye tou opgegooi het. Nou voel dit egter vir haar belangrik om te onthou hoe dit was om 'n tiener te wees – 'n wit Afrikaanse tiener – in die jare sewentig in hierdie land.

Theo was 'n tiener toe hy grens toe gestuur is, herinner sy haarself. As sy nie 'n meisiekind was nie, sou sy ook diensplig moes verrig het. Sy wonder hoe sy sou opgetree het as sy anderkant die grens in 'n vreemde land in 'n geheime oorlog moes veg? Sou sy bossies geraak het, haarself geskiet het om weg te kom, gekies het om tronk toe te gaan eerder as om iemand anders te skiet, hande in die lug aan die vyand oorgegee het?

Of sou sy soos die meeste ander troepe te veel gedrink en te min gedink het en bevele gehoorsaam het?

Sy vermoed sy ken die antwoord.

Terug op die sitkamervloer, langs die waaier wat elke paar sekondes 'n koel asem oor haar beswete lyf blaas, lees sy wat Theresa Marais vroeg in Oktober 1975 in die boek met die swart omslag geskryf het. Met 'n swetterjoel van hartjies en blommetjies in die kantlyn geteken.

Ek moet leer vir die eksamen maar ek kan nie konsentreer nie want ek is honger en mal van opgewondenheid want HS het vandag met my gepraat!!! Hy's in matriek en hy speel in 'n band en hy's vir my so mooi ek wil huil as ek na hom kyk en ek het gedog hy's heeltemal buite my liga, hy sal nie eens kyk na 'n standerd sewetjie soos ek nie, en toe kyk hy vandag na my, in die gang tussen klasse, EN HY PRAAT MET MY!!! Nou's ek meer determined as ooit om 3 kilos af te val voor Karien se paartie volgende naweek want sy't hom ook genooi en as ek net 3 kilos maerder kan wees, sal ek baie beter lyk in my stywe jeans, so nou eet ek niks meer nie, drink net aanmekaar Ricoffy sonder melk of suiker, maar al die suffering sal die moeite werd wees as ek net EEN CLOSE DANCE met hierdie ou kan kry.

PS: Hy wou eintlik net weet of die wiskunde-onnie in 'n slegte bui

is. Hy kon dit seker vir enige meisie in die skool gevra het. MAAR HY HET
VIR MY GEVRA.

　　PPS: *Ek kan nie wag om vir Karien te vertel nie!!!*

　　PPPS: *Of miskien moet ek liewers niks sê nie want ek dink sy hou ook*
van hom.

Die tienerjarige Theresa se hiperboliese taalgebruik is 'n beproewing
vir die middeljarige Theresa wat 'n gerespekteerde redigeerder by 'n
gewilde tydskrif geword het. Haar vingers jeuk om die oorbodige
uitroeptekens en hoofletters te skrap, maar sy kry dit reg om selfbeheer
toe te pas en verder te blaai, tot by 'n paragraaf wat die ligsinnige jong
Theresa iewers in November 1975 geskryf het. Dié keer is die kantlyn
versier met tekeninge van trane en gebreekte harte, en van kronkels
en krulle wat so driftig met 'n swart pen getrek is dat die papier ge-
skeur het.

Ek haat eksamens. Veral in die somer as dit te warm word om te leer.
Veral as ek dink aan my pelle wat langs 'n swembad lê en tan. Dit voel
net vir my so verskriklik unfair. Waarom is my pa 'n boring geskiede-
nisonderwyser wat nie 'n swembad kan bekostig nie, waarom is hy nie
'n dokter of 'n sakeman of so iets nie? En ek kan nie eens DINK DAAR-
AAN *om langs die dorp se swembad te gaan tan nie want ek het die 3*
kilos wat ek voor Karien se paartie afgeval het, al klaar weer opgetel!
Plus nog 'n ekstra kilo ook nog! So nou moet ek 4 kilos afval voor ons
see toe gaan vir die somervakansie!!!

Sy staan op en stap na die yskas, skud 'n paar ysblokkies in 'n plas-
tiekbak los en neem hulle terug na die sitkamer. Die twee tieners se
dagboeke lê nou langs mekaar op die houtvloer, die groene kleiner en
vuiler en veel meer gehawend as die stewige swarte. Terwyl sy met haar
regterhand deur die groen boekie blaai, vryf sy 'n ysblokkie in haar
linkerhand heen en weer oor die agterkant van haar nek. Dit bring 'n
bietjie verligting, heerlike hoendervleis op haar arms, voordat die hitte
weer soos 'n kombers oor haar lyf vou.

4 Desember 1975

Net 'n kwessie van ure voor die kak weer gaan spat. Te bang om te slaap en te moeg om wakker te bly. Klere is vodde, gatvol van reën en modder, die pantserkarre val vas in die modder, die kontak by Ebo was 'n fokken katastrofe. Operasie Savannah noem hulle dit, "hoogs geheime operasie", niemand by die huis mag hiervan weet nie, moenie hulle Krismisvakansie bederf met slegte nuus nie, sorg dat jy fokken lewendig bly, troep, dis jou plig. Moenie dink aan die mense wat jy moer toe skiet nie, moet veral nie dink aan die lyke van kinders nie, in hierdie klam hitte vrot selfs die kleinste lykies vreeslik vinnig. Dis die Kubane se skuld, as hulle nie hier kom inmeng het nie, sou ons nie hier gewees het om hulle te probeer wegjaag nie. Dis nie hulle oorlog nie. Wie se oorlog is dit? Ek weet nie meer 'n fok nie.

En in die stewiger swart boek het die lawwe skoolmeisie vroeg in Desember niks oor die oorlog geskryf nie, nêrens in haar dagboek is daar enige aanduiding van oorlog nie, net nog meer selfbejammering en selfverheerliking.

Ek tel nou nie meer die dae nie, ek tel die ure voor ons see toe gaan. Kan nie wag om weg te kom van hierdie simpel dorp vol boring mense nie, weg te kom uit ons straat en ons huis en net 'n slag nuwe mense op 'n nuwe plek te sien. Daar's 'n Franse skrywer wat sê hel is ander mense, maar ek dink hel is dieselfde mense oor en oor. Nuwe mense sal nou vir my soos die hemel voel.

Sy moet seker dankbaar wees dat die internet destyds nie bestaan het nie. As sy nou in 2016 'n tiener was, sou sy hierdie soort snert op sosiale media uitbasuin het, op Twitter en Snapchat en YouTube. 'n Outydse dagboek op papier kan ten minste in 'n bliktrommel onder die bed weggesteek word, maar hoe gaan hedendaagse tieners eendag op hulle oudag hulle jeugdige indiskresies geheim hou?

Eintlik behoort sy hierdie dagboek stukkend te skeur of te verbrand. Dit bring haar net mooi niks nader aan haar hoërskooldae nie. Inteendeel. Dis asof sy op 'n skip se dek staan en na 'n eiland staar wat soos 'n mirage op die horison hang, maar hoe nader die skip vaar, hoe verder skuif die eiland weg. Die verlede is 'n land waarheen jy nooit kan terug-keer nie. Sy wéét jy kan nie weer huis toe gaan nie, sy wéét daar is grense wat jy eenvoudig nie kan oorsteek nie.

En tog hou sy aan om die twee tieners se dagboeke te lees, want daar is te veel wat sy steeds nie verstaan nie, wat sy nie eens aan haarself kan verduidelik nie.

3. PASTELKLEURIGE PORSELEINKOPPIES

Daar is geen uitdrukking in die ou man se fletsblou oë nie.

Sy hande, verwring deur rumatiek, die rugkante oortrek met bruin vlekke en bultende blou are, lê roerloos op sy bobene. Die bene lyk skokkend maer in 'n grys sweetpakbroek wat so los soos 'n romp aan sy onderlyf hang.

Theresa kniel voor die leunstoel – die verweerde leerstoel waarin hy voorheen ure lank kon sit en lees – en vou sy hande in hare toe. Koue hande, dalk begin die dood by die hande eerder as die voete. Haar eie hande is ook lankal nie meer dié van 'n jong vrou nie. Deesdae skrik sy vir die tientalle plooie wat soos dun armbande om haar polse afgeëts is, die slap uitgerekte vel rondom haar kneukels, maar vergeleke met hierdie skeefgetrekte oumenskloue lyk haar hande meteens vir haar amper jeugdig.

"Pappa," sê sy weer, haar stem skor. "Dis ek, Theresa. Pa se middelste kind. Pa het drie kinders. Ouboet Jacques woon in 'n ander land, ver hiervandaan. Ek woon in Kaapstad, nie so ver nie, en Pa woon mos nou by Pa se jongste dogter, Sandra, op Somerset-Wes."

Sy hou hom stip dop, desperaat op soek na 'n teken van herkenning, 'n lig wat vir 'n oomblik in die dowwe oë aangeskakel word, 'n kopknik of handgebaar. Niks. Sy leun vorentoe toe hy sy mond oopmaak, staar gefassineerd na die speekseldrade tussen sy droë lippe, wag op 'n woord. Maar hy bring geen geluid voort nie.

Agter haar, in die deur van die slaapkamer, sug haar lankmoedige suster op haar lankmoedige manier.

Theresa kyk om na Sandra. "Is dit die medikasie wat hom só maak?"

Nog 'n sug van Sandra. "Hy's amper negentig jaar oud, Theresa. En hy't Alzheimers."

"Ja, maar laas toe ek hier was, het hy darem nog gereageer. Ek weet hy herken my nie meer nie, maar hy't met my gepraat asof ek iemand is wat hy in sy kinderdae geken het—"

"Laas toe jy hier was." Theresa hoor die onuitgesproke verwyt in haar suster se sagte stem. "Dit was lanklaas, nè?"

Moenie reageer nie, waarsku Theresa haarself. Wees dankbaar dat Sandra bereid is om hom te versorg.

"Deesdae is hy die meeste van die tyd só. Die 'goeie dae' word al minder." Sandra se stem het weer so geduldig soos altyd geword.

Dié keer is dit Theresa wat 'n sug nie kan keer nie. As hierdie hele situasie haar net nie so verdomp skuldig laat voel het nie. In die tradisionele familie-opset sou sy eintlik die versorger van die bejaarde ouer moes gewees het. Die oudste suster, en boonop die ongetroude, kinderlose een. Maar sy het nie daarvoor kans gesien nie. Goeie genade, sy het 'n lewe om te lei. Sy kan dit tog nie help dat sy hierdie gedienstige, lieftallige, blerrie Sneeuwitjie as jonger sussie gekry het nie!

Sandra was nog altyd 'n sucker vir selfstraf. Kyk net hoeveel jare lank het sy haar blind gehou vir haar man se obsessiewe rokjagtery en rondslapery. As dit nie vir hulle jongste kind se amperse verdrinking was nie, sou sy seker nou nog voorgegee het dat sy gelukkig getroud was. Ná die ongeluk is die seun verstandelik gestrem, wat Anton oplaas laat vlug het, soos enige lafaard sou. Hy het met 'n jonger vrou getrou en vir Sandra met die gestremde kind en al haar ander sorge gelos.

En die ergste van alles, vir Theresa, is dat haar voorbeeldige jonger sus nog nooit die geringste teken van bitterheid getoon het nie. Theresa is die een wat haar gewese swaer se knaters met 'n stomp tang sou wou afknyp. Omdat hy haar sussie so laat ly het.

Nie dat die sussie ooit gekla het nie.

Sandra is die soort vrou wat jou altyd laat skuldig voel, nie omdat sy kla nie, maar omdat sy nié kla nie. En die hemel weet, sy het genoeg om oor te kla. Haar volwasse kinders wat nie rigting kry nie (hoewel sy dit nooit sal erken nie), die twee oudste seuns wat oorsee rondflenter, die dogter wat aan dwelms verslaaf was en nou saam met haar ma en haar oupa woon "tot sy weer op die been kom". En die gestremde seun vir wie sy haar jare lank afgesloof het, vir wie sy letterlik alles opgeoffer het, uiteindelik selfs haar huwelik. En noudat Klein Adriaan (sy oupa se naamgenoot) eindelik in 'n goeie versorgingsentrum vir volwassenes opgeneem is, noudat Sandra eindelik 'n mate van vryheid kan geniet, nou dring sy waaragtig daarop aan om haar seniele pa te versorg.

Dring daarop aan.

Jacques, die rykste en roekeloosste van die drie Marais-sibbe, het uit Australië aangebied om te betaal as die susters vir hulle pa plek kon kry in "die beste ouetehuis in die Kaap". Theresa het dadelik gesê sy sal haar deel ook bydra, al het sy baie minder geld as haar broer; dis die beginsel wat tel, elkeen na sy vermoë, nie waar nie?

Nee, het Sandra besluit en haar voet neergesit. (Haar klein, fyn voetjie.) "Ons kan dit nie aan Pappa doen nie."

(Pappa weet nie meer wat ons aan hom doen nie, het Jacques teengestribbel.)

"Hy sal doodgaan in 'n ouetehuis!"

(Hy's diep in die tagtig, het Theresa so diplomaties moontlik probeer sê, hy's in elk geval besig om dood te gaan.)

"Hy kan by my kom bly, ek sal na hom kyk, hier's genoeg plek in die huis noudat die kinders besig is om weg te gaan."

Presies, het Theresa vir Jacques gesê. Noudat haar kinders uiteindelik onder haar voete uit is, nou wil sy haar seniele pa versorg. Ek sê mos nog altyd sy's 'n masochis.

"Kom ek gaan maak vir ons tee," stel Sandra voor.

Theresa staan op, verlig om uit die slaapkamer te ontsnap, tevrede dat sy minstens haar plig gedoen het. By die deur kyk sy vir oulaas om – hoe graag sy ook al wil wegkom, sy is altyd bang dis die laaste keer, dat sy spyt gaan wees sy het dit nie vir oulaas, net nog één keer, 'n bietjie harder probeer nie – en voel haar borskas saamtrek toe sy die sagte oggendson op sy donserige spierwitgrys hare sien. Soos 'n kuiken lyk hy eensklaps vir haar, nie 'n oulike geel hoenderkuikentjie nie, nee, 'n lelike aasvoëlkuiken met sy seningrige nek en sy kalerige kop met die wit donsies.

Dan trek sy haar asem skerp in, want hy het iets gesê.

"Tété."

Sy swaai om na Sandra. "Het jy gehoor? Hy't my herken!"

Maar Sandra glimlag haar lankmoedige glimlag. "Hy noem my ook partykeer Tété. Hy noem selfs die verpleër wat hom kom aantrek en was, Tété. Ek dink dis een van die min woorde wat in sy kop oorgebly het. Omdat dit so 'n maklike babawoordjie is?"

Nogtans, dink Theresa terwyl sy haar suster na die kombuis volg, dit was háár troetelnaam. Dis wat haar boetie en sussie háár genoem het

24

toe hulle al drie klein was. En dit beteken vir haar iets dat háár naam in haar pa se kop agtergebly het, soos 'n vergete kledingstuk in 'n leë kas. Ja, dis hoe sy kop deesdae van binne moet lyk. 'n Stowwerige, leë kas.

Hulle drink tee in die kombuis, uit die koppies wat Sandra ná hulle ma se dood geërf het, papierdun en pastelkleurig en glansend soos die binnekant van perlemoenskulpe. Theresa was nogal afgunstig toe haar sussie die koppies gekry het – die stel dik blou Liebermann-pottebakkersborde wat sy self geërf het, was nooit vir haar so begeerlik soos hierdie koppies nie – maar indien die porseleinkoppies in háár besit beland het, sou hulle almal lankal in skerwe gewees het.

Sandra het die vermoë om kosbare erfgoed op te pas. Selfs met vier kinders in die huis, kon sy die koppies gereeld gebruik sonder dat hulle kraak of breek.

"Hoe gáán dit met jou, Sus?" Sandra se sagte stem is so opreg besorg dat Theresa skoon bewoë raak. "Is Theo se dood nie vir jou baie swaar nie?"

"Ag wat, darem nie té erg nie," lieg Theresa en sluk haar tee.

"Ek worry oor jou, weet jy? Jy's so heeltemal alleen en ek het nou die dag weer statistiek gesien oor die inbrake daar in jou buurt en—"

"Ek's lankal alleen, Sandra," sê Theresa gou voordat haar sus weer vir haar vertel hoeveel gelukkiger sy in 'n sekuriteitskompleks verder uit die stad gaan wees. "Niks met Theo se dood te doen nie."

"Ja, maar dit word al hoe gevaarliker vir 'n vrou om alleen te woon."

"Jy woon tog ook alleen?"

"Ek het vir Pappa en Hanna in die huis."

Asof haar seniele pa en haar spaced-out dogter haar teen inbrekers gaan beskerm.

"En ek het twee honde. En hier's minstens nie dwelmhandelaars op die hoek nie."

"Dis nêrens meer veilig nie," sê Theresa ongeduldig.

"Maar as jy net uit die stad kan wegkom ... Ag, ek verlang deesdae so na die dae toe ek en Anton nog op Knysna gewoon het."

Dit sou wreed wees om Sandra te herinner dat Knysna ook nie juis 'n veilige hawe vir haar huwelik was nie. Haar man het net so erg rondgeslaap soos in Kaapstad. En Klein Adriaan het breinskade opgedoen nadat hy byna in Knysna se meer verdrink het.

"Tj'aag, jy weet, ek en Theo is al so lank uitmekaar, dis nie asof sy dood enige verskil aan my lewe of my alleenheid maak nie."

Sandra skud haar kop, gladde donker hare swiep om haar bleek gesig, nostalgiese glimlaggie op die Sneeuwitjie-mond. "Ek en Anton is ook al omtrent vyftien jaar uitmekaar, maar as hy môre moet dood-gaan—"

"Dis anders. Julle het kinders wat julle altyd aan mekaar sal bind. Ek en Theo ..."

Hulle het nie kinders nie, hulle nasate was almal miskrame, hulle enigste tasbare verbintenis is 'n ou skoenboks vol foto's en briewe. Dít sê sy natuurlik nie vir Sandra nie, dit klink darem te selfbejam-merend.

"Nogtans. Jy was eens op 'n tyd lief vir hom. Liefde is mos nie iets wat jy sommer net so kan uitwas soos ... 'n vlek op 'n stuk lap nie."

"Gonna wash that man right out of my hair," neurie Theresa.

As sy nou ernstig oor Theo moet gesels, gaan sy weer huil. Vandat sy daardie verdomde skoenboks oopgemaak het, huiwer sy heeltyd op die rand van trane. Glad nie soos sy haarself ken nie. Sy knip haar oë vasbe-rade en konsentreer op haar sus se vingers om die porseleinkoppie.

Alles aan Sandra was nog altyd klein en fyn, haar hande sonder enige ringe of versierings, haar voete wat byna kinderlik lyk in plat sandale, die toonnaels so glansend perlemoenkleurig geverf soos die teekoppies, skraal enkels wat onder 'n lang, los somerrok uitsteek, die skraal kaal arms van 'n ballerina, fyn neusie in 'n bleek gesiggie omraam deur glan-sende donker hare.

"Kleur jy deesdae jou hare?" vra Theresa. "Of is jy nog steeds nie grys nie?"

"O, daar's al hoe meer grys drade, hoor," sê Sandra sag, asof sy haar ouer suster wil troos.

"Maar nog nie genoeg dat jy dit hoef te kleur nie." Theresa hoor die verspotte wrewel in haar eie stem. "As ek dink aan al die jare wat ek myne gekleur het om soos Goudlokkies te probeer lyk!"

"Ek's bly jy't opgehou. En die lokke afgeknip. Dit pas jou, so kort en spierwitgrys, dit lyk nie oud nie, dit lyk ... funky."

Die laaste woord klink vreemd in Sandra se mond. Theresa vermoed sy het dit by haar dogter gehoor en onlangs eers begin gebruik.

"Ek gee nie om om oud te lyk nie," lieg Theresa weer. "Dis baie minder moeite só."

Haar suster het nog altyd, ondanks haar vele sorge, jare jonger as haar ouderdom gelyk. Sy is geseën met 'n vleklose bleek vel wat sy van kleins af instinktief uit die son gehou het. Nooit soos Theresa ure lank in 'n bikini lê en sweet om 'n begeerlike tan op te tel nie, eerder klavier geoefen of agter haar ma se naaimasjien sit en stik. En sy het nooit soos Theresa gerook of te veel wyn gedrink nie; sy hou nie eens van koffie nie, sy is gek oor rou groente. Nou pluk sy natuurlik die vrugte van hierdie lewenslange soberheid en matigheid. Sy is skaars drie jaar jonger as Theresa, maar haar gesigvel is lieflik glad, haar wange blosend van gesondheid, haar lyf sonder 'n spoor van middeljarige gesetheid. Sy het dieselfde skraal, fyngeboude figuur wat Theresa haar so beny het toe hulle nog tieners was.

"Jy was altyd die mooi sussie," sê Theresa, haar toon nostalgies. "Mooi en lieftallig en musikaal ..."

"Maar jy was die slim sussie."

"Dit het nie getel toe ons op skool was nie. Mooi was baie beter. En ek was 'slim' in tale, wat ook nie vir Ma of Pa getel het nie. Jacques was die wiskundeboffin, die sportheld, die hoofseun, al daai dinge wat vir hulle belangrik was."

"Ons het al twee in Jacques se skaduwee grootgeword," sê Sandra sonder opstandigheid in haar stem.

Dis nie hoe dit vir Theresa gevoel het nie. Sy was die middelste kind wat van beide kante af in die skadu gestel is, akademies nie so begaaf of so goed in sport of so vol selfvertroue soos haar ouboet nie, nie so mooi of so minsaam of so musikaal soos haar kleinsus nie. G'n wonder sy het so obsessief na *The dark side of the moon* geluister nie.

Sy sluk die laaste tee af, sit die koppie en piering op die kombuistafel neer, prop gou nog 'n tuisgebakte amandelkoekie in haar kies en bieg al kouend: "Ek het Theo se ma gekontak."

"Ek's bly. Dis tyd dat jy al die ou koeie begrawe."

Theresa skud haar kop, geïrriteerd deur haar suster se slordige woordkeuse. "My probleem is juis dat al die ou koeie nou weer opgegrawe word."

"Ek bedoel die onnodige vyandigheid tussen jou en jou gewese skoonma."

"Jy bedoel dat ek die strydbyl begrawe." Haar pedantiese puntenerigheid oor taal is pateties, besef Theresa, maar sy kan haarself nie keer nie. Dis haar werk, sy is 'n lewenslange redigeerder van die geskrewe woord, en soms vervaag die grense tussen skryf en praat. "Ons was nooit rêrig vyande nie. Ons het maar net van mekaar se bestaan probeer vergeet ná ek en haar seun geskei is."

"Maar nou ... sy't haar enigste seun verloor ... en jy't die enigste man verloor wat jy ooit rêrig liefgehad het."

"Nie die enigste een nie. Ek is nie 'n one-man woman soos jy nie, Sandra."

"Die enigste een vir wie jy lief genoeg was om te trou."

"Dis juis omdat my enigste huwelik so 'n fiasko was dat ek te bang was om dit ooit weer te doen. Te bang of te sinies of te wat ook al. Maar daar wás ander mans in my lewe."

Waarom is dit so belangrik om dit onder Sandra se neus te vryf? Om haar eie gevarieerde seksuele geskiedenis te onderskei van haar sus se voorbeeldige monogame lewe?

Sandra glimlag soos jy vir 'n opstandige tiener sou glimlag en stuur die gesprek terug na veiliger vaarwater: "Hoe't jy haar in die hande gekry?"

"Gebel. Sy woon sowaar nog in dieselfde woonstel in Sunnyside. Dieselfde telefoonnommer, ná al die jare, kan jy glo?"

"En? Was sy vriendelik?"

"Sy was minstens nie heeltemal so onbeskof soos ek gevrees het nie."

"Ag, shame."

"Ek het 'n klomp ou briewe ontdek wat sy vir Theo geskryf het terwyl hy in die army was. Ek het gesê ek sal hulle vir haar bring."

"Dit sal jou goed doen om haar weer te sien. Closure te kry, nè?" Sandra kyk ingenome na haar suster. "Maar jy gaan seker nie al die pad Pretoria toe net om 'n paar briewe af te lewer nie?"

Al die pad. Dis asof dié frase haar agtervolg.

"Ek dink in elk geval daaraan om een of ander tyd Johannesburg toe te vlieg," sê sy so ongeërg as moontlik. "Op pad na Kuba."

Sandra staar verstom na haar.

"Kuba? Sjoe! Maar kan jy so 'n vakansie bekostig? Ek hoor dis baie duur om daar uit te kom ..."

"Ek kan dit hoegenaamd nie bekostig nie," sê Theresa. "Maar dis nie rêrig 'n vakansie nie, dis iets wat ek voel ek móét doen. In dieselfde boks waarin ek Theo se ma se briewe ontdek het, was daar ook 'n ander brief. Geskryf deur 'n Kubaanse soldaat, geadresseer aan sy kind. Ek dink hy was klaar dood toe Theo die brief in die hande gekry het. En ek voel net … jy weet … asof dit my plig is om die brief te gaan aflewer."

Sandra staar weer oopmond na haar.

"Maar dis mos nie … die adres het seker verander … wie sê die persoon lewe nog?"

"Dis hoekom ek dit nie net kan pos nie," sê Theresa. "Ek kan nie waag om dit dalk te laat wegraak nie. Ek het klaar 'n poskaart na die adres gestuur, net om te sien wat gebeur."

"En?"

"Nog g'n reaksie gekry nie, maar pos daarheen vat glo baie lank, so … Ek het net 'n paar woorde geskryf, met behulp van Google in Spaans vertaal, net gesê ek het 'n brief van hierdie soldaat wat Angel genoem is en my posadres gegee. E-pos ook. Nou wag ek …"

"Angel?" vra Sandra met wydgerekte oë.

Theresa knik. "As die soldaat se familie nie meer by hierdie adres woon nie, sal ek kyk of ek hulle kan opspoor. Ek weet ek soek 'n naald in 'n hooimied, maar ek sê vir myself ek moet minstens probéér." Sy leun vooroor, haar oë al weer krapperig van trane. "Dis dalk die stupidste ding wat ek ooit in my lewe sal doen – en die hemel hoor my, ek het al stupid dinge gedoen – maar dit voel of ek nie 'n keuse het nie."

Sandra vat Theresa se hand. "Dit gaan oor closure, Sus. Unfinished business. En jy's reg—"

"Jy dink dis reg dat ek dit doen?" vra Theresa gretig.

"Nee, ek dink jy's reg wanneer jy sê jy't al vreeslik baie stupid dinge in jou lewe gedoen." Sandra glimlag so lieftallig soos altyd. "So nóg iets stupids sal seker nie saak maak nie, nè?"

4. 'N SPAANSE WOORDEBOEK

Eers probeer sy "Die brief" self vertaal, met die internet as haar enig-
ste hulp. In haar gedagtes skryf sy dit só, "Die brief", soos die titel van
'n swak tydskrifverhaal wat sy moet regdokter voordat dit gepubliseer
kan word. Maar sy kan net genoeg verstaan om te besef dat sy eintlik
nog niks verstaan nie. Die eerste stap na wysheid, soos haar geskiede-
nisonderwyser-pa dit altyd genoem het.

En wat het nou van al haar pa se kamtige wysheid geword? Die blok-
kiesraaiselkoning wat sy woorde verloor het. Een van sy geliefde gesegdes
was dat 'n bietjie kennis baie gevaarliker kan wees as glad geen kennis
nie. Dit gee jou net genoeg valse selfvertroue om jou soos 'n gek te gedra,
het Adriaan Marais beweer.

Sy durf nie nou soos 'n gek optree nie. Sy kontak haar vriendin Nini,
'n reisagent wat Spaans magtig is en al dekades lank toere na Suid-Ame-
rika organiseer. Hulle het mekaar leer ken toe Nini die eerste oorsese
reis gereël het wat Theresa en Theo saam aangepak het, na Spanje, in
1985. Sy stuur 'n fotokopie van "Die brief" na Nini se e-posadres – die
oorspronklike weergawe is te kosbaar om aan enigiemand anders toe te
vertrou – en dieselfde aand nog bel Nini haar terug.

"Jy sal moet Kuba toe gaan," kondig sy aan. "Daar's nie 'n ander uitweg
nie."

Theresa hoor die asemrige opgewondenheid in haar vriendin se
stem, maar herinner haarself dat dit Nini se normale toon is, so 'n kin-
derlikheid wat haar altyd baie jonger en meer naïef laat klink as wat sy
eintlik is. Dis 'n eienskap wat sy soos 'n wapen leer gebruik het, een van
die gawes wat haar 'n gedugte sakevrou maak. Deesdae besit sy haar eie
reisagentskap.

"Ek was bang jy gaan dit sê."

"Ek moet bieg toe jy oor die brief begin praat, dog ek jy oorreageer
al weer, maar—"

"Al weer?"

"Jy weet wat ek bedoel! Oor jy altyd skuldig voel oor Theo en nou dink jy dis iets wat jy vir hom moet doen. Maar noudat ek die brief gelees het, wel, dit gaan nie eens meer vir my oor Theo nie, dis die brief wat 'n pa vir sy babadogter geskryf het en wat daardie kind behoort te lees. En jy's die enigste mens op aarde wat die kind en die brief by mekaar kan uitbring!"

"Die 'kind' sal nou ouer as veertig wees, Nini. Sy kan enige plek op aarde woon en ek weet nie—"

"Sy's heel waarskynlik nog net daar in Kuba. Jy weet mos hulle kan nie sommer besluit hulle wil in 'n ander land gaan woon nie, hulle kan nie eens in ander lande reis nie, hulle sit vas daar."

"Hmm, amper soos ons Suid-Afrikaners, nè?"

As sy net 'n Britse of Hollandse ouma of oupa gehad het, as enigeen van haar voorouers in die afgelope eeu in Europa eerder as Afrika gebore was, sou sy waaragtig die kans aangegryp het om buitelandse burgerskap te kry. Nie noodwendig om weg te hardloop nie, net om darem 'n ontsnaproete te hê as dinge hier nou rêrig agteruitgaan. Sy gló in Suid-Afrika, sy wil so graag aanhou om in haar geboorteland te glo, maar deesdae wankel haar geloof al hoe meer. Dis asof die wantroue tussen rasse 'n wond is wat net tydelik met 'n pleister toegeplak is terwyl Madiba gelewe het, maar nou is die pleister afgeruk en almal sien die vieslike wond, stink van die etter, skynbaar ongeneeslik. Sy weet nie hoe lank sy nog die vrot reuk kan verduur nie. Maar sy het nie 'n keuse nie, sy sal haar neus moet toeknyp, haar mond en haar oë en haar ore moet bedek, sy sal eenvoudig 'n manier moet vind om te bly glo, want sy het nie 'n oop agterdeur nie.

Nini is so meegevoer dat sy nie eens Theresa se versugting hoor nie.

"Dink net, Theresa, as jou pa vir jóú so 'n brief geskryf het. As daar iewers op aarde só 'n brief was wat jou pa voor sy dood vir jou geskryf het en wat jy nooit gaan lees omdat daar één mens is wat nie die moeite wil doen om dit vir jou te bring nie!"

"Luister, Nini, as ek gewéét het waar om hierdie Mercedes Perez Amat te vind – as ek selfs net geweet het of sy hoegenaamd nog lewe – sou ek my laaste sente geblaas het om die brief in haar hande af te lewer. Maar ek het nie geld vir 'n wild-goose chase op 'n afgeleë eiland nie."

31

"Jy gaan jouself nooit vergewe as jy nie minstens probeer nie."

"Ek is deesdae nogal verstom oor wat mens jouself alles kan vergewe."

"En ek belowe jou jy gaan nie spyt wees oor die reis nie. Al vind jy nie die vrou nie. Kom nou, Theresa, Kuba was nog altyd op jou bucket list!"

"Ag, jong, ek het nie eintlik meer bucket lists nie."

Toe sy jonger was en gedink het sy sou eendag op hierdie ouderdom 'n gemaklike lewe lei as welgestelde eggenoot en die ma van volwasse kinders, of selfs net as beroepsvrou op die boonste rang van die leer, het sy gedroom oor al die eksotiese plekke wat sy nog wou besoek. Maar haar lewe het nie so uitgewerk nie. Niks in haar lewe het eintlik uitgewerk soos sy gedog het nie. Alles is nie noodwendig slegter nie, sommige dele is dalk selfs beter – as sy luister hoe haar vriendinne oor hulle mans en kinders kla, as sy na haar arme suster se omstandighede kyk – maar dis nie die lewe wat sy haar verbeel het sy sou lei nie.

"Die blerrie rand is so sleg," sê sy, "ek weet nie of ek ooit weer sal kan bekostig om oorsee te gaan nie."

"You're telling me. Dis 'n katastrofe vir my besigheid. Maar Kuba is 'n geval van nou of nooit. Alles is aan die verander noudat die Yanks weer daar toegelaat word. Oor 'n paar jaar gaan die hele eiland vol Starbucks en McDonald's wees!"

"Praat jy nou as reisagent wat vir my professionele raad gee of praat jy as my pel wat vir my omgee?"

"Al twee," antwoord Nini sonder aarseling. "Jy weet mos reis is die enigste ding waarop jy geld kan uitgee wat jou ryker laat voel nadat jy dit uitgegee het."

"Dis wat jy vir my en Theo gesê het toe ons die eerste keer saam oorsee is. En kyk waar het dít my gebring."

"Ek dog julle is net vriende. Ek het nie geweet julle gaan saam in die bed spring die oomblik wat julle uit die land is nie."

"Ek het ook gedog ons is net vriende."

"Dis in elk geval nie ék wat julle omgepraat het om Spanje toe te gaan nie. Theo het mos van altyd af 'n obsessie oor Spanje gehad."

"Ek het ook so gedog, maar nou … nadat ek die brief ontdek het … nou dink ek dit het oor die taal eerder as die land gegaan. In daai dae kon ons nie Kuba toe reis nie, onthou, die grensoorlog was nog aan die gang, ons was besig om teen die Kubane te baklei, maar ons kon Spanje toe gaan. En Theo het baie hard probeer om Spaans te leer. Onthou jy?"

"Helaas, ja. Hy was nie baie begaaf nie. Daar was iewers 'n blokkasie, asof sy oor nie die regte klanke kon hoor nie. Of sy tong nie die woorde kon vorm nie."

Hy wou dit nooit rêrig práát nie, dink Theresa. Sy besef nou vir die eerste keer hy wou net "Die brief" kon lees.

Toe hulle mekaar as nagraadse studente op Stellenbosch leer ken het, was sy byna lagwekkende pogings om op sy eie Spaans te leer, met behulp van korrespondensiekursusse en kassette en prentjies op flash cards, net nog een van die dinge wat hom anders as die res van hulle klasmaats gemaak het. Hy was ouer as al die ander, ernstiger. Reeds 'n meestersgraad in staatsleer gehad, klaar begin navorsing doen vir sy doktorale tesis toe hy skielik besluit hy wil nie 'n akademikus word nie, hy wil 'n "regte werk" hê, en toe skryf hy in vir 'n honneursgraad in joernalistiek.

Hy was vir haar van die eerste dag af aantreklik, maar sy sou nooit met hom geflankeer het nie. Hy was te afsydig. Verwaand, het sy aanvanklik gedink, soos die meeste van hulle klasmaats seker ook, 'n koue vis. Voordat hulle agtergekom het dat hy bloot sosiaal ongemaklik was, 'n slim introvert wat 'n bietjie meer moeite geverg het om van nader te leer ken.

Sy lyf was skraal en seningrig, sy wangbene hoog – Slawies of Russies, het Theresa bespiegel, waarskynlik omdat sy te veel klassieke Russiese romans gelees het – en sy swart hare het altyd windverwaaid gelyk, selfs al was daar nie eens 'n briesie nie, vermoedelik omdat hy dit gereeld gewas, maar nooit gekam het nie, net sy nat kop geskud soos 'n hond sy hele harige lyf sou droog skud. Sy treffendste fisieke eienskap was sy oë, besonder blou en beklemtoon deur swaar swart wenkbroue en welige wimpers wat sy gesig 'n androgene voorkoms gegee het, soos die manlike rocksangers van daardie dae wat oogomlyner en grimering gebruik het.

In Theo se geval was enige moontlike androgene suggestie tot sy gesig beperk. Eintlik net sy oë. Sy kleredrag was altyd so konvensioneel soos

kan kom, tipiese manlike studentedrag, jeans en tekkies en los oortrek-
truie, niks wat hom ooit in 'n skare sou laat aandag trek nie.

Die eerste keer toe hulle alleen met mekaar gepraat het, nadat
hulle omtrent al 'n maand lank klasmaats was, was toe sy hom een
Saterdag toevallig in die botaniese tuin aantref. Op 'n bank onder 'n
koelteboom, laag geboë oor 'n boek, so verdiep in sy leesstof dat hy
haar nie opmerk voordat sy reg voor hom gaan stilstaan en 'n skadu-
wee oor sy voete gooi nie.

"O, hallo." Hy kyk effens gesteurd op, soos iemand wat uit 'n diep
slaap wakker geskud word.

"Haai. Ek dog ek's die enigste mens wat ek ken wat soms hier kom
wegkruip."

"Mierda. You've blown my cover."

"Ek sal vir niemand sê nie. Wat lees jy?"

"'n Woordeboek."

"A! Words, words, words … My pa lees ook woordeboeke as 'n stok-
perdjie. Hy's nogal weird."

"Ek ook seker. In my geval is dit Spaanse woorde."

"Kan jy Spaans praat?" vra sy, nogal geïmponeer.

"Nee. Dis hoekom ek die woordeboek bestudeer. Ek probeer myself
Spaans leer."

"Hoekom?"

"Hoekom nie? Dis 'n wêreldtaal."

"Kan jy enige Afrikatale praat?"

"Behalwe Afrikaans?"

"Ek bedoel swart Afrikatale."

"Afrikaans het ook as 'n swart taal begin. Hoewel ons spierwit volks-
leiers dit seker nie wil hoor nie."

"Wat ek eintlik bedoel, is … wel, voel jy nie skuldig om 'n Europese
taal te leer as jy nie met die meeste mense in jou eie land in hulle eie taal
kan praat nie?"

Hy draai sy kop skeef om haar te bestudeer waar sy steeds voor hom
staan, hande op die heupe, haar houding waarskynlik meer uitdagend as
wat sy bedoel.

"Nee," sê hy. "En jy?"

"O hel, ek voel skuldig oor alles!"

34

"Calvinistiese opvoeding, neem ek aan?"

"Is dit só obvious?" vra sy laggend. "Ek's veronderstel om goed te wees in tale. Kan bietjie Duits en Frans verstaan, maar ná twee jaar van Xhosa-klasse kan ek skaars drie sinne onthou. Dis die struktuur van die taal wat vir my vreemd is, die grammatika, dit wil net nie insink nie. Ek weet, ek's 'n Eurosentriese colonial en ek behoort my te skaam."

"Ek het Sotho geleer toe ek klein was. As dit vir my brownie-punte sal score. Hoewel ek dit by die werkers op my oupa se plaas geleer het. Wat seker nie juis vir my Struggle credentials gee nie."

Dis die eerste keer dat sy opmerk hoe helderblou sy oë is, nie kilblou en streng soos haar pa se oë nie, meer simpatiek, meer geamuseerd.

"Nou hoekom leer jy nou Spaans?"

"Omdat Sotho my nie gaan help om Cervantes of Gabriel Garcia Márquez te lees nie."

"Wow. Jy's baie meer ambisieus as ek. Al wat ek met my bietjie Frans en Duits wil doen, is om 'n bord kos of 'n glas wyn te bestel as ek een-dag in Europa uitkom. Te vra waar's die naaste stasie. Wanneer is die volgende trein. Niks meer as die bare necessities nie."

"Dit hang af wat jy as die bare necessities beskou."

"Beslis nie om Cervantes in Spaans te lees nie." Sy grinnik vir sy uit-drukking van oordrewe teleurstelling. "'n Glas wyn, ja."

"Hmm. Jy't dalk 'n punt. Is jy lus om nou 'n glas wyn te gaan drink?"

"In die middel van jou Spaanse les?"

"Ek kan seker iewers in 'n kroeg ook met die les aangaan. Ek kan jou leer om 'n glas wyn in Spaans te bestel?"

"Nou dis mos nou 'n aanbod wat ek nie kan weier nie."

Dis hoe Theresa en Theo vriende word, deur 'n Spaanse les, oor 'n glas wyn in 'n studentekroeg.

"Una copa de vino tinto, por favor," sê Theo nadat hy in sy woorde-boek seker gemaak het dis hoe jy rooiwyn bestel.

Sy uitspraak is so sleg dat selfs Theresa kan hoor dis nie hoe Spaans behoort te klink nie. Maar sy vra nogtans: "En wat van witwyn?"

"Prefiero el vino tinto al vino blanco." Hy verkies rooiwyn bo witwyn, sê hy, maar hy bestel vir haar vino blanco.

"En hoe vra jy nog 'n glas," vra sy nadat haar glas leeg gedrink is.

35

"Otra copa," antwoord Theo nadat hy gou weer in die woordeboek geloer het.

"Jy't nog 'n lang pad om te loop voor jy Cervantes sal kan lees," waarsku Theresa hom. En toe die tweede glas afgesluk is, stel sy voor hulle bestel sommer 'n bottel.

"Una botella de vino!" roep Theo uit sonder om eers in die woordeboek te kyk, asof twee glase wyn genoeg was om hom met selfvertroue te laat Spaans praat.

Die vriendskap blom oor die volgende drie jaar, maar dit bly bloot vriendskap. Enige moontlike fisieke aangetrokkenheid word ontken of onderdruk of weggelag, asof hulle instinktief aanvoel dat hulle nie goed vir mekaar sal wees as hulle romanties betrokke raak nie.

Buitendien, hulle is albei reeds by ander mense betrokke.

Theresa gaan uit met Beer, 'n groot blonde handelstudent wat kitaar speel in 'n rockgroep op die kampus. Maar aangesien Beer baie ernstiger is oor sy deeltydse kitaarspelery as oor sy heeltydse handelstudie, sit Theresa omtrent elke naweekaand alleen in 'n kroeg en kyk hoe jonger studentemeisies swymel oor haar kêrel wat sy kitaarsnare met sy lang vingers streel en sy onderlyf suggestief op maat van die musiek wikkel. Omtrent een keer 'n maand het hulle 'n skreeuende argument – sy beskuldig hom van narcissisme en onsensitiwiteit, hy beskuldig haar van jaloesie en kinderagtigheid – en daarna voel albei so berouvol dat hulle hartstogtelik liefde maak. Wat hulle oortuig dat hulle eintlik baie van mekaar hou – in die bed, in elk geval – en die volgende naweek sit Theresa maar weer wrewelrig in 'n kroeg terwyl haar kêrel sy boude soos Bruce Springsteen swaai.

Theo het nie 'n vaste meisie nie, hy het 'n reeks rampspoedige tref-en-trap-ervarings met meisies wie se name Theresa nie kan onthou nie omdat hulle nooit lank genoeg aan sy arm hang nie en hulle vir haar almal uit dieselfde lap geknip is: klein en fyn gebou, saggesproke met hulpelose uitdrukkings, gewoonlik met donker hare en groot donker oë soos Walt Disney se Bambi.

Twee dinge word gou vir Theresa duidelik: Theo is onweerstaanbaar aangetrokke tot 'n sekere soort vroulike hulpeloosheid wat 'n beskermingsdrang in hom laat ontwaak – en sy wat Theresa is, is die teenoorgestelde van hierdie soort meisie. Sy is lank en stewig gebou met groot hande en voete, sy is onafhanklik en opstandig, en sy háát dit om hulpeloos te voel.

Maar dit maak nie saak nie, want Theo is ook nie eintlik die soort ou wat háár hormone in beroering bring nie. Sy is aangetrokke tot groot blonde Vikings soos Beer, eerder as skraal Mediterreense ouens met hoë wangbene soos Theo. Wat beteken sy en Theo kan rêrig goeie vriende wees, dwarsdeur hulle joernalistiekjaar en daarna, toe hulle by dieselfde Afrikaanse dagblad in Kaapstad begin werk, waar hulle mekaar oortuig dat hulle by 'n regeringsgesinde koerant kan werk sonder om met die regering saam te stem, tot hulle ná 'n jaar of twee agterkom dis nie moontlik om hierdie stelsel van binne af te verander nie en saam besluit om ander werk te soek.

En hulle bly vriende nadat sy kopieskrywer by 'n Kaapse reklame-agentskap geword het en hy by 'n Kaapse uitgewer begin werk het. Nadat haar verhouding met die Viking op die rotse geloop het omdat hy sy kitaar gebêre en 'n das begin dra en 'n pos by 'n internasionale maatskappy in Johannesburg aanvaar het.

Selfs nadat Theo dit eindelik regkry om langer as ses maande met dieselfde Bambi uit te gaan, kry Theresa dit reg om nie sy keuse van bedmaat te kritiseer nie en bly hulle beste vriende. Net vriende. Niks meer as vriende nie.

"Elke meisie het 'n goeie mansvriend nodig," verduidelik sy vir haar suster wat nie kan verstaan wat aangaan nie.

Sandra is eintlik eerder Theo se soort meisie, klein en saggeaard en hulpbehoewend, maar Sandra gaan van haar studentedae af met Anton uit en kyk nie eens na ander mans nie.

Asof sy bang is dat sy iets gaan sien waarvan sy meer hou as wat sy het, vermoed Theresa soms.

"Ek dog dis waarom gay mans daar is," sê Sandra. "Dis fantasties om 'n gay ou as beste vriend te hê, maar as hy straight is ... ek weet darem nie ... once sex rears its ugly head—"

"Praat jy nou van die manlike geslagsorgaan?" Theresa proeslag vir Sandra se verleë uitdrukking. "Ek sal die kans waag. Ek het manlike geselskap nódig. Ek is mal oor my vriendinne, maar hulle daag my nie uit nie. Ek weet hoe hulle koppe werk, ons speel in dieselfde span. Theo is iets heeltemal anders. Hy's die broer wat ek nog altyd wou gehad het."

"Jy het mos 'n broer."

"Ag, kom nou, Sandra, jy weet tog ek kan skaars drie sinne met Jacques praat. Ons lewe in verskillende wêrelde. Met Theo kan ek gesels oor dinge wat vir my sáák maak, oor boeke en flieks en politiek en filosofie, ons is op dieselfde golflengte."

Sandra skud haar kop. "Moenie sê ek het jou nie gewaarsku nie, nè?"

'n Voorspelling wat later by Theresa sou spook.

Want ná drie jaar van vriendskap het Theo haar een aand oorreed om saam met hom in Spanje te gaan reis. As plaasvervanger vir die hoeveelste Bambi wat veronderstel was om saam te gaan – haar vlugte en haar verblyf was klaar bespreek – maar toe begin Theo en Bambi kort voor die vertrekdatum baklei en besluit dis beter dat hulle paaie skei. En toe dink Theo mos, hei, as Theresa saamkom, sal sy eindelik die kans kry om 'n glas wyn in Spaans te bestel.

"Una copa de vino blanco, por favor," het Theresa laggend gesê en ingestem.

Snaaks, het sy dikwels daarna gedink, hoe 'n mens sulke lewensveranderende besluite sommer so op die ingewing van die oomblik kan neem. Grinnikend oor 'n glas wyn. Want jy weet nie wat die werklik belangrike besluite in jou lewe is terwyl jy hulle neem nie. Eers later, wanneer jy terugkyk, besef jy dat alles anders sou uitgewerk het as jy dáár anders besluit het.

Of dalk nie.

"As ons nie in Spanje saam in die bed beland het nie," sê sy nou vir Nini oor die foon, "sou dit seker op 'n ander plek gebeur het. The fault, dear Brutus, is not in our stars ... Sal jy vir my sê presies wat in die brief staan?"

5. GEHEKELDE KLEEDJIES

Dis dieselfde woonstel in dieselfde boomryke straat in Sunnyside, maar niks is meer dieselfde nie. Dit besef Theresa dadelik toe die Uber voor die gebou stilhou en sy die effense verwarring in die Zimbabwiese bestuurder se oë opmerk. Dit lyk seker vir hom nie soos 'n adres waar 'n wit middeljarige vrou met 'n Amerikaanse ontwerperdonkerbril en 'n Franse ontwerperhandsak sou wou kom kuier nie.

Sy klim uit en groet hom met 'n gerusstellende glimlag, maar hy bly nogtans in sy silwergrys Toyota wag terwyl sy na die ingang stap en die interkomknoppie langs die voordeur druk. Die glas in die deur is gekraak en die ronde duikie in die middel van die straalvormige kraak-merke lyk vir haar asof dit deur 'n koeël gevorm is. Kan nie wees nie. Wat weet sy in elk geval van koeëlmerke of koeëlvaste glas behalwe wat sy in flieks gesien het? Sy wag dat die deur oopgaan, ongemaklik bewus van die feit dat sy die enigste wit mens in sig is tussen die voetgangers en drentelaars en sypaadjiesmouse oral om haar. Oorkant die straat is 'n laerskool met 'n speelterrein vol jillende, gillende kindertjies in uniform. Nie 'n enkele wit gesiggie onder hulle nie.

Toe haar gewese skoonma vroeg in die jare tagtig, ná haar man se dood, hierheen getrek het, was dit nogal 'n indrukwekkende woonstel-gebou in 'n ietwat boheemse dog ordentlike buurt naby die middestad van Pretoria. Uitstekende waarde vir 'n suinige weduwee se geld. Theresa onthou die binnekant van Elize van Velden se woonstel as besonder ruim, uitgestrek oor twee verdiepings – 'n dupleks, soos Elize dit altyd genoem het, nooit net 'n woonstel nie – met groot vensters wat volop lig inlaat en 'n sonnige balkon wat 'n lushof van welige groen potplante was.

Sy druk weer die interkomknoppie, onseker of dit nog werk, dank-baar vir die geduldige Zimbabwiese bestuurder in die Uber. Net toe sy haar selfoon uithaal om te probeer bel, kliek die deur oop en twee jong swart mans kom laggend uitgestap. Sy glip gou by die deur in en wuif vir haar Zimbabwiese beskermengel in die straat. Die teëlvloer voel taai onder haar voete. 'n Leë Coke-blikkie en die plat kartonhouer van 'n wegneem-pizza lê in die hoek naby die hysbak. En die hysbak is *Out of Order*, volgens 'n handgeskrewe kennisgewing wat skeef op die deur geplak is.

Met 'n swaar hart begin Theresa die trap na die vyfde verdieping klim. Hoe op aarde bly 'n weduwee van oor die tagtig jaar aan die lewe op die vyfde vloer van 'n verwaarloosde gebou sonder 'n hysbak? Sy staan vir 'n paar oomblikke stil, nie net om haar asem terug te kry nie, maar ook om moed te skep, want die hemel weet hierdie herontmoeting is vir haar 'n beproewing. En noudat sy bewus word van haar gewese skoonma se benarde situasie, word die versoeking om net hier om te draai en pad te gee, byna onweerstaanbaar.

Maar sy klim verder tot op die vyfde verdieping en stap die laaste ent in die lang gang tot by Elize van Velden se woonstel. Toe sy haar vinger lig om die voordeurklokkie te lui, swaai die deur oop en kyk sy vas in 'n ou vrou, ongesond oorgewig, wat swaar op 'n loopraam steun. Die teenwoordigheid van die loopraam gooi 'n selfs skokkender lig op die afwesigheid van 'n hysbak.

Terwyl sy die trap geklim het, moes hierdie vrou pynlik stadig met behulp van die loopraam deur die woonstel geskuifel het om betyds by die voordeur uit te kom. Haar keel trek onverwags toe van ontroering, hoewel sy g'n vriendelikheid in haar gewese skoonma se klein swart ogies bespeur nie. Dis nie haar oë wat kleiner geword het nie, dis haar gesig wat so van vetsug opgeswel is dat haar oë nou Japans lyk. Die dun haartjies is steeds geelblond gekleur, soos jare gelede, maar weerskante van die ietwat skewe middelpaadjie het twee breë grys stroke uitgegroei. Die geheelindruk herinner aan 'n verdorde geel grasperk waarvan die middelste deel boonop met onkruiddoder bygekom is.

Theresa aarsel in die deur omdat sy nie weet hoe om hierdie voorheen aangetroude familielid te groet nie. 'n Soen op die geplooide mond is buite die kwessie, 'n Europese wangsoen sou pretensieus voorkom, 'n omhelsing oordrewe en skynheilig – en buitendien, die loopraam is in die pad van enige intieme liggaamlike kontak.

Die probleem word opgelos deurdat Elize eenvoudig knik en omdraai en terug na die sitkamer begin skuifel.

"Maak toe die deur voor die lawaai en die stank inkom," blaf sy oor haar skouer. "Dit het mos nou in 'n lokasie verander hier om my."

Theresa kyk hoe die ou vrou na die rusbank beweeg, voetjie vir voetjie, steunend. Haar ontroering het opgedroog. Indien sy gehoop het die Nuwe Suid-Afrika sou haar gewese skoonma se stekelrige rassisme 'n bietjie gladder kon skuur, het sy haar klaarblyklik misgis.

Die feit dat die eens hoogmoedige weduwee Van Velden teen haar sin vasgevang is in 'n voormalige wit buurt wat voor haar verbysterde oë al hoe swarter en armer word – 'n gevangene in 'n loopraam op die vyfde verdieping van 'n gebou met 'n stukkende hysbak, haar swart bure almal so ver buite haar verwysingsraamwerk dat daar geen kans is dat sy hulle ooit sou wou bevriend nie – hierdie hele situasie lyk skielik vir Theresa soos 'n absurde soort straf.

Haar suster wat graag kamma sielkundige modewoorde soos "closure" en "mindfulness" gebruik, sou dit seker "karma" genoem het.

Hulle sit op die uitgesakte rusbank, ongemaklik na aan mekaar, maar dis die enigste beskikbare sitplek. Die rusbank, geblom met gehekelde lappies oor die armleunings, staan reg voor en gans te naby aan 'n groot plat TV-skerm waarop 'n Afrikaanse reeks uit die jare tagtig heruitgesend word. Die klank is afgedraai; dis net die vaagweg bekende beelde van akteurs en aktrises wat nou almal stokoud of saliger is wat Theresa teensinnig fassineer. Daar is twee ander stoele soos kerkbanke in 'n ry agter die rusbank geskuif, maar 'n skinkbord met 'n verskeidenheid van pilhouertjies en medisynebotteltjies is op die een stoel neergesit en die ander een is beset deur 'n stapel vrouetydskrifte, sweerlik ook uit die tagtigs.

Dis soos 'n museum hier binne. Daar buite druis die Nuwe Suid-Afri-ka onstuitbaar voort, maar tussen hierdie vier mure, met die voordeur styf toe teen "die lawaai en die stank", het Elize van Velden dit regge-kry om 'n stukkie van haar vertroude vaderland van dertig jaar gelede te bewaar. En die gebrek aan sitplek maak dit duidelik dat dié museum nooit juis besoekers kry nie.

Dis net die moderne TV-skerm wat glad nie pas nie.

"Tannie Elize …," sê Theresa, met moeite. Sy het dit nooit reggekry om haar afsydige skoonma "Ma" te noem nie. Hulle het mekaar so min gesien terwyl Theo en Theresa getroud was dat dit nie eintlik nodig was om haar enigiets te noem nie. Nou klink "tannie" vir haar onnodig intiem, maar sy kan tog nie 'n voormalige familielid as "mevrou" aanspreek nie. En dis ondenkbaar dat sy hierdie vrou op haar voornaam sou noem. Elize van Velden is nie die soort Afrikaanse tannie wat enigiemand jonger as sy gaan toelaat om haar naam ydellik te gebruik nie. "Hoe bly jy hier aan die lewe?"

"My man het gesorg vir goeie lewensversekering," antwoord Elize kortaf.

Seker nie só goed nie, anders sou die rassistiese weduwee intussen na 'n witter, duurder buurt getrek het.

"Ek bedoel eintlik meer die praktiese opset. Hoe kom jy by die winkels uit om kos of medisyne te koop as die hysbak nie werk nie? En die slaapkamer en badkamer op die boonste verdieping … met die loopraam?"

"Ek kan myself met die reling van die trap optrek. Ek doen dit net een keer 'n dag. Ek het 'n toilet onder die trap laat inbou, daar waar die linnekas was," wys sy vir Theresa. "En die hysbak is darem nie heeltyd stukkend nie."

"Maar noudat dit stukkend is … laat jy vir jou kos aflewer?"

"Meals on Wheels," knik Elize. "Hier's 'n supermark hier naby wat ook inkopies aflewer. Ek kom reg."

Maar vergaan jy nie van eensaamheid nie? Dís wat Theresa eintlik wil vra. Die ysige atmosfeer tussen hulle het effens ontdooi, soos 'n yskas wat afgeskakel is en nou begin die ys smelt, maar daar is steeds baie meer ys as water.

"Partykeer bel ek 'n restaurant om iets te bestel. Ding is net dis altyd jong swartetjies wat kom aflewer en ek dink nie dis 'n goeie idee om hulle te laat agterkom ek is 'n weduwee wat op my eie woon nie. Mens weet nooit nie, netnou is hulle kop in een mus met die kriminele elemente. So ek maak altyd asof ek met my man iewers in die woonstel praat wanneer ek die deur oopmaak. En ek gee nooit fooitjies nie, ek wil nie hê hulle moet dink ek is ryk nie."

Vir die eerste keer trek haar mondhoeke op, asof sy geamuseerd is dat sy die kriminele elemente so slim om die bos kan lei.

"Maar … kan jy nie iewers gaan woon waar jy veiliger sal voel nie?"

"Mens kan nêrens meer veilig voel in hierdie land nie." Elize snork verontwaardig. "En die waarde van eiendomme het só gesak vandat alles

42

hier om my swart geword het dat ek die plek nie kan verkoop nie. Ek sal nie genoeg uitkry om 'n woonstel in 'n beter buurt te kan bekostig nie."

"Maar wat van huur? Ek bedoel ... as jy hierdie woonstel verhuur, sal jy mos 'n kamer in 'n versorgingsoord kan bekostig—"

"Ek wil nie die woonstel aan swartes uithuur nie, hulle sal dit net opmors soos hulle alles in die land opmors. En ek wil nie in 'n gehuurde kamertjie opeindig nie!"

Nee, dink Theresa, jy gaan net hier in jou eie apartheidsmuseum opeindig, moontlik nog vermoor deur een van die swart afleweringsbodes vir wie jy nooit 'n fooitjie gee nie.

Sy trek haar handsak nader, op die lae koffietafel wat in die smal spasie tussen die rusbank en die TV ingedruk is, en trek per ongeluk die gehekelde kleedjie op die tafel skeef. Sy stryk die kleedjie plat en haal 'n deurskynende plastiekkoevert uit die handsak.

"Hier's die briewe wat ek gebring het."

Elize vat die plastiekkoevert by haar en staar na die ligblou velletjies wat binne-in sigbaar is asof sy bang is om haar eie woorde weer te lees.

Theresa voel 'n sweterigheid in haar armholtes en wonder of enige van die vensters in hierdie benoude woonstel ooit oopgemaak word. Sy ruik oorryp piesangs, vrot vrugte, iets wat begin gis het, en kyk rond om die oorsprong van die reuk te probeer vind.

In die hoek langs die TV-skerm staan 'n hoëpoottafeltjie met 'n verskeidenheid van geraamde foto's op nog 'n gehekelde kleedjie uitgestal. Theo as 'n swart-wit baba in 'n lang dooprok veilig in sy swart-wit ma se arms. Die ma is jonk en nogal mooi en verleidelik plomp, uitgevat in 'n hoed en handskoene. Langs haar pronk die jong pa in sy kerkpak, hare plat teen sy kop geolie, potlooddun snorretjie bo sy trotse glimlag. Nog swart-wit foto's van Theo as donkerkopkleuter onder 'n Kersboom, Theo as haasbekseuntjie op een van daardie stokstyf geposeerde, amptelike skoolfoto's, Theo in 'n kortbroek met belaglike dun beentjies tussen sy ouers in 'n professionele fotograaf se ateljee. In sy tienerjare kry die foto's kleur. Nog 'n amptelike skoolfoto, dié keer van 'n ernstige hoërskoolseun met treffende blou oë teen 'n rooi fluweelgordyn. Theo in 'n blink pak, met wyepypbroek en breë baadjiekraag, langs 'n meisie in 'n glansende pers rok, seker sy matriekafskeid.

Daar is selfs een van Theo op sy troudag in 1990, in sy roomkleurige

bruidegomspak wat Theresa nie dadelik herken nie omdat die bruid son-
der enige genade uit die foto gesny is. 'n Stukkie van die bruid se arm en
haar hand op Theo se mou is al wat agtergebly het – die enigste teken van
Theresa Marais se teenwoordigheid in Theo van Velden se lewe wat nog
in hierdie woonstel geduld word.

Die grootste foto in die blinkste raam is van Theo kiertsregop in sy
bruin weermaguniform, sy hare stomp gesny, sy wange glad geskeer,
sy gesig aantreklik sonbruin, 'n toonbeeld van jeugdige weerbaarheid
en blinde patriotisme. Dis duidelik sy ma se gunstelingfoto, hoe sy hom
die graagste wil onthou, die seun wat sy plig vir volk en vaderland ver-
rig het. Veral in die lig van wat later met hierdie seun gebeur het.

Van die laaste twee dekades van Theo se lewe is daar slegs 'n enkele
kiekie, halfpad weggesteek agter die spoggerige weermagfoto: Theo
se kop en skouers, nie heeltemal helder in fokus nie, 'n steelfoto wat gou
met 'n mik-en-druk of 'n selfoon geneem is. Langerige donker hare en
'n woeste baard waain heelwat grys is. Blou oë waarin Theresa, selfs
op hierdie afstand, die skittering van waansin herken.

Sy draai haar kop gou weg van die altaar vir 'n verlore seun – net
betyds om Elize se gesig te sien inmekaarsak soos 'n gebou wat van
binne af met dinamiet verwoes word. Sy het die bril wat aan 'n toutjie
om haar nek hang, op haar neus gesit en die boonste brief begin lees,
deur die plastiek van die koevert, blykbaar steeds te bang om dit uit te
haal, en nou stroom die trane onder die bril uit en spoel haar gewone
streng uitdrukking heeltemal weg. Sy ween geluidloos en byna roerloos.

Soos ek, besef Theresa.

Voordat sy haar kan keer, het sy haar arm oor Elize se skouers ge-
drapeer, haar vingers vertroostend tikkend teen Elize se vet boarm. Die
oomblik toe sy haar ledemaat so lomp en ongewens daar sien hang,
word sy warm van verleentheid. Haar vingers tik-tik egter voort tot-
dat Elize haar met 'n laaste rillende geluidlose snik regruk. Theresa
laat haar arm dankbaar sak. Die ou vrou grawe in die voue van haar
enorme boesem, onder haar geblomde bloes in, om 'n tissue iewers uit
die dieptes van haar onderklere te voorskyn te bring. Sy blaas haar neus
trompetterend en bêre die klam tissue weer in haar bra.

"Ek het vir jou ook iets." Elize wys na 'n swart Moleskine-boek wat
naby Theresa se handsak op die koffietafel lê. "Hy het dit op 'n keer vir

my gegee, gesê ek moet dit wegsteek, want as die veiligheidspolisie of die Mafia of ek kan nie onthou wie nie dit in die hande kry, sal hulle hom doodmaak."

Elize se swaar borste dein op en af soos sy sug. Dis steeds vir haar bitter moeilik om oor haar seun se paranoïese episodes te praat.

"Hy't ook gesê ek moet dit liewers nie lees nie, vir my eie veiligheid, maar noudat hy nie meer hier is nie … ek het gedog ek moet minstens kyk wat hy daarin geskryf het. Maar my oë is nie meer so goed nie … en op party plekke raak sy handskrif heeltemal onherkenbaar … asof 'n vreemdeling die pen in sy hand oorneem … ek het liewers opgehou. Dit het my te veel ontstel."

En nou wil sy blykbaar hê haar gewese skoondogter moet ook ontstel word.

"Nee," sê Theresa en skud haar kop, "as hy nie wou gehad het ons moet dit lees nie, dan's dit dalk beter—"

"Hy wou hê jý moet dit lees. Hy het dit vir my gegee omdat jy alle kontak met hom afgesny het ná jy hom gelos het." Theresa hoor die beskuldiging in die ou vrou se stem en byt op haar tande om stil te bly. "Hy het gevra dat ek dit vir jou gee. Gesê jy is die enigste een wat sal verstaan. Maar ek het nie geweet waar om jou in die hande te kry nie. Jy het my mos saam met hom uit jou lewe verban."

Theresa sluit haar oë vir 'n oomblik, 'n vorm van selfbeskerming teen al hierdie onregverdige aantygings, en haal diep asem voordat sy praat: "Tannie Elize." Sy hoop sy klink simpatiek genoeg, want sy weet die vrou langs haar wil nie hoor wat sy nou moet sê nie. "Ons weet al twee hy was … wel, geestelik versteurd toe hy dit vir jou gegee het. Mens kan mos nie elke versoek van 'n geestelik versteurde ernstig opneem nie?"

"Hy was nie ''n geestelik versteurde' nie, hy was my seun." Elize lig al drie haar kenne om Theresa uit die hoogte te bekyk. "En hy was jou man. As jy hom nie gelos het nie, as jy bereid was om hom te help, sou hy nie in 'n inrigting opgeëindig het nie."

"Ek het hom nie 'gelos' nie! Ek weet nie wat hy alles vir jou vertel het nie, maar hy wou nie langer saam met my lewe nie, hy't gesê ek konkel saam met die veiligheidspolisie, hy't my beskuldig dat ek hom wou vergiftig. Hy't nie van sy kop af gegaan van smart of skok nadat ons uitmekaar is nie, tannie Elize, ons is uitmekaar omdat hy lankal besig was om gek te word en geweier het om hulp te soek!" Theresa staan so vinnig op dat sy haar skeen teen die hoek van die koffietafel stamp. "Eina, fokkit."

Sy merk op hoe haar gewese skoonma se mond dun trek van afkeuring, die lippe so styf saamgepers dat dit lyk asof sy hulle ingesluk het, maar sy weier om verskoning te vra vir haar kru taal. Sy raap haar handsak op en die gehekelde kleedjie trek weer skeef, maar dié keer los sy dit net so.

"Dis beter dat ek groet. Ek het nie hierheen gekom om na beskuldigings te luister nie, ek wou eintlik net jou briewe vir jou terugbring."

Elize se oë word weer wasig agter haar brilraam.

"Luister, kind, ek is oud, ek gaan seker nie meer lank lewe nie, ek weet nie wat van my besittings gaan word as ek nie meer hier is nie, so ek vra jou mooi om die notaboekie saam te neem."

Theresa kyk oorbluf af na haar gewese skoonma wat nou waaragtig probeer om haar emosioneel af te dreig.

"Jy kan daarmee maak wat jy wil, jy hoef dit nie eens te lees nie, dis net … ek het hom belówe ek sal dit vir jou gee."

Sy hou haar betraande oë heeltyd op die Moleskine-boek wat soos 'n plat swart klip op die tafel lê. Laat die een wat sonder sonde is die eerste klip optel, dink Theresa en buk om die boekie in haar handsak te druk.

"Dankie," sug Elize.

Sy kyk op na Theresa, en dis asof 'n blinding vir 'n breukdeel van 'n sekonde gelig word, asof sy Theresa toelaat om by haar swart oë in te kyk en iets meer as bitterheid te sien.

"Ek het nog 'n brief in daai army-boks van Theo gekry," vertel Theresa op 'n toegeefliker toon. "Ek's op pad na Kuba om dit te gaan aflewer."

"Die Kubaanse soldaat se brief?" vra Elize verbaas.

"Wéét jy van die brief?" vra Theresa nog meer verbaas.

"Hy het soms daaroor gepraat … veral die laaste jare, toe hy al, jy weet … baie ver heen was. Ek het gedog dis net … verbeeldingsvlugte. Ek het nooit geweet of dit rêrig bestaan nie."

Theresa stap vinnig terug om die koffietafel, stamp haar skeen wéér, kry dit reg om 'n vloekwoord te onderdruk, sak weer op die rusbank langs Theo se ma neer. "Vertel my wat hy daaroor gesê het," sê sy, haar stem sag, amper smekend. "Asseblief?"

6. 'N SWART JOERNAAL

In die nag, hoog in die hemelruim iewers bo die vasteland van Suid-Amerika, lees Theresa haar gewese man se swart Moleskine-boek. Pynlik stadig, net 'n bladsy of twee op 'n slag, dan moet sy eers weer die buiteblad toeklap en haar oë laat rus – haar moeë oë en haar onstuimige gemoed – want die skrif is klein en skeef en soms bewerig en plek-plek onmoontlik om te ontsyfer, en die flou plafonliggie bo haar sitplek maak die hele proses nog moeiliker.

Die passasiers rondom haar slaap byna almal, slegs hier en daar gooi 'n video op 'n elektroniese skerm flikkerende skaduwees oor 'n kyker se gesig, net enkele kolletjies lig is nog sigbaar bo die rye en rye donker sitplekke. 'n Paar siele soos sy wat iets probeer lees, 'n boek of 'n tydskrif, of 'n joernaal van waansin, in haar geval. Sy behoort eintlik ook te slaap, maar daar is geen kans dat sy dit gaan regkry voordat sy die laaste bladsy van dié boek bereik het nie.

Haar lyf is lam van uitputting, haar spiere stram, en toe sy 'n uur gelede die vliegtuigtoilet besoek het, het sy geskrik vir haar gesig in die spieël bo die wasbak. Sy wéét sy is nie meer 'n jong vrou nie. Haar hare, wat sedert haar skooljare lank en blond was – al het die blond die laaste dekade of wat uit 'n buisie gekom – dra sy deesdae stomp geknip en skaamteloos spierwitgrys. En hoewel haar lyf nog sterk en soepel en ver van obees is, is dit nie meer naastenby so lenig soos in die dae toe sy haar gewig beheer het deur te rook pleks van te eet nie. Nogtans, mense beskou haar gewoonlik as aantreklik – "vir haar ouderdom", natuurlik, altyd daardie geniepsige angel in die kompliment – en meestal stem sy saam dat sy nogal nie te onaardig lyk vir iemand wat lankal vyftig geword het nie.

Buiten wanneer sy langs haar ewig jeugdige jonger sus staan.

Maar op daardie oomblik, in die onvleiende lig van die toilethokkie, het sy grillerig oud gelyk. Haar oë bloedbelope agter die lense van haar

47

leesbril, haar nekvel pap en plooierig, haar lippe so dun soos dié van 'n tandelose ou tannie. Die lyne van haar neusvleuels na haar mond-hoeke sulke diep slote dat hulle met 'n mes in haar vel ingekerf kon gewees het.

Sy reis al meer as vier-en-twintig uur aanmekaar, eers tien ure in 'n ander vliegtuig van Johannesburg na Brasilië, daarna nege ure van wag op die lughawe Guarulhos in São Paulo vir hierdie nagvlug na Panama. En oor 'n uur of drie, vroeg in die oggend, moet sy nóg 'n vlug haal, van die lughawe Tocumen in Panama City tot by haar bestemming – oplaas! – in Havana.

"Is daar rêrig nie 'n makliker manier om in Kuba uit te kom nie?" wou sy by Nini weet toe sy van hierdie omslagtige roete hoor.

"Daar is," het Nini gesê, "maar die kaartjies kos twee of drie keer soveel soos vir hierdie roete."

Dan sou sy dit maar op die moeilike manier moet doen. Sy het klaar haar neseier vir haar aftreejare oopgebreek om die reis te bekostig. Roekeloos, ja. Hoe meer sy dink aan wat sy besig is om te doen, hoe meer ondeurdag klink die projek vir haar. Maar dis nou te laat vir spyt. Oor enkele ure land sy in Kuba, waar sy minder as tien dae tyd het om 'n naald in 'n hooimied te vind.

"Probeer die ervaring geniet," het Nini haar aangeraai. "Drink 'n mo-jito of 'n pina colada, rook 'n vet sigaar, luister na die musiek, skud jou heupe."

"Ek gaan nie Kuba toe om my heupe te skud nie!"

"Ek weet, ek weet, jy gaan uit Plig." Sy kon hóór hoe Nini die woord met 'n sarkastiese hoofletter uitspreek. "Maar mens kan mos maar plig met 'n bietjie plesier ook meng."

Dis nie 'n plesiervaart nie, dis meer soos 'n bedevaart of 'n boetedoe-ning. Sy gaan om haar gewese geliefde se skuld te delg, en in die proses hopelik ook 'n bietjie van haar eie skuld af te koop. Omdat sy nie vir Theo kon help nie, omdat sy nie sy lyding kon verlig nie. Seker ook omdat sy as wit Suid-Afrikaner betrokke was by 'n oorlog waarvan sy niks verstaan het nie, waarvoor sy nou op een of ander manier wil vergoed. Maar sy durf nie te veel aan haar redes dink nie, want dan word dit net vir haar duidelik dat sy irrasioneel optree.

"En dis ook nou nie nodig om só obsessief te raak oor jou Plig dat jy heeltemal van jou sintuie vergeet nie. Kuba is 'n onweerstaanbare mengsel van Mediterreense kommunisme en hedonisme. Dalk net wat jy nodig het om jou Protestantse ordentlikheid 'n slag los te skud." Theresa het haar vriendin 'n verontwaardigde kyk gegee, maar Nini was aan die rol. "Loosen up, girl. Jy word nie jonger nie, nè? Jy kry dalk nie gou weer die kans nie."

"Ek dink nie ek gaan ooit weer die kans kry nie. Ek gaan so platsak wees wanneer ek terugkom dat ek vir jare lank nie weer sal kan vakansie hou nie."

"Net nog 'n rede om mojito's te drink en sigare te rook," het Nini gesê.

Nou sit sy hier met 'n boek wat sy nie wil lees nie, maar nogtans nie kan neersit nie. Gister het sy gedurende die eerste vlug bloot uit verveling daardeur begin blaai, maar binne 'n kwartier was sy vasgevang, soos in 'n riller deur 'n slim skrywer. Sy haat rillers, sy háát dit om gemanipuleer te word om bang te wees, maar die enkele kere wat sy 'n boek van iemand soos Stephen King begin lees het, het sy aangehou tot by die laaste sin, gemanipuleer, gehipnotiseer, magteloos.

Dis hoe sy nou voel.

Elke keer, nes sy te veel sukkel om die skrif te ontsyfer, word haar aandag deur 'n woord of 'n frase vasgevang. 'n Paar letters wat soos haar naam wil lyk of 'n kriptiese verwysing na 'n vrou wat moontlik sy kan wees. Of moontlik nie. 'n Beskrywing wat haar herinner aan die man wat sy liefgehad het, lank gelede, en dan lees sy asemloos verder op soek na nog, maar dan verval die frases weer in 'n sinlose gebrabbel. En elke keer nes haar oë begin toeval en haar nek vorentoe knak van moegheid, word sy skielik weer orent geruk, haar oë oopgesper, deur iets wat hy oor Angola skryf, oor sy dienspligdae, oor die dood en verwoesting wat hy gesaai en gemaai het.

Enkele kere skryf hy selfs oor 'n brief, maar sy weet nie of dit 'Die brief' is wat sy in haar handsak langs haar paspoort gebêre het nie. In hierdie dele word sy skrif so bewerig dat sy soms nie 'n enkele woord in 'n hele lang paragraaf kan begryp nie. Dit kon net sowel Chinees gewees het.

En nêrens is daar die aanduiding van 'n datum nie. Onmoontlik om vas te stel in watter jaar hy watter deel geskryf het, in watter maand, op watter dag. Vermoedelik kom alles uit die laaste dekade, toe sy gemoed al onredbaar versteur was, maar sy kan nie seker wees nie.

Sy kan van niks seker wees nie.

Luister na Satie se Three Pieces in the Shape of a Pear, wat eintlik 8 stukke is as ek reg onthou, Satie was mos 'n ou grapmaker wie se grappe mense gewoonlik nie gevang het nie, nes my kopdokter wat nou dood is aan kanker, peerkanker, kanker in sy ballas, elke keer as hy dit vir iemand gesê het, het hulle gedog hy maak 'n grap want hy was die soort ou wat met alles sou spot, selfs met die dood, selfs toe dit duidelik word dat hy besig is om dood te gaan, het hulle steeds verkies om te glo hy het 'n ander soort kanker, miskien longkanker soos ou Spikkels wat nou die dag dood is, hy het mos in Angola al gesê hulle sal hom nie doodskiet nie want hy weet hy sal aan long-kanker doodgaan nes sy pa en sy pa se pa voor hom, almal strawwe rokers, en dis waarom hy nooit eens probeer het om op te hou rook nie, waarom sou hy homself onnodig straf, het hy gesê, hy hou van rook en hy weet hoe hy eendag gaan doodgaan en dis meer as wat die res van ons arme bliksems kan sê.

Theresa snak na haar asem toe sy eindelik by die punt aan die einde van hierdie uitgerekte sin kom, asof sy te lank onder water probeer swem het. Sy onthou vaagweg die naam Spikkels, maar sy weet nie wanneer hy dood is nie, sy het nie eens geweet hy is dood nie.

Selfs die volgorde van die inskrywings maak nie sin nie. Dis soos visumstempels in 'n paspoortboekie, sonder chronologie, waar hy ook al 'n oop bladsy kon vind, het hy sy stempel afgedruk. Blykbaar het hy die boek oopgeslaan soos 'n gelowige die Bybel sou oopslaan om bete-kenis te soek in 'n teksvers wat toevallig op daardie bladsy verskyn – en dan na die naaste skoon bladsy geblaai om verder te skryf. Soms loop 'n inskrywing selfs van 'n agterste bladsy af vorentoe – soos Chinees – en dan is die volgende inskrywing weer in die "normale" volgorde, van die linkerbladsy na die regterbladsy, van voor in die boek agtertoe.

Hoewel Theresa teen dié tyd, ná 'n dag en 'n nag van worsteling met hierdie woorde, nie eens meer seker is wat "normaal" beteken nie.

Die volgende stuk is met 'n ander soort pen geskryf, in groen ink, en hier word die handskrif heeltemal onherkenbaar. Die letters staan groter en ronder en losser van mekaar op die papier, asof dit deur iemand anders geskryf is, of deur dieselfde mens op 'n veel jonger ouderdom.

Wat gaan gebeur is dat Kuba gaan dryf tot teenaan Angola, nie oor miljoene jare soos die kontinente van mekaar weggedryf het nie, maar oornag soos 'n skip wat die Atlantiese Oseaan oorsteek net baie vinniger as wat enige skip kan vaar. Ons gaan een oggend wakker word en Kuba gaan langs Angola lê, soos 'n kind agter sy ma se rug, 'n klein eilandjie langs 'n lang uitgerekte land. Niemand wil my glo as ek dit sê nie, nou sê ek dit liewers nie meer nie, hulle dink in elk geval klaar ek is stapelgek.

Theresa se kop draai asof sy gaan omkap. Sy knip haar veiligheidsgordel los en staan op. Gelukkig het sy soos altyd die sitplek langs die paadjie versoek, nou hoef sy nie bo-oor slapende passasiers te klim nie. Sy stap in die donker paadjie agtertoe, na die kombuisgedeelte langs die toilette waar twee jong lugwaardinne giggelend sit en fluister. Op 'n skinkbord naby hulle is plastiekglase vol water en lemoensap uitgestal. Theresa gryp 'n glas water. Haar hand bewe so dat 'n bietjie van die water op pad na haar mond uitstort.

"Are you okay?" vra een van die lugwaardinne met 'n fronsie tussen die volmaakte boë van haar ingekleurde wenkbroue.

Theresa knik en sluk die glas leeg. Net 'n bietjie lighoofdig, maak sy verskoning, dalk die bedompigheid van die lugreëling, die hitte van al die lywe rondom haar. In haar linkerhand, sien sy, klem sy steeds die swart Moleskine-boek vas. Sy vlug by die toilet in, sluit die deur agter haar, ruk haar bril af en spat water oor haar gesig. Sy is wasbleek, sien sy in die spieël, haar oë selfs rooier as 'n uur gelede. Skrikwekkend soos 'n vampier, met die silwerwit haarspriete wat in alle rigtings om haar kop orent staan. G'n wonder die arme lugwaardinnetjies lyk bekommerd nie. Sy spat nog water, kyk hoe haar hemp nat gevlek word, sien die water op haar sokkies op die vloer drup.

Wáárom ontstel Theo se skryfsels haar só? Sy weet tog al jare lank dat hy "sielkundige probleme" gehad het, soos sy dit steeds eufemisties beskryf aan mense wat hom nie geken het nie. Bipolêr, psigoties,

katatonies, paranoïes, noem maar op, sy het al hierdie woorde makge-
maak, soos troeteldiere leer ken, ywerig oor elkeen nagelees. Toe sy nog
gedog het sy sou hom op een of ander manier kon help.

Of minstens net kon verstáán wat aan die gebeur is.

Maar uiteindelik het sy moed opgegee – om te help of te verstaan –
en weggedraai van hom. Soos jy wegdraai van 'n medeswemmer wat so
diep in die see meegesleur is deur 'n gevaarlike stroom dat jy weet jy kan
hom nie meer bereik nie. Nou moet jy jouself probeer red, terugswem na
veiligheid, professionele menseredders roep om die diep see aan te durf.

Nou kan jy net hoop dat iémand hom nog kan red, want jy weet jy kan
nie.

Theresa glimlag vir die lugwaardinne, hopelik gerusstellend, toe sy
oplaas weer die toiletdeur oopsluit en in haar nat sokkies uitstap. Sy
weet nie hoe lank sy daar binne was nie. Dit kon twee minute of twee
ure gewees het. Dis seker soos dit vir Theo gevoel het toe hy sy begrip van
tyd begin verloor het. Hy het opgehou om datums in sy joernaal te
skryf, hom nie langer aan chronologie gesteur nie, want hoe kan "nor-
male tyd" nog saak maak wanneer dit altyd donker is om jou?

Terug op haar sitplek maak sy die swart boek weer oop. Nou moet sy
deurdruk, klaarkry met hierdie verslag van waansin voordat die vliegtuig
in Kuba land. Ná nog 'n paar bladsye wat sy beswaarlik kan ontsyfer, tref
een van die laaste inskrywings haar weer soos 'n landmyn. Skiet al haar
skuldgevoelens oop, blaas haar laaste sekerhede moer toe.

*Lees weer die boek van die Poolse joernalis wie se naam ek nooit kan
onthou nie oor die oorlog in Angola en kom af op 'n frase oor die "on-
kommunikeerbaarheid" van enige oorlog wat ek iewers neergeskryf het
omdat dit vir my so bekend geklink het seker maar in die Bybel wat my
ma vir my hierheen gestuur het.*

Ek sal dit moet gaan soek.

*Dit was nie moeilik om te kry nie want al wat ek ooit in daai Bybel
lees is Openbaring en ek het die aanhaling in die kantlyn by Openbaring
3 vers 1 aangetref. ("Ek weet alles wat julle doen. Ek weet dat julle die
naam het dat julle lewe en tog is julle dood.") Sy naam was Kapuscinski
die Pool wie se naam ek nooit kan onthou nie en hy skryf: "The image of
war is not communicable – not by the pen, or the voice, or the camera.*

War is a reality only to those stuck in its bloody, dreadful, filthy insides.
To others it is pages in a book, pictures on a screen, nothing more."

Dit kan nie anders nie.

Want hoe de fok beskryf jy die stank van verrottende lyke en stukke
van wat eens mense was, nou net binnegoed en bloed en wit bene waar-
aan pienk vleis vassit, die reuk van stortreën en modder en subtropiese
bome en sweet en angs en pis, daar is ouens wat hulleself letterlik bekak
van vrees terwyl die koeëls fluit en die bomme ontplof en daarna praat
niemand ooit weer daaroor nie, dit word net nog 'n deel van die onkom-
munikeerbaarheid van die hele gemors, en hoe beskryf jy die klank van
oorlog, die geknetter van masjiengewere wat wanhopig geskiet word, nie
om die vyand te tref nie, net om jou eie lafhartigheid weg te skiet, en die
geskreeu en gevloek en gebid en gekerm, die geraas wat jou soos 'n plas-
tieksak toevou en versmoor tot daar niks anders oor is nie, net hierdie
oorweldigende geraas, en terwyl dit nog om jou raas, weet jy jy lewe nog,
daarom skreeu en skiet en vloek jy om nog meer geraas te maak want
o fok, as die geraas ophou, as al die geluide skielik ver van jou af voel
asof daar 'n doek om jou ore gedraai is, dan is jy in die kak, dan is jy
gewond en waarskynlik besig om dood te gaan, want die dood is stil,
dit weet almal mos.

Koud en stil.

Doodstil.

Hierdie dinge kon ek nooit aan enigiemand oordra nie.

Of die oë van 'n jong man wat doodgaan, die oomblik voor hy dood-
gaan, soos 'n lig wat afgeskakel word, so 'n donnerse cliché maar so
donners hartverskeurend as jy kan sien die ou is desperaat om die lig
nog 'n bietjie langer aan die brand te hou, hy is fokken bang vir die
donker, of dit nou een van jou makkers is of die vyand, dis nie iets wat
jy ooit vergeet nie. Die eerste keer wat jy na genoeg aan iemand is om
hom dood te maak terwyl jy sy oë kan sien. Vir my was dit die Kubaan
met die brief.

Theresa hou 'n oomblik lank op om asem te haal, bang dat sy skrif weer
onleesbaar gaan word, miskien selfs banger dat sy dit wel sal kan lees.
Maar sy het blykbaar gewoond geraak aan onleesbaarheid, want oor die
volgende sinne vlieg haar oë. Hier en daar haak sy nog vas, maar as sy

53

hardkoppig na 'n woord staar, spring die bondel onverstaanbare letters uitmekaar sodat sy hulle een-een kan herken en almal saam in volgorde kan begryp.

Hy het op sy sy gelê, in 'n moerse plas bloed, hy sou seker in elk geval doodgegaan het, dis wat ek nog altyd vir myself gesê het, maar toe druk hy sy hand onder sy lyf in toe ek nader kom en ek dink jou fokker jy pluk nou 'n wapen uit jou stink Kommunis wat soek jy in elk geval in hierdie oorlog so ver van jou huis af vir jou skiet ek vrek voor jy vir my kan skiet. En toe pomp ek hom vol lood. Al daai eufemismes wat klink of dit uit 'n boek van Konsalik kom. Het ons rêrig só gepraat daar in die bos? Ons was 'n spul skytbang seunskinders wat oorlog-oorlog moes speel maar daai dag het ek geweet dit was nooit 'n speletjie nie en dit sal nooit 'n speletjie wees nie. Ek het die lig in daai ou se oë sien afgaan, ek kon nie anders nie, ek moes na sy oë kyk want alles onder sy nek was 'n bloedige gemors.

Ek was negentien jaar oud.

Hy het nie veel ouer gelyk nie.

Eers toe hy dood is, sien ek die brief in sy hand. Hy wou nie 'n wapen uitpluk nie, hy wou vir my 'n brief gee. Vir wat de fok wou hy dit vir MY gee?

Theresa wil weer opspring om te gaan water soek, haar bonsende hart tot bedaring te bring, maar op daardie oomblik begin die vliegtuig skommel en skud en die rooi waarskuwingsliggies teen die plafon gaan aan en oral om haar hoor sy die klikgeluid van veiligheidsgordels wat gou vasgemaak word. Die lugwaardinne wat so lekker langs die toilette sit en skerts het, sukkel om hulle balans te hou terwyl hulle die paadjies patrolleer om seker te maak dat selfs die slapende passasiers se veiligheidsgordels vas is. Die kaptein kondig oor die luidsprekers aan dat hulle "a zone of turbulence" getref het en dat almal asseblief na hulle sitplekke moet terugkeer en vasgegespe moet bly.

Gewoonlik is Theresa nogal 'n neurotiese vlieër, die soort wat vrees die vliegtuig gaan val elke keer as hulle 'n bietjie rondgeskud word, maar nou is sy absoluut kalm. Sedert sy gister hierdie swart joernaal begin lees het, is haar gemoed so onstuimig dat die skielike fisieke onstuimigheid, veroorsaak deur wolke en weersomstandighede, byna soos 'n verligting voel. Buitendien, soos Spikkels wat seker was dat hy nie in Angola sou doodgaan nie omdat hy bestem was om eendag aan longkanker te sterf, so is Theresa op hierdie oomblik oortuig dat sy veilig is, dat sy niks sal oorkom voordat sy in Havana geland het nie. Omdat sy iemand moet gaan soek, iets moet gaan vind, iewers in Kuba.

7. 'N KAART VAN HAVANA

Toe sy by die beskeie lughawegebou uitstap, voel sy soos Michael J Fox in *Back to the future*, asof sy haar eensklaps in 'n ander era begewe het. 'n Ander eeu. Die meeste van die mense om haar is duidelik haar tydgenote, geklee in die slordige slenterdrag wat die moderne toeris se vlieguniform geword het, belas met die swaar tas op wieletjies wat elke hedendaagse reisiger se eie persoonlike albatros is. Sy weet sy lyk nes hulle in haar los swart langbroek en swart T-hemp met die gekreukelde denimbaadjie wat oor haar skouers hang, moontlik selfs erger as hulle omdat sy al meer as dertig ure aanmekaar reis. En swart bly nou eenmaal 'n praktiese kleur vir reis. Swart en gekreukel en grimeringloos, dis hoe Theresa Marais gewoonlik reis.

Maar die straat voor die lughawe José Marti lyk soos 'n rolprentstel uit die jare vyftig. Cadillacs en Pontiacs en Buicks en Chevrolets net waar jy kyk, skerp stertvinne en lang lae lywe, chroompype en 'n verstommende verskeidenheid van kleure. Theresa is gewoond aan wit motors waar sy vandaan kom, wit of swart, statig silwergrys of vervelig donkerblou, soms 'n spatsel roekelose rooi, maar hier voor haar pronk die motors soos papegaaie. Elke kleur in die reënboog – en sommige wat sy haar nog nooit eens verbeel het nie – van skokpienk en ligpers tot turkoois en lemmetjiegroen.

Sy draai verras na die gids langs haar. "Ek dog die ou karre word nog net ter wille van toeriste aangehou! Soos die riksjas van ..."

Die jong gids sal tog nie van die riksja-waentjies in Durban weet nie en sy is te moeg om te verduidelik. Maar sy het waarlik gedink die beroemde outydse karre van Havana sou dieselfde rol vervul as die oordadig versierde waentjies aan die Natalse kus, getrek deur mans met velle aan die lyf en horings op die kop, bloot 'n bietjie lokale kleur vir kuiergaste. G'n Durbaniet sou tog in 'n riksja-waentjie werk toe ry nie!

En nou sien sy hier in Havana ry die inwoners blykbaar in hulle rolprentstelkarre rond.

Dis die eerste van vele verrassings.

Nee, die eerste verrassing was die gids wat haar in die aankomssaal ingewag het, met 'n stukkie karton in sy hande waarop haar naam in duidelike blokletters neergeskryf was: THERESA MARIAS. Verkeerd gespel, wou sy dadelik beswaar maak, maar die kordate jong man met die Amerikaanse bofbalpet (New York Yankees) het so stralend gelukkig gelyk om haar te ontmoet dat sy dit nie oor haar hart kon kry om hom sommer so met die intrapslag te korrigeer nie. Los nou maar eers die redigering.

"Welkom in Kuba!" het hy in Engels uitgeroep, joviaal, sy arms oopgesprei asof sy 'n lank verlore familielid is. "My naam is Oreste Torres Santana. Nini van Suid-Afrika het my gevra om jou deur Havana te begelei. Ek sien uit daarna om jou my lieflike stad te wys."

"Oreste?"

Sy was opreg verwonderd. Natuurlik het Nini haar gewaarsku dat sy vir haar 'n gids-en-tolk gereël het vir die eerste paar dae, 'n betroubare en bekwame jong man wat sy gereeld as gids vir toergroepe gebruik. Glad nie duur nie, hoor, volgens Nini, en die tyd wat sy gaan spaar as hy haar help om plekke te vind en in Spaans te kommunikeer met wie sy ook al daar gaan vind, sal elke sent wat sy op hom uitgee, dubbel en dwars die moeite werd maak. Volgens Nini. En soos met al die ander reëlings wat haar vriendin vir hierdie reis getref het, van die omslagtige lugroete via Brasilië en Panama, tot die eerste paar nagte se verblyf in die legendariese Hotel Nacional de Cuba wat Theresa as onnodig uitspattig beskou het, het sy nie te veel teengestribbel nie. Nini ken Kuba (baie beter as Theresa, altans) en Nini ken Theresa (al drie dekades lank), dus sou sy weet wat die beste manier is om Kuba en Theresa bymekaar te bring.

Dis wat Theresa vir haarself gesê het elke keer wat sy teen een van Nini se voorstelle wou stry.

Maar so 'n joviale klein gidsie – sy kop steek skaars bo haar skouers uit en hy glimlag onophoudelik – met so 'n onwaarskynlike naam, het sy waaragtig nie verwag nie.

"Kom Orestes nie uit die Griekse mitologie nie?"

"Dis die ou wat sy ma doodgemaak het," het Oreste skynbaar trots beaam, steeds breed glimlaggend, en haar swaar wieletjietas by haar oor-geneem.

Sy het hom probeer keer, sy is immers groter en waarskynlik sterker as hy, en sy het nog nooit gidse of kruiers nodig gehad wanneer sy reis nie, maar hy het haar protes weggelag: "Ontspan, mevrou Marias. Jy is nou veilig in my hande."

Sy het na sy handjies gekyk en nie juis veilig gevoel nie.

"My van is eintlik …" Ag, wat maak dit tog saak? "Noem my Theresa, asseblief."

Oreste het tevrede geknik. "As jy Nini se vriend is, is jy my vriend ook." En woerts! Daar vleg hy tussen die toeriste deur met haar tas.

Sy moes drafstap om by te hou, verbaas oor hoe vinnig so 'n kort mannetjie op sulke stewige beentjies kan beweeg. Hy dra silwerskoon wit Adidas aan sy voete, netjiese donkerblou jeans, 'n ligblou kortmou-hemp met drie knopies en 'n groen krokodilletjie op die bors. Sou die skoene en die hemp vervalste ontwerpersname wees? Of dalk geskenk deur welgestelde toeriste vir wie hy gids gespeel het? Die Kubane is tog veronderstel om arm te wees; alles is skaars, lees sy op die internet, van kos tot tandepasta, en hier stap 'n vrolike kalant met 'n naam uit die Griekse mitologie langs haar met al hierdie duur buitelandse handels-merke aan sy lyf.

Toe hulle by die glasdeure uitstap, sien sy die wolklose blou lug en die verwaaide palmbome en die pronkende papegaaimotors van 'n halwe eeu gelede. Wat haar onvermydelik herinner aan al die nuwe luukse motors in haar eie land, die BMW's en die Mercedesse en die Vol-vo's in voorspelbare sober kleure, die nuwe eienaars van hierdie nuwe motors, die politici en entrepreneurs wat al hoe ryker word – terwyl die welgesteldste wittes van weleer niks armer word nie – die geldsug wat al hoe skaamteloser gewys word terwyl die gaping tussen die rykstes en die armstes skynbaar net groter word. Dis wat geword het van die sosialistiese demokrasie waaraan sy geglo het.

Hier werk dinge blykbaar anders. Hier lyk almal minstens ewe arm. Maar dis bloot eerste indrukke, vermaan sy haarself.

"Die meeste van ons sou seker ook moderne voertuie verkies het," sê die vriendelike gids langs haar, "maar ons was dekades lank vasgekeer op 'n eiland, gestraf deur verbruikerboikotte, so ons het nie eintlik 'n keuse gehad nie, ons moes maar die ou karre aan die gang hou. Hay que inventar. Beteken mens moet iets uitdink. Jy kan maar sê dis ons nasionale leuse."

"In my taal sê ons 'n boer maak 'n plan."

"Sien jy die rooi-en-wit kar daar oorkant die straat?" Hy beduie met sy handjie. "Daar langs die busse? Dis waarin ons nou gaan ry."

"Ek het nog altyd daaroor gedroom om in 'n ou Cadillac of 'n ding te ry," sê Theresa terwyl hulle die straat oorsteek. Dis natuurlik nie waarom sy nou in Havana is nie. Maar as sy in outydse oopdakkarre moet ry terwyl sy hier is, kan sy seker nie kla nie.

"O, hierdie een is baie beter as 'n Cadillac," sê Oreste met blink oë onder die bofpalpet. "Dis 'n Plymouth Fury 1958. Sê dit vir jou iets?"

"Ek's bevrees ek weet nie genoeg van karre nie," bieg Theresa. "Ek sukkel gereeld om my eie tweedehandse Polo op 'n parkeerterrein uit te ken."

"Maar jy weet baie van boeke. Dis wat Nini gesê het. Het jy Stephen King se *Christine* gelees?"

"Nee. Ek weet net dit gaan oor 'n kar wat ..." Sy gaan staan stil langs die blink gepoetste oopdakkar. "Jy bedoel ...?"

"Plymouth Fury 1958!" Nou straal Oreste soos 'n ouer wat vir 'n kind 'n lank begeerde Kerspresent gee. "Dieselfde kar – behalwe dat dié een 'n afslaandak het!"

"Wel, ek's bly dis nie presies dieselfde kar nie, want dan sou ek 'n bietjie bang gewees het om in te klim."

Oreste skaterlag terwyl hy haar tas in die bagasiebak laai, en kom maak die passasiersdeur met 'n galante buiging vir haar oop. "Nee, ek kan jou verseker hierdie een is veilig. Dis my oom se taxi. Hy gaan ons rondneem hier in Havana."

"En waar's jou oom nou?" vra sy toe Oreste self agter die stuurwiel inskuif.

"Hy doen gou die oggendskof in 'n vriend se kroeg. Baie mense hier het meer as een werk. Hay que inventar? My oom werk as kroegman wanneer hy nie sy taxi ry nie. En saans speel hy trompet in 'n orkes."

Hy stuur die lang slap motor behendig in die stroom verkeer in. Theresa kyk op na die blou lug en onthou Marianne Faithful se liedjie oor die vrou wat waansinnig geword het toe sy besef dat sy nooit in 'n

59

oopdakmotor deur die strate van Parys sou ry nie. En dan was daar die outydse sportmotor in *Thelma and Louise*, 'n Ford Thunderbird uit die jare sestig, volgens Nini, wat meer as sy van motors weet. (Eintlik moet sy seker maar aanvaar dat Nini van alles meer weet as sy. Behalwe boeke en taalversorging.) As sy aan die einde van Thelma en Louise se avonture dink, moet sy seker toegee dat enkelvroue nie juis 'n gelukkige track record het as dit by oopdakmotors kom nie.

"Ek sal jou by jou hotel gaan aflaai," stel Oreste voor, "sodat jy darem kan stort en bietjie kan rus voordat my oom ons op 'n besigtigingstoer deur die stad vat. Tensy jy te moeg is en eers môre wil begin?"

"Nee," sê Theresa, "ek wil nie tyd mors nie, ek wil dadelik begin. Het Nini jou gesê ek soek iemand wat veertig jaar gelede by 'n spesifieke adres in Havana gewoon het?"

"No problem," sê Oreste met 'n breë gerusstellende glimlag. "Ek en my oom gaan ons bes doen om jou te help."

"Is jou oom se fooi by jou gidsfooi ingesluit?"

"No problem." Oreste se glimlag rek selfs breër in sy sonbruin gesig. "Dis 'n reëling tussen hom en my. Ek klap sy rug ... hoe sê julle nou weer in Engels?"

"*Krap sy rug.* Jy krap sy rug en hy krap joune?"

"Presies." Hy lag binnemonds. "Dis die enigste manier om te oorleef in Kuba!"

'n Paar uur later wag Oreste en sy oom haar in voor die koloniale pilare en die palms van die hotel wat soos 'n groot wit troukoek op 'n voetstuk hoog bo die blou see pryk, kompleet met twee torings wat van ver af soos kitsch versierings op die koek lyk. In die glansryke dae van Havana vóór Castro se revolusie was dit die uithangplek van Hollywoodsterre soos Frank Sinatra en Ava Gardner en Rita Hayworth, wat almal op swart-wit foto's teen die mure van die hotel versamel is, maar nou hang daar 'n geur van vergange glorie in die doolhof van gange wat na die kamers lei. Aangesien die kamers nie volgens enige herkenbare logiese stelsel genommer is nie, dwaal Theresa 'n hele ruk op die sesde verdieping rond voordat 'n skoonmaker met 'n trollie haar jammer kry en haar na haar kamerdeur lei.

Die skoonmaker, stewig gebou met wulpse heupe wat in 'n noupassende rompie ingewurg is en visnetkouse wat onder die kort rompie uitsteek, grinnik vriendelik en verseker haar in swak Engels dat almal altyd hier verdwaal.

Hoe sou 'n mens 'n kamer met so 'n stywe rompie skoonmaak? En met visnetkouse?

Daar moet seker op een van die tien verdiepings spesiale suites vir die rykste gaste wees, want háár kamer is 'n bra eenvoudige, generiese hotelkamer met swaar blink gordyne voor 'n venster wat op ander kamers aan die agterkant van die gebou uitkyk. 'n Bed met 'n satynagtige deken, 'n kleurlose mat wat beter dae geken het, 'n TV-skerm in 'n kas van donker hout versteek. Die enigste kanale wat sy kan opvang terwyl sy stort en skoon aantrek, is Kubaans en Chinees.

Die haardroër in die badkamer blaas 'n stroompie warm lug so flou soos 'n kind se asem oor haar kop. Ook maar goed haar hare is kort genoeg om sonder 'n droër klaar te kom. Die toilet spoeg 'n patetiese straaltjie water uit toe sy dit probeer spoel. Sy moet dit herhaaldelik spoel voordat die papier in die bak verdwyn. Eers daarná merk sy tot haar ontsteltenis die kennisgewing op wat hotelgaste versoek om toiletpapier in die vullisdrommetjie eerder as die toilet te gooi.

Maar terwyl sy vir Oreste en sy oom wag, kan sy die res van die hotel verken. En nadat sy 'n ruk lank rigtingloos van die een verdieping na die ander gedwaal het, besluit sy sy hou nogal van hierdie atmosfeer van vervloë elegansie wat begin uitrafel. So 'n vae suggestie van seediness wat vir haar aanlokliker as 'n karakterlose kettinghotel is. Wat Nini seker ook geweet het toe sy vir haar juis hier 'n kamer bespreek het.

Nou word sy plegtig voorgestel aan Oreste se oom Ruben Torres Márquez, 'n massiewe, breedgeskouerde man met 'n swartgrys baard wat haar dadelik aan Ernest Hemingway herinner. Dalk net omdat sy weet van Hemingway se verbintenis met Havana. Hy lig sy wit panamahoed formeel voordat hy haar met die hand groet. Sy swartgrys hare onder die hoed groei welig agtertoe, en sy oë in die skaduwee van die hoed se rand is donker en ernstig. Anders as Oreste, deel hy sy glimlag nie vrygewig en aanhoudend uit nie. Stiller as sy joviale jonger familielid, en soveel groter dat hulle 'n byna komieklike paartjie vorm, soos Asterix en Obelix. Hoewel dit nog nie duidelik is of die kleinste van die twee in hierdie geval ook die slimste van die twee is nie.

"Aangename kennis, meneer Márquez," sê sy terwyl haar hand, wat sy nog altyd as groterig vir 'n vrouehand beskou het, heeltemal toegevou word in syne.

"Nie Márquez nie," sê Oreste. "Torres. Dis hoe Kubaanse name werk," verduidelik hy toe hy haar verwarde frons sien, "soos Spaanse name oral. Almal kry twee vanne, die eerste is jou pa s'n – Torres vir albei van ons, want hy's my pa se broer – en die tweede is jou ma se van. My ma is Santana en sy ma is Márquez. Maar ons aanspreekvan is altyd die pa se van."

"Beteken dit dat Gabriel Garcia Márquez dan eintlik meneer Garcia is en nie meneer Márquez nie?" vra Theresa oorbluf.

"Presies!" roep Oreste uit, bly dat sy dit so vinnig gesnap het.

Hoewel dit allesbehalwe vinnig was. Dis nogal vernederend om halfpad deur haar vyftigerjare eers agter te kom dat sy haar nog altyd misgis het met 'n gunstelingskrywer se van. Sy wat so graag ander mense korrigeer as hulle name of vanne verkeerd spel.

"En Federico Garcia Lorca is nie Lorca nie," sê Ruben Torres Márquez, sy stem so diep soos 'n put. "Hy is ook meneer Garcia."

"Daar's vreeslik baie Garcias in Suid-Amerika," grinnik Oreste. "Maar nog meer mense wat Perez en Martinez en Gonzalez genoem word, al daai vanne wat met -ez eindig, dis elke tweede Kubaan se eerste of tweede van."

Terwyl hulle in die palmlaning voor die Hotel Nacional de Cuba weg-ry – Oreste met sy bofbalpet voor langs sy oom met die panamahoed, en Theresa met 'n wyerand-laphoed op die agtersitplek – dring dit tot haar deur dat al hierdie enerse vanne rêrig nie goeie nuus vir haar is nie. Die Kubaanse soldaat wie se familie sy wil opspoor, het immers Perez Gon-zalez geheet. Angel Perez Gonzalez. Nou moet sy nie net 'n naald in 'n hooimied soek nie, sy moet tussen 'n klomp naalde wat almal dieselfde naam het, één spesifieke naald vind.

Intussen sukkel sy om te glo dat haar taxidrywer pas na die digter Lorca verwys het. Nóg 'n verrassing. Nie Lorca nie, korrigeer sy haarself, Garcia. Garcia Lorca.

"Wie was José Marti?" vra sy terwyl die Plymouth Fury 1958 stadig rond-om die massiewe Plaza de la Revolución ry sodat sy die monument van alle kante kan bewonder. 'n Enorme obelisk troon in die middel van die

Kubaanse vyfpuntster en langsaan staan 'n standbeeld van Marti, groter as lewensgrootte.

"Ons nasionale digter." Oreste sit met sy elmboog op die rugleuning van die voorste sitplek en kyk na haar agter in die motor terwyl hy praat. "Volksheld van die onafhanklikheidstryd teen Spanje in die negentiende eeu."

"Aaa," knik Theresa. "'n Digter."

In 'n land waar die grootste lughawe 'n digter se naam dra, is dit dalk nie só verbasend dat 'n taxibestuurder ook 'n ander digter se naam ken nie. Veral nie iemand soos Lorca – Garcia Lorca – wat deur Franco se Fasciste in Spanje tereggestel is nie. Hy sou moontlik ook as 'n revolusionêre held beskou kon word. Buiten dat hy homoseksueel was, en sover sy weet, was die Castro-regering nog nooit juis gaaf met homoseksuele mense nie. Onder al daardie "ongewenstes" wat in die jare tagtig op bote gelaai en aangemoedig is om Florida toe te vaar, was daar glo heelwat tronkvoëls en homoseksuele.

Maar sy wil liewers nie vir Oreste hieroor pols nie. Nie nou al nie. Sy moet hom eers aan haar kant kry. Sy geesdriftige diens as tolk gaan onontbeerlik wees indien hulle vanmiddag aan vreemdelinge se deure moet gaan klop om te hoor wat van die familie Perez Gonzalez geword het. Dit sal waarlik 'n wonderwerk wees as Angel se dogter nog by dieselfde adres in Calle Obracate in Ou Havana woon. Dit het Theresa lankal aanvaar. Maar sy hoop dat sy – met Oreste se hulp, natuurlik – minstens een van die gesin se voormalige bure sal vind, in dieselfde gebou of in dieselfde straatblok, iemand wat haar darem in die regte rigting sal stuur.

Net 'n leidraad, dis al waarvoor sy in hierdie stadium hoop, vir haar soektog na Mercedes Perez Amat aan wie die brief geadresseer is. Mi querida hija, soos Angel haar genoem het. Weens die bloedvlek op die papier het Theresa eers gedog haar naam is iets soos Querida. Dis Nini wat die aanhef van die brief vir haar vertaal het as "My lieflingdogter".

Dalk het Angel ander dogters ook agtergelaat. Of boeties vir mi querida hija? 'n Groter gesin sou hierdie onmoontlike speurtog 'n bietjie minder onmoontlik laat voel. Maar die verwonderde manier waarop Angel Perez Gonzalez aan sy babadogter geskryf het, het Theresa van die begin af oortuig dat Mercedes sy eerste kind moes gewees het, sy eerste en sy enigste. En daardie sin in Theo se joernaal oor hoe jonk die Kubaan gelyk het, daardie sin wat by haar bly spook, is bloot die bevestiging van iets wat sy nie werklik wou weet nie.

Intussen word sy al hoe ongeduldiger gedurende die skynbaar eindelose "kort besigtigingstoer" in die rooi-en-wit taxi. Die buitensporige omvang van die Plaza de la Revolución, die reusagtige portret van Che Guevara teen die fasade van een van die omliggende staatsgeboue, alles lyk vir haar na megalomaniese oordaad. Die plein is klaarblyklik beplan vir gróót skares. Byna 'n miljoen mense het al hier saamgedrom om na die president te luister, vertel Oreste trots. Nou is hier net enkele toerbusse en antieke motors geparkeer, en die klompie toeriste wat rondom die monument dwaal en selfies met selfone neem, laat die plein leeg en strak en nutteloos lyk.

Sy knik terwyl Oreste die glorieryke geskiedenis van die revolusie aframmel, glimlag vir sy kwinkslae, staar na sy stilswyende oom se panamahoed. Ruben Torres Márquez het nog nie weer met haar gepraat ná sy opmerking oor Garcia Lorca nie. Hy antwoord net nou en dan in Spaans wanneer Oreste vir hom iets in Spaans vra. Was dit nie vir daardie één sin wat hy oor die digter Garcia Lorca kwytgeraak het nie, sou sy gedink het hy verstaan moontlik nie Engels nie. Nou maak sy breedgeskouerde teenwoordigheid haar ongemaklik. Sy weet nie wat hy verstaan en wat nie.

Elke keer wanneer sy skimp dat hulle maar die "kort besigtigingstoer" nog 'n bietjie korter kan knip omdat sy gretig is om by die adres uit te kom wat sy met 'n groot kruis op haar oopvoukaart gemerk het, sê Oreste: "No problem! Ek wil jou net help om 'n prentjie van die stad in jou kop te vorm. Dan sal dit vir jou makliker wees om na enige adres te soek."

Maar ná wat vir haar soos ure se rondry in die Plymouth Fury voel, het sy nie die vaagste benul van hoe die stad se buurte inmekaarsteek nie. Inteendeel. Vóór hierdie rit – wat in werklikheid nog nie eens 'n uur duur nie, sien sy op haar horlosie – sou sy haar rigting nog met behulp van die kaart kon bepaal het. Nou weet sy nie meer waar oos of wes is nie, behalwe wanneer sy 'n glimp van die see deur geboue sien. Volgens die kaart is die see noord en oos van die stad.

"Ek moet in 'n stad stap wanneer ek dit wil leer ken." Sy hoop haar toon is vriendelik dog ferm genoeg om haar gids te oortuig. "En ná al die ure van sit in vliegtuie is dit rêrig nou nodig dat ek my bene rek."

Ruben sê iets vir Oreste en swenk in 'n systraat af.

"My oom sê ek moet ophou om jou met al hierdie feite te verveel," lag Oreste.

"Nee, dis nie vervelig nie," skerm sy halfhartig.

"Hy gaan ons nou langs die Plaza de Armas aflaai, dan kan ons Ou Havana te voet verken. Reg so?"

"Reg so," sê Theresa terwyl sy dankbaar na die oom se agterkop staar.

In die strate rondom Plaza de Armas, waar sy veral Amerikaanse toeriste teenkom, is die geboue so bont geverf en meestal so goed versorg soos die motors uit die jare vyftig en sestig wat steeds alomteenwoordig is. Heldergeel mure met potblou deure, klipmure met houthortjies in vrolike kleure, blink ystertralierelings voor balkonnetjies op hoër verdiepings. Groepies bejaarde mans in wit klere wat Latyns-Amerikaanse straatmusiek vir toeriste maak. Beeldskone swart vroue in kleurvolle karnavalklere, lang rompe met valle en stywe bloese van dieselfde materiaal en bypassende tulbande wat hemelhoog op die kop gestapel is, soos klone van Carmen Miranda in 'n outydse Hollywood-rolprent. Die Carmen Miran das verkoop eetgoed in papierhorinkies aan toeriste en poseer (teen 'n fooitjie) in hulle glansende uitrustings. Glimlaggend met spierwit tande teen swart fluweelvelle.

Maar hier is net te veel wat haar aan Hollywood van lank gelede herinner. Dis alles net 'n bietjie té toeristies. Soos omtrent alle moderne toeriste wil sy graag glo sy is anders as omtrent alle moderne toeriste. Sy wil waaghalsiger wees, wegkom van die uitgetrapte toeristepaadjies. Kortom, sy wil 'n toeris wees sonder om soos 'n toeris te vóél.

Terwyl Oreste haar suidwaarts lei, na die onderste deel van Ou Havana, in die rigting van die buurt Belén, sypel haar waagmoed egter weg. Die straatjies word nouer en vuiler, die geboue al hoe meer verwaarloos. Selfs die lamlendige stoele wat oral in Ou Havana sommer so op straat langs voordeure staan en wag dat iemand op hulle kom sit, word minder. Asof selfs stokou stukkende stoele in hierdie buurt skaarser as elders is. En die inwoners lyk ook nie meer so gemoedelik glimlaggend nie. Hulle stap verby twee tienerjarige meisies met te veel grimering en te min klere. Prostitute? En 'n hele paar jong mans wat vir haar soos dwelmhandelaars lyk.

Of altans soos dwelmhandelaars in 'n Hollywood-rolprent sou lyk.

Hier is glad nie meer toeriste rondom haar nie.

En hoe nader hulle aan die adres op haar kaart kom, in die onderste deel van Calle Obracate, hoe benouder word sy.

Totdat Oreste stil gaan staan voor 'n onbewoonde ruïne, vier verdiepings van wat lank gelede 'n statige koloniale gebou moes gewees het, eens op 'n tyd waarskynlik verblindend wit geverf, nou vaalgrys met verkrummelende pleisterwerk bo vensters met stukkende ruite. Houthortjies, die ene gate, hang skeef voor ander vensters waar ruite heeltemal ontbreek. Op die boonste verdieping sien sy 'n vierkant helderblou lug agter die oorblyfsels van hortjies in 'n deel van die gebou wat blykbaar nie eens meer 'n dak het nie.

"Is dít die adres?" Sy is byna tranerig van teleurstelling.

Haar gids se glimlag bewe nou 'n bietjie. "Dis waarvoor ek bang was toe jy vir my die adres gegee het. Daar is baie sulke bouvalle in die ou deel van die stad." Dan dwing hy sy mond oop in sy gewone verbete grinnik. "Maar dit beteken nie dat niemand hier woon nie. Kom ons gaan kyk."

Hy gee 'n paar treë tot by die voordeur, draai die deurknop en stamp die deur met sy skouer oop.

"Hier kan tog nie mense woon nie?" prewel Theresa.

"Jy sal verbaas wees waar mense oral woon." Hy staan op die drumpel van die deur. Dis donker agter hom en die reuk van urine waai tot by Theresa in die straat. Waarskynlik katpis, probeer sy haarself oortuig, nie mensepiepie nie.

"Baie mense plak in die ou bouvalle. Lewe sonder elektrisiteit of water. As jy van die provinsies af kom en werk soek in die stad, is dit soms die enigste opsie. Hay que inventar?"

Theresa wil vir hom sê dat sy van 'n land kom waar miljoene mense in veel erger omstandighede lewe, in tuisgemaakte hutte van sink en karton, plakkers wat vir enigiemand lesse sal kan gee in hay que inventar. Selfs meer as twintig jaar ná die eerste demokratiese verkiesing is die armoede steeds oorweldigend. Al wat die afgelope twee dekades aan die verdeling van rykdom verander het, dink sy in oomblikke van wanhoop, is dat sommige van die rykstes deesdae swart is.

En sy kla saam met soveel van haar landgenote oor diensverskaffing wat al hoe swakker word, oor die agteruitgang van staatshospitale en oorvol skoolklaskamers met onbevoegde onderwysers, maar sy vóél nie die armoede aan haar eie vel nie. Nie rêrig nie. Sy kan steeds wegkyk van die derdewêreldse ellende weerskante van die N2 wanneer sy van die lughawe af stad toe ry. Sy sluit haar toe agter die diefwering in haar kothuis, sy skakel die alarmstelsel aan, sy kyk 'n Amerikaanse TV-reeks, sy lees 'n Britse boek, sy probeer vergeet van alles wat haar in haar eie land bang maak.

Maar sy weet nie hoe om vir haar gids te verduidelik dat sy dit nie hier verwag het nie. Nie in Castro se kommunistiese paradys met goeie skole en uitstekende mediese dienste vir almal nie. Armoede en swaarkry, ja, daarop was sy voorbereid, maar nie dakloosheid nie. Nie plakkers nie.

In die omliggende geboue is daar darem nog tekens van inwoners. Vuil en verslete gordyne voor gekraakte vensters. Wasgoed wat oor balkonne hang. Geure van kos wat gekook word, geluide van TV-stelle wat aangeskakel is. Maar hier is net 'n donker, stinkende portaal vol bourommel, sien sy toe sy Oreste deur die oop voordeur volg.

Hy het sy selfoon uitgehaal en die flitslig daarop aangeskakel sodat sy nie struikel oor die lappe of stukke karton wat oral rondlê nie. Hy lei haar by 'n trap op tot by die eerste verdieping waar flou lig deur 'n smal smerige venster aan die agterkant van die gebou val. Hy hou sy oor teen 'n toe deur en skud sy kop: Geen geluid agter die deur nie, maar klop nogtans hard, wag vir 'n rukkie, klop weer, roep iets in Spaans. Geen reaksie. Hy haal sy skouers op en stap na die oorkantse deur. Dié keer hoor hy iets toe hy sy oor teen die deur druk en wink Theresa nader om ook te luister.

'n Huilende baba, sowaar!

Nadat hy lank geklop en meer as een keer geroep het, word die deur op 'n skrefie oopgemaak. 'n Vrou met 'n jong lyf en die afgeremde, moeë gesig van iemand wat veel ouer is, wieg 'n baba op haar heup en kyk wantrouig na hulle.

Oreste haal sy gladste glimlag uit terwyl hy vinnig 'n paar vrae vra. Al wat Theresa kan verstaan, is die vanne "Perez", "Gonzalez" en "Amat" wat 'n hele paar keer herhaal word terwyl die vrou haar kop aanhoudend skud, en die baba al hoe harder huil, en Oreste al hoe harder moet praat om bo die huilery gehoor te word.

Oplaas sug hy, steeds met 'n flou glimlaggie, en die moeë vrou maak die deur toe.

Theresa sug ook, hoofsaaklik van verligting dat sy nie meer na die skrouende kind hoef te luister nie.

"Sy sê daar's twee woonstelle met ou mense op die volgende verdieping," verduidelik Oreste terwyl hulle die trap boontoe aandurf. "As hierdie gesin meer as veertig jaar gelede hier gewoon het, sal dit in elk geval net ou mense wees wat hulle nog kan onthou."

Mits die ou mense nie só oud is dat hulle niks meer onthou nie, dink Theresa met 'n skerp steek van verlange na haar pa.

By die eerste deur op dié verdieping hoor hulle musiek wat klink asof dit van 'n radio kom, maar hoe hard Oreste ook al teen die deur hamer, hoe vriendelik hy ook al soebat dat iemand oopmaak, die deur bly toe.

"Jy kan verstaan dat mense bang is om die deur oop te maak as hulle onwettig hier woon," sê hy verskonend.

"Natuurlik."

Toe hulle omdraai om aan die oorkantse deur te klop, staan dit reeds oop. Die inwoner, 'n seningrige oompie in 'n frokkie en 'n kortbroek, is deur die gehamer nader gelok en staar nuuskierig na hulle.

Oreste flits 'n verligte glimlag en rammel sy storie af voordat die deur dalk weer toegemaak word. "Perez", hoor Theresa, "Gonzalez, Amat". Die oompie skud sy kop onbelangstellend en krap sy maag onder sy frokkie met 'n dun arm. Dan sê hy iets wat Oreste gretig laat knik.

"Hy sê die ou vrou wat oorkant woon, is hardhorend en sieklik," tolk Oreste. "Maar sover hy weet, woon sy al van die sewentigs af hier. As ons 'n boodskap vir haar het, kan hy dit oordra as hy haar weer sien."

"Sê vir hom ek het 'n brief wat 'n Kubaanse soldaat in die Angolese oorlog vir sy dogter geskryf het. Die soldaat is dood en die dogter weet nie van die brief nie. Dis hoekom ek die dogter soek."

Onder sy bofbalpet skiet Oreste se wenkbroue verras boontoe. Hy draai terug na die seningrige mannetjie. Theresa sien hoe die oompie se gesig versag terwyl hy na Oreste luister, hoe die hardekwas houding wegsmelt, tot hy aangedaan oor sy oë vryf.

"Hy sê hy het ook 'n familielid in daai oorlog verloor. Hy wens iemand kon vir hom 'n brief gebring het. Hy sal vir señora Lopez wat hier oorkant woon, vra of sy ons kan help."

"Dankie," sê Theresa. "Sê vir hom ons kan môre weer kom?"

Oreste haal een van sy besigheidskaartjies uit sy jeans se sak en gee dit vir die oompie wat homself nou voorstel as señor Borges. "Hy sê hy't 'n selfoon, maar nie geld om lugtyd te koop nie, anders kon hy ons gebel het."

Theresa pluk haar handsak oop, gryp haar beursie, prop 'n paar note in señor Borges se hande.

"Dis heeltemal te veel," sê Oreste gou.

Sy skud haar kop. "Maak nie saak nie. Dis belangrik."

Señor Borges druk die note oorhaastig in sy kortbroek se sak, asof hy bang is dat sy die geld weer gaan terugvra, en belowe dat hy vir Oreste sal bel sodra hy met señora Lopez gepraat het.

Oreste lyk asof hy hom nie glo nie.

"As jy my vra, gaan hy daai geld gebruik om vir hom 'n bottel rum te koop," sê Oreste toe hulle op die donker trap terug na die grondverdieping stap.

Maak nie saak nie. Sy het minstens 'n sprankie hoop gekry. Toe sy 'n kwartier gelede voor hierdie ruïne gestaan het, het dit vir die eerste keer werklik tot haar deurgedring hóé moeilik dit gaan wees om Mercedes Perez Amat op te spoor.

Buite op straat kyk haar kordate klein gids streng na haar: "Jy kan nie jou CUC's so rondgooi om mense te probeer omkoop nie," waarsku hy. "Dis toeristegeld, dis baie meer werd as ons Kubane se plaaslike peso's, verstaan jy?"

"Ek weet, Oreste." Skielik is sy so uitgeput dat sy wil omval.

"En wie weet hoeveel handpalms jy nog sal moet glad smeer voor jy die persoon vind wat jy soek. As jy so aangaan, gaan jy oor 'n paar dae – wanneer dit dalk rêrig nodig word om iemand om te koop – niks meer geld hê nie. Nini het my gewaarsku jy's nie ryk nie."

Haar knieë knak en sy steek haar arm uit om haar lyf teen die muur te steun. Die uitgerekte reis en die tydsverskil – dit moet seker al donkernag in Kaapstad wees – en die omvang van die taak wat sy haarself opgelê het; alles saam tref haar nou soos 'n hou in die waaie van haar bene.

"Jy's baie bleek." Oreste klink besorg.

"Ek's net baie moeg. Kan ons dalk iewers gaan koffie drink? Dan vertel ek jou van die brief uit Angola?"

"Dis 'n goeie idee. Hoe meer jy my vertel, hoe meer kan ek doen om jou te help."

Sy sal hom vertel hoe sy die brief in die hande gekry het, en hoe haar gewese man vermoedelik die brief in die hande gekry het, en selfs van haar vermoede dat die manier waarop haar gewese man die brief in die hande gekry het – meer as enigiets anders wat in Angola met hom gebeur het – hom vir die laaste dekade of twee van sy lewe in meer as een psigiatriese hospitaal laat beland het. Maar sy gaan nie vir hom die brief gee om te lees nie. Sy ken hom nie goed genoeg nie, sy weet nie hoe geesdriftig hy oor die politieke beleid van sy land voel nie, en sy vermoed dat hy in sy professionele hoedanigheid as amptelik goedgekeurde toergids in elkgeval nie openlik krities kan wees nie.

Wat Angel Perez Gonzalez in daardie brief geskryf het, is nie die woorde van 'n patriotiese soldaat wat blindelings bereid is om vir volk en vaderland te sterf nie. Hy was oortuig daarvan dat sy Kubaanse bevelvoerders die brief sou konfiskeer indien hulle dit vind. *Dit sal 'n wonderwerk wees as jy eendag hierdie woorde lees, mi querida hija.* Dís waarom hy die brief vir een van die vyand se soldate probeer gee het. Dis wat Theresa in die vliegtuig besef het terwyl sy Theo se joernaal gelees het. Ongelukkig het die vyandige soldaat hom doodgeskiet voordat hy die brief kon oorhandig.

En toe dié soldaat jare later eindelik genoeg Spaans geleer het om die brief waarvan hy vir niemand durf vertel het nie, darem so min of meer te verstaan, het die inhoud hom geleidelik tot waansin gedryf. Poetic justice? Oreste se ernstige oom, wat iets van digters weet, sou dit moontlik só beskou. Maar Theresa twyfel of sy nog in enige soort geregtigheid, digterlik of nie, kan glo.

Theo was bloot 'n domonnosel tiener wat iemand uit selfverdediging doodgemaak het. As soldaat het hy nie 'n keuse gehad nie, hy moes die vyand skiet voordat die vyand hóm skiet. Dis tog hoe oorlog – enige oorlog – veronderstel is om te werk?

8. BLOU NAELLAK

Nee, het sy vir Nini gesê, sy gaan nie Kuba toe om mojito's te drink of sigare te rook nie, sy gaan op 'n soektog. Soos die kruisvaarders wat die Heilige Graal gesoek het. Nini het gelag en gevra of sy dan nie weet hoe die kruisvaarders geplunder en genaai het op hulle soektogte na die Heilige Graal nie. En hier sit sy nou op haar eerste aand in Havana, op die agterstoep van haar hotel, weggesak in die kussings van 'n gemaklike rottangstoel, en kyk verby pilare en palms na 'n strook donker see teen bloupers skemer aandlug. Met 'n halfleë glas mojito in haar hand.

Darem nog nie 'n sigaar nie!

Moenie lag nie, Nini. Dis 'n gratis mojito, letterlik op 'n skinkbord aangebied vir elke gas wat by die hotel inboek. En jy ken mos die gesegde oor die gegewe perd wat nie in die bek gekyk mag word nie?

Sy sou eintlik 'n glas ysige witwyn verkies het, maar sy het klaar agtergekom wyn is 'n luukse hier, te duur vir haar beperkte begroting. Veral as sy gaan aanhou om haar geld te blaas op onbekende Kubane wat miskien, moontlik – waarskynlik nie – vir haar inligting kan verskaf. Sy was verbaas oor hoe kwaai haar gids haar vanmiddag voor daardie plakkersbouval aangespreek het. Toe sy kort daarna, oor 'n koppie onmoontlike sterk Kubaanse koffie, vir hom die storie agter haar soektog vertel, het hy gou weer sy gewone oorvriendelike self geword. Of altans die deel van homself wat hy tot dusver vir haar as kliënt gewys het.

Op hierdie eiland sal sy van wyn moet vergeet, eerder bier en rum moet drink. Of koffie wat so sterk is dat sy nooit weer sal kan slaap nie. Hoewel nie eens die sterkste Kubaanse koffie haar vannag sal wakker hou nie, dit kan sy voel aan die lamheid van haar hele lyf. Ná die komplimentêre mojito natuurlik net nog 'n bietjie lammer, slapper, luier.

Sy rol 'n ysblokkie uit die leë glas in haar mond rond terwyl sy die hotelgaste om haar bestudeer. Hulle sit in vrolike lawaaierige groepe, groet mekaar met luide Amerikaanse aksente en die skynbaar ingebore selfvertroue van burgers van 'n magtige land, selfs hier in 'n landjie waar hulle lank nie toegelaat is nie. Dalk juis omdat hulle so lank nie hier toegelaat is nie. Nou is hulle duidelik hier om die eiland met hulle dollars te verower. Om te plunder en te naai, sou Nini seker gesê het, soos die kruisvaarders van ouds.

Daar is darem nie nét rumoerige Amerikaners op die hotelstoep nie, wil sy vir Nini sê. Hier en daar sit verliefde paartjies en koer in mekaar se ore, so saggies dat jy nie kan hoor in watter taal nie. Party van hulle kan wittebroodpaartjies wees. Terwyl sy vroeër vandag by die ontvangstoonbank vir haar kamersleutel gewag het, het 'n taamlik vulgêre Britse paartjie langs haar luidrugtig geprotesteer dat hulle spesifiek 'Frank en Ava se wittebroodkamer' bespreek het, geen ander slaapkamer sou goed genoeg wees nie.

Om darem só verlief en só naïef te wees. Die blote gedagte is genoeg om Theresa te laat besluit om nog 'n mojito te drink. (Net om haar te help om nog lekkerder te slaap.) Asof Frank en Ava se spoke die sukses van 'n huwelik kan verseker. So domonnosel, besluit Theresa in haar middeljarige enkellopende sinisme, en stap na die kroegtoonbank op die stoep om 'n tweede mojito te bestel.

Sedert haar tienerjare wantrou sy cocktails. Dit was die eerste alkohol wat sy leer drink het, op 'n ouderdom toe sy nog nie wettig toegelaat was om enige alkohol te drink nie, bloot omdat 'n soet mengeldrankie die naaste was wat sy aan die smaak van 'n onskuldige soet koeldrank kon kom. In die Stilbaai Hotel, gedurende die lang somervakansie aan die einde van haar standerd sewe-skooljaar, het haar vriendin Lynette haar voorgestel aan 'n eksotiese drankie wat Black Russian genoem is. Vodka en koffielikeur met baie ys en Coca-Cola.

Sy was vyftien jaar oud, Lynette darem al sestien, en met 'n dik laag grimering op hulle skoolmeisiegesiggies kon hulle die kroegman oortuig om hulle onwettige jeugdigheid nie raak te sien nie. Daardie eerste Black Russian het haar onmiddellik ouer en slimmer en mooier en maerder laat voel. Kersfees 1975, toe sy haar eerste opregte "vakansieromanse" belewe het. Die romanse het begin kort nadat sy haar eerste Black Russian geproe het, en tot vandag toe is daar 'n verbintenis in haar geheue tussen skemerkelkies en verspotte verliefdheid.

Aan die ander kant, gedurende haar studentejare op Stellenbosch het sy wyn leer drink, goedkoop bokswyn, wat haar nie juis gehelp het om verspotte verliefdheid en ander onnosel ervarings te vermy nie. Inteendeel. Dit was net goedkoper om met behulp van wyn eerder as cocktails verlief te raak.

Maar in Desember 1975 het haar gesin en Lynette se gesin saam vakansie gehou, in 'n ou huis wat op lang bene soos 'n reier hoog op die rivieroewer gestaan het, en Lynette het 'n hele nuwe wêreld van skemer-kelkies en seks vir haar oopgemaak. Nie "regte" seks nie. Hulle het nie "al die pad" gegaan nie. Theresa het skaars 'n kwart van die pad gegaan, maar as jy eers op daardie pad begin stap het, kon jy nie sommer omdraai nie. Jou kop en jou lyf wou nie meer dieselfde taal praat nie. Jou kop het geweet wat jy behóórt te doen en jou lyf het geweet wat jy eintlik wíl doen.

En die Black Russians het dit net nog moeiliker gemaak om na jou kop te luister.

Lynette en Theresa se pa's was studentevriende wat albei onderwysers geword het, maar Lynette se meer ambisieuse pa het gou die klaskamer vir 'n beter betaalde pos in die Transvaalse Onderwysdepartement verruil. Die gesin Raubenheimer het in Pretoria gaan woon, in 'n huis met 'n dubbelgarage en 'n swembad in die welgestelde oostelike voorste-de, en het die gesin Marais eintlik nog net somervakansies gesien. Daardie Desember van 1975 was die eerste keer dat die twee gesinne saam 'n huis gehuur het, die eerste en die enigste keer, want dit was eintlik te duur vir Theresa se ouers. Die volgende jaar het Lynette se pa sy eie strandhuis elders gekoop. En ná die "voorval" wat Lynette se broer veroorsaak het, wou Theresa se ma in elk geval nie weer saam met die Raubenheimers vakansie hou nie. Dis hoe die Raubenheimer-ouerpaar na die geweld-dadige insident verwys het: "'n ongelukkige voorval".

Maar dit het eers later in die vakansie gebeur, in die nuwe jaar, Ja-nuarie 1976.

Vóór Kersfees het Theresa haarself nog as 'n plattelandse muis beskou, veral langs 'n ouer en meer gesofistikeerde stadsmeisie soos Lynette, en sy was gretig om Lynette se leiding in alles te volg. Van hoe om haar naels te verf (helderblou, dit was daardie vakansie hulle albei se geliefde kleur, uit dieselfde botteltjie naellak) en hoe om 'n sigaret op 'n sexy manier aan te steek (vingers stokstyf om die glansende blou naels behoorlik te wys), tot hoe om te dans. In Pretoria het hulle daardie jaar met sulke stywe bene gedans, wat vir Theresa baie snaaks was tot Lynette haar oortuig het dis die nuutste dansgier wat van oorsee oorgewaai het.

Enigiets wat van oorsee kom, was goed genoeg vir Theresa.

Sy het selfs haar Pretoriaanse vriendin se spraakpatroon en taalgebruik probeer naboots. Lynette het Afrikôns geprôt, met baie Engelse woorde ingegooi, en die Engelse woorde is almal op die Engelse manier uitgespreek. Lynette sou byvoorbeeld dramaties verklaar: "Ek is so dephwessed vandag", terwyl Theresa, indien sy daaraan sou gedink het om in die middel van die opwindendste vakansie van haar lewe neerslagtig te raak, sou sê: "Ek is deprressed". Maar sy het vinnig geleer.

Die aand toe sy haar eerste cocktail proe, sit die twee meisies in die sitkamer van die hotel, naby die ingang van die Ladies Bar. Hulle is uitgedos in halternektops om soveel moontlik sonbruin skouers en rug te wys, en hulle hare hang lank en blink oor hulle kaal skouers. Theresa se hare is blond en natuurlik glad, Lynette s'n swartbruin met 'n kroeserige kinkel wat jy nooit sou vermoed nie omdat sy elke aand 'n pantyhose styf om haar kop draai voordat sy gaan slaap. (G'n lyding is te groot vir 'n begeerlike haarstyl nie, glo Lynette.)

Theresa spot dat hulle soos Betty en Veronica in die Archie comics lyk. Sy beskou haarself as die besadiger blonde Betty, terwyl Lynette natuurlik die waaghalsiger donkerkop is. Lynette hou van hierdie vergelyking: "Môr Archie is nie my soort ou nie," sê sy met 'n skalkse laggie. "Sy rooi hôre is nie vir my sexy nie."

Betty en Veronica word ook in die strokiesprente beskryf as "best friends and worst enemies", onthou Theresa, maar sy sal liewers nie vir Lynette daaraan herinner nie.

"Ag, ek dink ou Archie is nogal bakgat," waag sy.

Lynette klap haar tong ongeduldig teen haar verhemelte, en Theresa besef sy het al weer 'n fout begaan. "Bakgat" is 'n woord wat Lynette verbied het. Dis uitgedink deur grootmense wat nie kan verdra dat Afrikaanse kids hulle praattaal met soveel Engelse woorde peper nie, beweer Lynette, nou skep hulle simpel woorde soos bakgat en doedie. Of aster vir 'n meisie pleks van 'n blom. "I ask you," sê Lynette gereeld en rol haar oë melodramaties.

"Wat wil jy hê moet ek sê?" vra Theresa net om aspris te wees. "Archie is nogal groovy?"

Lynette stik in haar skemerkelkie van verontwaardiging. "Het jy in die sixties vasgehôk?"

Theresa luister na die gerinkel van ys in haar lang glas, amper leeg gedrink, haar kop heerlik lig. Van waar hulle sit, het hulle 'n goeie uitsig op die voordeur van die hotel (as daar nuwe talent instap, sal hulle dit eerste opmerk), asook op die lywe wat rondom die toonbank in die Ladies Bar saamdrom. Sommige van die aantreklikste ouens is klaarblyklik studente, baie begeerlik vir Lynette, maar te oud en te ervare vir 'n sestienjarige skoolmeisie wat voorgee dat sy veel meer weet as wat sy eintlik weet.

"Nee, ons mik vir die ouens wat pas matriek geskryf het," verduidelik sy.

Dis maklik om hulle uit te ken, want hulle hare is nog kort soos skoolseuns s'n – en dit gaan binnekort veel korter geskeer word sodra hulle begin diensplig doen – maar nou kuier hulle met die uitbundigheid van jong mans wat vir die eerste keer in hulle lewe oud genoeg is om in 'n kroeg toegelaat te word. Hulle drink met 'n soort desperaatheid, so lyk dit vir Theresa, dalk omdat hulle besef hoe min tyd hulle oor het voordat hulle army toe moet gaan.

'n Bewuswording van hulle eie sterflikheid, dis hoe Theresa dit jare later sou beskryf, hoewel die meeste van hierdie jong mans seker eers aan die grens sou besef hoe sterflik hulle is.

Die aand van haar kennismaking met skemerkelkies dink sy nie aan die toekoms nie. Altans nie verder as later vanaand nie. As hulle 'n tweede Black Russian gedrink het, sal hulle na die Seemeeu-diskoteek op die oorkantse oewer van die rivier stap. Dalk sal 'n groep van See-en-Sandmenseredders met wie hulle op die strand geflankeer het, saam met hulle stap. Of nog beter, dalk kan hulle 'n lift kry by 'n paar jong branderryers met hulle eie kombi. En dan lê daar 'n hele aand van opwinding in die diskoteek voor. Die fluoorligte wat jou wit onderklere en die wit van jou oë en jou tande beklemtoon, die flikkerende gekleurde ligte wat so rukkerig oor jou lyf gegooi word terwyl jy op harde rock dans: "Smoke on the water", "Locomotive breath", "Stairway to heaven", die stadiger dansmusiek teen die einde van die aand, "Whiter shade of pale", "Nights in white satin", "Let it be", en die asemlose afwagting en die wonder, wonder, wonder wie jou gaan vra vir die volgende close dance ...

"Ons sit hier soos twee voëlkykers op soek na 'n skôrs voël," sê Lynette en begin hulpeloos giggel, haar hand voor haar mond gedruk, haar oë binne oomblikke so betraand dat haar maskara afspoel.

Theresa lag saam, onseker of sy die grap gevang het, meer omdat Lynette vir haar so snaaks lyk met die swart kringe onder haar oë gesmeer. Dis tog nie moontlik dat haar vriendin ná 'n enkele Black Russian aangeklam kan raak nie? Volgens Lynette drink sy in Pretoria gereeld cocktails met vodka en rum.

Lynette hou op met lag, so onverwags soos sy uitgebars het, en staar verwonderd na die voordeur.

Theresa volg Lynette se blik en sien 'n lang silwer Jaguar wat in die straat voor die hotel stilgehou het. 'n Swart chauffeur sit agter die stuur. Altans, sy aanvaar hy moet 'n chauffeur wees, al dra hy nie 'n uniform of 'n pet op sy kop soos die chauffeurs in oorsese flieks nie. Daar is niemand langs hom op die passasiersitplek nie, net drie tienerseuns op die agtersitplek wat laggend uit die motor klim. Jonk genoeg om nog op skool te wees, maar met hare wat te lank vir skoolseuns is. Windverwaaide hare in verskillende skakerings van blond, van witblond tot donker goudblond. Al drie se gesigte is sonbruin, ook in verskillende skakerings, en al drie se tande skitter spierwit wanneer hulle lag. Seker so sestien of sewentien jaar oud, skat Theresa toe hulle by die hoteldeur instap en nuuskierig om hulle rondkyk, soos koloniale ontdekkingsreisigers in donker Afrika.

"Engelse ouens," prewel Lynette oorstelp. "Ryk Engelse ouens."

Toe Theresa weer na haar vriendin kyk, het sy reeds 'n spieëltjie uit haar handsak gepluk. Sy spoeg 'n tissue nat en vryf vinnig daarmee onder haar oë om van die swart smeersels ontslae te raak.

G'n Afrikaanse skool sal sulke takhare toelaat nie. En daar is nie veel Engelse vakansiegangers op Stilbaai nie, 'n feit wat Lynette reeds betreur het omdat sy vreeslik graag Engels sou wou gewees het. Daar is altyd 'n paar wilde Engelse branderplankryers wat by Die Punt anderkant die hawe in hulle kombi's slaap en dagga rook, maar hulle is te oud en te ervare vir die twee skoolmeisies.

En hier stap drie aantreklike Engelse seunskinders by die hotel in – afgelaai deur 'n chauffeur in 'n Jaguar, can you believe it? – en kom sit naby die meisies. G'n wonder Lynette klink skielik so asemloos opgewonde soos die voëlkykers met wie sy pas nog gespot het nie.

"Nou moet ons ons kôrte reg speel," fluister Lynette. "Follow my lead."

"What are you girls drinking?" vra die langste van die drie, die een met die breedste skouers en die meeste selfvertroue.

Seker die een wie se pa die Jaguar besit.

Kyk nou maar na haar en Lynette, kyk wie het die meeste selfvertroue, raai wie se pa is die rykste.

"Black Russians," antwoord Lynette kamma verveeld. "Maar ons was op die punt om te loop." Sy praat haar mooiste Pretoria-Engels.

"Nooit, julle kan nie nou loop nie," grinnik die kortste en blondste een van die drie. Sy gladde witblonde kuif hang laag oor oë wat ondeund blink. "Dinge gaan nou eers interessant begin raak."

"Sê wie?" vra Lynette so hardegat soos Theresa haar nog nooit gesien het nie.

Theresa vee onmiddellik haar idiotiese grynslag uit en probeer ook hardegat lyk. Follow my lead, het Lynette mos gesê.

"As ons vir julle nog Black Russians koop, sal julle bietjie langer bly?" vra die voorbok.

Lynette kyk hom uit die hoogte aan.

Theresa staar verstom na Lynette wat so goed kan toneelspeel.

"Asseblief?"

"Wel," sê Lynette asof dit 'n baie moeilike besluit is.

"Ons ken nie hierdie dorp nie," sê die een met die witblonde kuif en die stout oë. "Wil julle ons nie bietjie vertel hoe dinge hier werk nie?"

"Wel." Lynette kyk na Theresa. "Ons kan seker nog 'n Black Russian drink?"

"Natuurlik kan ons nog 'n Black Russian drink," beaam Theresa dadelik.

Sy wou eintlik meer hard to get speel, soos haar vriendin, maar haar hart hamer en haar kop draai terwyl sy na die derde lid van die driemanskap kyk, die skaam outjie wat tot dusver nie 'n woord gesê het nie, die een met die skraalste lyf en die lieflikste gesig. Fynbesnede neus, rosige blos op die wange, so 'n goue donserigheid om die mond. Nie een van die plattelandse skoolseuns op wie sy die afgelope jaar 'n crush gehad het, het haar nog ooit so asemloos lighoofdig laat voel nie. Nie eens die kunsonderwyser met sy sensitiewe vingers nie. Dít moet wees wat "halsoorkop verlief" beteken.

Daarna sou sy dikwels wonder hoeveel die alkohol in haar eerste mengeldrankie bygedra het tot hierdie gevoel dat sy halsoorkop aan die tuimel is, sonder enige vrees, soos 'n sweefstokkunstenaar wat weet dat iemand haar gaan vang. Skaamteloos het sy na Leonard met die goue dons om die mond gestaar, en hy het teruggestaar, en sy het ge-wéét dat sy later die aand in die Seemeeu met hom sou dans. Aan wat alles ná die dansery kon gebeur, wou sy eerder nie dink nie.

Dit was nie vrees wat haar gekeer het om verder te dink nie, bloot 'n gebrek aan verbeelding. Soos 'n ruimtereisiger wat hom nie kan verbeel hoe dit sou wees om op die maan te land nie. Die tienerjarige Theresa was op pad na 'n plek waar sy nog nooit was nie.

Die donker kant van die maan.

Hoe vreemd dat sy vier dekades moes wag, tot sy een aand stoksiel-alleen op 'n hotelstoep in Havana sit, om die oorweldigende emosie van haar eerste vakansieromanse te herleef.

Sy drink haar mojito en sleep haar lyf na haar hotelkamer, te vaak om eers te gaan eet, te moeg om te dink hoe moeilik môre gaan wees, te lam vir enigiets behalwe 'n lang nagrus. Op pad na die kamer verdwaal sy weer eens hopeloos, totdat 'n Amerikaanse egpaar hulle oor haar ont-ferm en haar na haar kamer begelei.

"Almal verdwaal altyd hier," troos die vrou met volmaakte Ameri-kaanse tande.

"Dis 'n manier om wraak te neem op verwaande toeriste soos ons," sê haar man met net sulke glinsterende tande onder 'n welige snor. "Dis die Kubaanse sin vir humor."

9. KUBAANSE SEPIES

Die volgende oggend voel sy vir die eerste keer in drie dae uitgerus en vol moed vir die soektog wat voorlê. Nee, "vol moed" is ietwat oordrewe. In die enorme ontbytsaal van die Hotel Nacional gaan sit sy so ver as moontlik van 'n vioolspeler in 'n swart manelpak wat musiek uit Amerikaanse musicals vir die gaste opdis. Sweerlik die eerste keer in haar lewe dat sy strykmusiek in lewende lywe saam met ontbyt aangebied word. Nóg 'n eerste keer. Sy probeer die kitsch vioolklanke ignoreer terwyl sy gou 'n koppie swart koffie saam met vars vrugteslaai afsluk. (Kafeïen om haar helder wakker te kry, vitamiene om haar energie vir die dag te gee.) Vandag gaan sy energie nodig hê.

Maar sy is minstens nie meer op moedverloor se vlakte soos gister toe sy voor daardie bouval in Calle Obracate gestaan het nie.

Die plan van aksie is dat sy en haar gids na daardie straat gaan terugkeer en in die omliggende geboue aan onbekende mense se deure klop. Soos Jehovagetuies, hoewel die Jehovas darem iets het om aan vreemdelinge te bied, 'n belofte van hemelse beloning, terwyl sy en Oreste bloot met leë hande en monde vol tande daar gaan staan. Sy het Oreste se raad gevolg en die komplimentêre higiëniese produkte in haar hotelbadkamer alles in haar handsak geprop. Ingeval iemand omgekoop of beloon moet word, kan sy darem seep of sjampoe uitdeel. Nie heeltemal so goed soos om eendag in die hemel te beland nie, maar vir sommige Kubane is 'n bad vol skuim blykbaar aanlokliker as om hemel toe te gaan.

"Seep is beter as geld," het haar gids verduidelik. "Selfs al het jy genoeg geld om toiletware te koop, kan jy nog steeds sukkel om dit in die hande te kry." En toe sy haar kop in ongeloof skud: "Gaan kyk bietjie hoe leeg is die rakke in die supermarkte as jy kans kry."

"Sal jy my gaan wys?"

"Nee." Hy het sy kop geskud, sy skouers verskonend opgetrek. "My werk is om jou die positiewe kant van Kuba te wys. Nie die sukkel en die swaarkry nie."

"Maar wat ons in Calle Obracate gesien het, is tog sukkel en swaarkry?"

"Dis jy wat iemand daar soek. Ek word betaal om jou te help soek. Maar ek sou rêrig verkies het om jou eerder na 'n museum of 'n mojito-kroeg te neem."

"As ek kry wat ek soek, kan jy my na 'n mojito-kroeg toe neem," het sy belowe. Wat hom dadelik weer laat glimlag het.

Sy gaan skink nog 'n koppie koffie. Die eerste een het haar soos die skop van 'n donkie op haar leë maag getref. Die tweede een sluk sy makliker af, saam met 'n sny roosterbrood.

Al wat sy vandag hoop, is dat iemand agter een van die deure waar hulle gaan klop, die gesin Perez Gonzalez sal onthou, dalk 'n foonnommer of die adres van 'n oorlewende lid van die familie kan verskaf, of selfs net die naam van iemand wat dalk iemand ken wat dalk sal weet wat van Mercedes Perez Amat geword het.

Dalk is nie baie nie, maar dis beter as niks.

Dan kan sy vanaand in haar hotelkamer op die internet verder soek. Nini het haar gewaarsku dat die internetverbinding op hierdie eiland uiters onbetroubaar is, selfs in groot hotelle in die hoofstad, maar met genoeg geduld sal sy moontlik tog 'n leidraad kan volg tot dit iewers heen lei. Of doodloop. Nini het haar ook aangeraai om sommer vóór haar vertrek uit Kaapstad al op Facebook en ander sosiale netwerke na Mercedes Perez Amat te begin soek.

"Maar jy weet mos ek is nie op Facebook nie," het Theresa haar herinner.

Nini het haar asem hard uitgeblaas, daar aan die buitelugtafel by hulle gunstelingrestaurant in die Waterfront, en gesê dit raak nou rêrig tyd dat Theresa by die een-en-twintigste eeu aansluit. Dit was nie die eerste keer dat sy dit vir Theresa gesê het nie, en dit sou sekerlik ook nie die laaste keer wees nie.

"Ek wil nie deel van Facebook en Twitter en daai soort geraas wees nie," het Theresa nog altyd volgehou. "As dit is wat dit beteken om in die een-en-twintigste eeu te lewe, then count me out. Los my in die vorige eeu, ek's gelukkig daar."

"Luister, Theresa." Nini het haar gekleurde rooi kuif van haar voorkop weggevee en haar glas viognier leeg gedrink. "Jy kan nie iemand soek, in this day and age, as jy weier om sosiale media te gebruik nie."

En daarmee was die saak beklink. Dieselfde aand nog het Nini vir Theresa 'n Facebook-profiel geskep, met 'n foto (erg onvleiend, het sy gemor) en 'n verjaardagdatum (nie geboortedatum nie, het sy gekeer, wildvreemdelinge hoef mos darem nie te weet in watter jaar toet sy gebore is nie) en haar verhoudingstatus ("ongeneeslik enkellopend", het Theresa voorgestel). Só is sy by Facebook ingesleep, kicking and screaming all the way, met presies twee vriende: Nini Saayman en Sandra Scholtz.

Sandra is al jare lank op Facebook om kontak te hou met haar twee oudste seuns wat soos sigeuners deur die wêreld swerf, en het oorstelp van vreugde vir Theresa 'n vriendskapversoek gestuur. Theresa het onthou watter nare ouer suster sy op skool was, toe sy nooit vir Sandra in haar vriendekring wou toegelaat het nie omdat 'n ouderdomsverskil van drie jaar op daardie leeftyd 'n onoorbrugbare gaping was. Vier dekades later het sy gelate die "Aanvaar"-knoppie gedruk om haar kleinsus in haar beperkte internetkringetjie toe te laat.

Tot dusver het Facebook haar egter nie gehelp om Mercedes Perez Amat op te spoor nie. Sy het twee mense gevind wat Mercedes Amat genoem word, albei in Spanje, maar een is vyftien jaar oud en die ander een, wat op haar profielfoto lyk asof sy die regte ouderdom kan wees, het haar private boodskap in skewe Engels beantwoord: *No, I were never in Cuba, sorry, but we can be friends if you desire me.* Daarna het sy drie Mercedes Perez-profiele gevind, twee in Mexiko en een in Peru, maar hulle is almal óf te jonk óf te oud om die Kubaanse soldaat se dogter te wees.

"Sy's seker lankal getroud, met 'n ander van," het sy oor die foon vir Nini gesê.

"Kubaanse vroue vat nie hulle mans se vanne nie," het Nini haar meegedeel. "Hulle is nie so dom soos ons nie."

"Ek het nie my man se van gevat nie."

"Oukei, vryf dit in, ek hét."

Nini was op 'n jeugdige ouderdom vlugtig getroud (met 'n Spanjaard) en moes ná die egskeiding met groot administratiewe moeite van haar

Spaanse van ontslae raak. Maar sy sal nooit spyt wees oor daardie ramp-spoedige huwelik wat skaars 'n jaar geduur het nie, sê sy altyd, want dit het die grootste geskenk in haar lewe opgelewer. 'n Dogter met donker Spaanse oë wat al 'n dekade lank in Suid-Amerika woon.

"Of dalk is hierdie Mercedes nie eens op Facebook nie."

"Almal is op Facebook," het Nini haar verseker. "Selfs my vyf-en-tagtigjarige ma is op Facebook."

Almal behalwe ek, het Theresa altyd gedink. En met háár geluk sou sy heel waarskynlik 'n vergeefse internetsoektog aanpak na die enigste ander mens op aarde wat nog nie voor sosiale media geswig het nie, hierdie Kubaanse soldaat se dogter wat Mercedes genoem word.

Sy staan op en gryp haar handsak vol komplimentêre toiletware. Oreste en sy oom wag seker al vir haar voor die hotel. Hopelik sal sy vanaand 'n paar leidrade hê om op die internet te volg. Hopelik sal sy wi-fi hê. Hopelik.

Hoop is die ding met vere, soos Emily Dickinson beweer het.

Volgens die Bybel is liefde groter as hoop, maar Theresa het nog al-tyd gedink hoop is die heel belangrikste. Dalk net omdat sy nog nooit reg kon kies wanneer dit by die liefde kom nie. Terwyl sy selfs op haar gevorderde ouderdom steeds hóóp dat sy miskien eendag sou kon leer om beter te kies.

Maar dit sal sy aan niemand erken nie, nie eens haar enigste twee Facebook-vriende nie.

In die rooi-en-wit Plymouth Fury 1958 word haar eerste vonkie hoop vir die dag sommer dadelik doodgespoeg. Señor Borges het nie van hom laat hoor nie, sê Oreste. Maar sy moenie bekommerd wees nie. No problem. Miskien bel hy nog later vandag. Of môre?

Sy het nie tyd om tot môre te wag nie, wil sy uitroep. Die horlosie tik en haar begroting krimp en oor minder as tien dae moet sy terugvlieg huis toe.

Oreste se oom vang haar gefrustreerde uitdrukking in die truspieël en sê iets in Spaans vir Oreste, wat onmiddellik weer breër glimlag en sy lyf draai om met haar op die agtersitplek te praat. "Ek het my oom vertel van die soldaat wat jy soek. Hy het 'n vriend wat in dieselfde jare in daai oorlog baklei het. Hy wil weet of jy hom wil ontmoet."

"Ja, graag," sê sy dadelik. "Kan hy Engels praat?"

"Ja," sê Ruben, en soos elke ander keer wat die stilswyende oom haar aanspreek, skrik sy. Nie net vir hoe diep sy stem is nie, maar omdat sy bly vergeet dat hy ook Engels kan verstaan. "Wil jy môreaand by my kom eet, dan nooi ek hom ook?"

"Ja, graag, dankie. Waar woon jy?"

"Naby die middestad. Ek of Oreste sal jou kom oplaai."

Sy kyk op na die helderblou lug terwyl hulle langs die Malecón ry, die see vlak agter die muur op linkerhand.

"My oom het klaar vir sy vriend gevra of hy jou Kubaan geken het," sê Oreste, asof hy haar wil waarsku om nie té hoopvol te word nie. "Hy sê nee, hy ken niemand wat Angel Perez Gonzalez genoem is nie."

My Kubaan.

Theresa proe die frase op haar tong, skud haar kop. Hy was tog eerder haar gewese man se Kubaan.

"Dit maak nie saak nie. Ek het nog nooit iemand ontmoet wat aan die 'vyand' se kant in daardie oorlog baklei het nie. Ek bedoel die vyand soos ons in daardie dae aan die Kubane gedink het," voeg sy vinnig en verskonend by. "Ek het darem al 'n paar gewese vryheidsvegters van die bosoorlog ontmoet. Die mense wat ons destyds 'terroriste' genoem het. Deesdae woon ons almal saam in dieselfde land, party van hulle het hoë poste in die weermag of in die regering, ek bedoel ..." Waarom sukkel sy so om te sê wat sy bedoel? "Ons is nie meer veronderstel om van 'ons' en 'hulle' te praat nie; ons is nou almal net een groot ons. Maar ek het grootgeword onder één deel van hierdie gesamentlike ons, ek het nog altyd hoofsaaklik één kant van 'ons storie' gehoor. Van die Kubane se storie verstaan ek niks."

Die twee Kubane voor in die oopdakkar sê niks, maar sy sien hoe Ruben in die truspieëltjie vir haar knik, en dit gee haar die moed om verder te praat.

"Ek verstaan nie hoe julle in Angola beland het nie. Ek verstaan nie eens hoe 'ons' daar beland het nie. Ek het baie daaroor gelees, ek verstaan die geografiese en politieke redes vir daardie morsige oorlog, maar ... ek verstaan nie hoe julle mense en my mense mekaar kon uitmoor in 'n land wat vir almal van ons 'n vreemde land was nie?"

"Ons verstaan dit regtig ook nie eintlik nie," sê Ruben vir haar in die truspieël terwyl hy naby Plaza de Armas parkeer, soos die vorige dag. "Maar daar is altyd minstens twee kante aan enige storie."

Toe hy saam met haar en Oreste uit die kar klim, anders as die vorige dag, en saam met hulle begin stap, kyk sy vraend na hom.

"As ek saam met julle aan die deure kom klop," sê hy met 'n skouerophaling, "sal ons dalk bietjie vinniger vorder."

Theresa knik dankbaar en staar stip na haar voete in gemaklike plat stapsandale. "Ons", het hy gesê. Daardie enkele woord ontroer haar so dat sy dit nie kan waag om na hom of sy glimlaggende broerskind te kyk nie, daarom hou sy haar oë op haar voete.

Teen middagete is haar voete moeg gestap. Verlig sak sy neer in 'n plastiekstoel in 'n parador om gou 'n paar happe kos in haar lyf te kry. Sy het haar twee metgeselle gevra om haar asseblief tog nie na een van die regering se amptelike toeristerestaurante te neem nie – Nini het haar gewaarsku dat die diens so stadig en ongeesdriftig is soos in enige staatsdiensorganisasie – en Oreste het dadelik gesê dat hy en sy oom in elk geval nie die staat se eetplekke kan bekostig nie.

"Dis waarheen ons toergroepe neem wat nie van beter weet nie." Hy lag verleë en voeg vinnig by: "Ook omdat private eetplekke soos dié nie meer as twaalf mense aan 'n tafel mag bedien nie."

"Waarom nie?"

"Ours is not to wonder why," sê Ruben. "Maar die kos in 'n parador is altyd lekkerder. Dieselfde bestanddele, ons het mos nie eintlik 'n wye keuse nie, maar met liefde en verbeelding gaargemaak."

Sy hou hom dop terwyl hy aan sy empanadas smul. Dis die eerste keer sedert sy hom die vorige dag ontmoet het dat sy skaars glimlag nie binne sekondes verdwyn nie. So 'n buitengewoon groot man moet seker ook 'n buitengewoon groot eetlus hê. Sy wonder of hy self môreaand die kok gaan wees en of hy saam met 'n vrou woon wat die kos gaan maak. Kom eet by mý, het hy gesê, nie kom eet by ons nie. Hoewel dit waarskynlik net die berugte Latyns-Amerikaanse chauvinisme is wat hom só laat praat. Hy sal die baas van die huis wees, selfs al woon hy saam met 'n vrou; dit sal sý huis wees. Maar dit beteken natuurlik nie dat hy nie ook 'n bedrewe kok kan wees nie. Die Afrikaanse mans onder wie sy grootgeword het, was immers net so berug vir hulle aggressiewe chauvinisme, al daardie pa's en ooms wat so maklik hulle vuiste gebal het en so moeilik gehuil het. En deesdae kan omtrent al haar mansvriende kook – sommige heelwat beter as sy.

Soms vrees sy dat sy die laaste vrou in haar vriendekring gaan wees wat net nie genoeg in kos belangstel om ooit 'n goeie kok te word nie. In haar studentedae was nie een van haar vriendinne 'n ster voor die stoof nie – selfs nie eens haar huismaat wat huishoudkunde geswot het nie – maar die afgelope twee dekades was daar soveel sexy kookboeke en verleidelike kosprogramme op TV dat omtrent almal beter leer kook het. En wie weet, as sy nie die laaste twintig jaar 'n alleenloper was nie, as sy aanmekaar 'n man of kinders moes kos gee, sou sy dalk ook met haar beperkte talente by die kospotte moes woeker.

Gelukkig was dit nie nodig nie. Sy kon ander dinge doen. Sy kon meer boeke lees as al haar voorbeeldige kokende vriendinne saam, so troos sy haarself as sy skuldig voel oor niemand haar ooit as gasvrou van die jaar sal nomineer nie.

Sy vat nog 'n gulsige hap van haar empanadas – eenvoudige vleisge-vulde rolletjies wat haar aan Italiaanse calzones herinner – en kom agter sy is hongerder as wat sy vermoed het. Die oggend se aanhoudende stappery het haar eetlus aangewakker, die dosyne deure waaraan hulle geklop het, die geure van kos wat agter hierdie deure gaargemaak word. Sy verslind selfs die "tipies Kubaanse slaai" wat verbasend genoeg nes haar oorlede ma se tipies verbeeldinglose Afrikaanse slaai lyk. 'n Paar iceberg-blare, 'n paar skyfies tamatie, 'n paar uieringe. Behalwe dat haar ma die blare altyd verdrink het in 'n oorsoet mayonnaise-sousie, anders sou haar pa en haar broer botweg geweier het om die "bokkos" te eet.

Die einste broer wat deesdae gesofistikeerde slaaie in byderwet-se Australiese restaurante eet. Die blote gedagte maak haar sommer nostalgies oor die slaaie waarmee sy grootgeword het.

Die eetplek waar sy haar nou bevind, naby die klooster van Nuestra Señora de Belén, kan beslis nie as "byderwets" beskryf word nie. 'n Beknopte vertrek met blou mure en 'n paar plastiektafels met bont plas-tiektafeldoeke vlak langs die straat, 'n ry welige groen potplante in blikke en emmers wat 'n soort afskorting tussen die kliënte en die straat vorm, 'n toonbank waaragter 'n maer gryskopvrou met hangtieties onder 'n moulose frokkiehemp hulle grynslaggend dophou. Blykbaar die ouma van die familie wat die eetplek bestuur. Die ma en pa is agter in die kombuis bedrywig, die seun/skoonseun en dogter/skoondogter bedien die kos, die ouma pas die kasregister op en kyk dat niemand wegloop sonder om te betaal nie. Of so voel dit vir Theresa terwyl die ouma vir haar grinnik.

Die oggend se deurkloppery het 'n paar brokkies inligting opgelewer, sulke ligflitse in die donker, hoewel hulle niks gevind het wat hulle na die soldaat se dogter kan lei nie. Geen foonnommer of kontakadres nie. Net die vermoede – wat al hoe sterker word – dat Angel se vrou en dogter nie meer in Havana woon nie. Dat die vrou moontlik ook al dood is. Dat die dogter ná haar skooljare verdwyn het.

Wat Theresa van die oggend onthou, soos sy nou hier sit en eet, is 'n warboel van geure, kleure, klanke.

Benewens die oorweldigende kosgeure, veral gebraaide hoender en vis, gekookte boontjies en rys, blykbaar die stapelvoedsel in hierdie land, onthou sy die agtergrondreuke van sigare en riole en sweterige lywe in bedompige vertrekke en katpiepie in binnehofies tussen oorvol wonings. Wat haar net weer laat besef hoe bevoorreg haar eie bestaan in haar geboorteland nog altyd was en seker altyd sal bly. Dit was nog nooit vir haar nodig om saam met te veel mense in 'n te klein ruimte te lewe nie. Sy woon al byna 'n dekade stoksielalleen in haar eie kothuis, terwyl miljoene van haar landgenote soos hoenders in hokke moet saamkloek.

Die klanke wat haar bybly, is bowenal die TV-stelle wat orals aangeskakel is, Latyns-Amerikaanse strooisages waarna vroue op ingesakte rusbanke sit en kyk. En hoewel sy geen snars van die dialoog kan verstaan nie, herinner dit haar nogtans aan die gewildste Afrikaanse sepies. Die oordrewe toneelspel en die lang swanger stiltes en die dramatiese kenwysies. In sommige woonplekke het sy flertse gehoor van wat sy as "Kubaanse musiek" sou beskryf, Compay Segundo en sulke vrolike ou omies, maar meestal was dit generiese moderne popmusiek wat oor die radio's gespeel is. Verder kleuters wat gil en jil, ma's wat skel, jong vroue wat van balkonne af heen en weer na mekaar roep terwyl hulle wasgoed ophang, ou vroue wat kekkelend lag.

En kleure net waar jy kyk.

Geel mure en blou deure en liggroen vensterluike, rooi rusbanke en pers of pienk plastiekblomme, die helderkleurige rokke van vroue en bont hemde van mans. Selfs die mense se velskakerings is veelkleurig. Sy is gewoond aan verskillende kleure vel, sy kom immers uit 'n veelrassige land, maar nog nooit het sy só 'n verskeidenheid sáám in 'n enkele gebou of selfs 'n enkele woonstel gesien nie. Van spookwit met 'n pienk blos tot steenkoolswart met 'n blou skynsel, almal ingeweef in die Kubaanse tapisserie. Dís mos hoe 'n reënboognasie veronderstel is om te lyk?

"Ná ete vat ons die volgende straatblok," sê Oreste. "Is julle reg daarvoor?"

Sy vee haar mond met 'n papierservet af. Miskien kry hulle dié keer 'n meer bruikbare brokkie inligting. 'n Foonnommer, 'n werkplek, 'n huisadres. Intussen is sy bly oor die ligflitse wat vanoggend op Angel Perez Gonzalez se lewe geskyn is. Niks meer as vonkies van 'n vuur in 'n gitswart nag nie. Maar dis darem iets.

Die middag lewer niks nuuts op nie. Net nog meer geure en kleure, gesigte en geraas, hier en daar frases waarna sy gryp soos na stukkies van 'n legkaart. Hoewel sy al hoe sekerder word dis 'n legkaart dié wat sy nooit sal kan voltooi nie. Daar is te min stukkies en te veel gate.

Teen die tyd dat sy agter in die oopdakkar terug na die hotel toe ry, begin sy aanvaar dat daar nooit 'n "familie" Perez Gonzalez in daardie woonstel gewoon het nie. Enkele van die oudste bure onthou 'n swanger vrou – bloedjonk, eintlik meer kind as vrou, maar niemand onthou die soldaat nie.

"Haar naam was Luisá," het 'n klein swart vroutjie met skerp ogies opgemerk. "Lieflike meisie."

Daarna is dié inligting – die naam én die skoonheid van die jong vrou – deur ander voormalige bure bevestig.

"'n Naam wat begin met 'n L …"

"Luisá! Ja!"

"Luisá Amat … wat was haar tweede van nou weer? Ook iets wat met L begin?"

"Kan nie haar naam onthou nie," het 'n vet swetende man met 'n skalkse glimlag erken, "maar ek onthou hoe mooi sy was."

"Haar hare was altyd perfek versorg," het sy buurvrou bewonderend bygevoeg. "Soos 'n rolprentster se hare."

"Ja, daar was 'n soldaat iewers in die prentjie," het 'n ander vrou met vreeslik baie plooie onder gekleurde blonde hare gesê nadat sy lank nagedink het. "Sy was 'n oorlogsweduwee wat haar dogter alleen grootgemaak het."

"Nee, sy was nie 'n weduwee nie," het die vrou se suster gesê. Dieselfde geplooide gesig, soos ongestrykte linne, maar met staalgrys hare. "Hulle was nooit getroud nie." Met 'n bitsige trek om haar dun lippe. "En sy het haar altyd eenkant gehou van haar bure. Asof sy en haar dogter te goed was vir die res van ons in die straat."

Die sus met die blonde hare het haar tong ongeduldig geklap. (Oreste het slegs die breë trekke van die gesprek vir Theresa vertolk, onderlangs, die res moes sy uit hulle lyftaal aflei. Dit was nie moeilik nie.) "Sy was altyd vriendelik wanneer jy haar groet. Sy't net nie tyd gehad vir 'n geklets en 'n geskinder nie. Anders as sommige van ons." Die blonde suster het betekenisvol na die gryskop gekyk. "Sy moes hard werk om daai dogter alleen groot te kry."

"Só alleen was sy ook nie." Die gryskop se lippe is al hoe dunner saamgepers. "Daar was 'n ruk lank ook 'n man in die woonstel. Ná die soldaat dood is. Miskien meer as een man. Vroue wat soos sy lyk, hoef nooit lank alleen klaar te kom nie."

"Ja," het 'n bejaarde man in 'n gebou oorkant die straat vir Ruben gesê, "'n mooi vrou wat saam met haar dogter hier gewoon het. Vroeg in die jare negentig het hulle verdwyn."

Niemand weet waarheen nie.

"Die kind was slim," het iemand onthou. "Sy't seker ná skool verder gaan leer."

"En die ma is miskien terug na waar sy grootgeword het? Iewers in die ooste van die land. Sy't nie familie in Havana gehad nie."

En dis al wat sy in dié stadium weet, besef Theresa terwyl hulle langs die Malecón ry, die see regs van haar glansend in die laatmiddag- lig. Dalk al wat sy ooit sal weet. Die ma het verdwyn, die dogter het verdwyn, die pa het so lank gelede al verdwyn dat niemand hom ont- hou nie. Hoe hartseer om so jonk te sterf dat jou klein stukkie bestaan nie eens 'n duik in ander mense se lewens maak nie. Dit vul haar met die soort wanhoop wat sy vanaand weer in 'n mengeldrankie sal moet verdrink.

Asof hy haar gedagtes lees, kyk haar jong gids agtertoe en vra of sy seker is sy wil nie vanaand iewers gaan uiteet nie. Dalk 'n bietjie Kubaanse musiek in lewende lywe luister? Onthou, hy is tot haar beskikking, hy kan haar vergesel net waarheen sy wil gaan.

"Dankie, Oreste, maar ek gaan sommer 'n broodjie by die hotel eet. Al hierdie gestap en geklop het my uitgeput."

"Ek weet jy's nie 'n gewone toeris nie, Theresa," sê Oreste buitengewoon sedig. "Jy soek iets anders hier as die ander mense wat hierheen kom. Maar dis nogtans nie teen die wet om jou verblyf te geniet nie, weet jy?"

"Ek weet. Jy klink nou nes Nini."

"Ons sal sorg dat jy môreaand geniet," sê Ruben toe hy voor die hotel stilhou. "Of jy nou wil of nie. Dis ons patriotiese plig."

Sy spottende glimlag verras haar selfs meer as sy broerskind se onverwagse erns.

Toe sy die doolhof van gange in die hotel aandurf, vind sy vir die eerste keer haar kamer sonder om te verdwaal. Dit laat haar buitensporig trots voel, en van voor af hoopvol. Asof sy nog nie te oud is om te leer nie, asof haar lewe nog kan verander.

10. BEECHIES, BRUT EN BOEREWORS

Sy drink weer 'n mojito op die stoep van die hotel terwyl sy na die skemer see staar. Vreemd hoe gou jy jou eie ritueeltjies kan skep om tuis te voel op 'n onbekende plek. 'n Lang glas met rum en mentblare en lemmetjie-skyfies en baie ys kry dit blykbaar op hierdie eiland vir haar reg.

Soos die vorige aand dink sy weer onwillekeurig aan die mengel-drankies van haar tienerjare, maar dié keer is daar ander beelde wat aanmekaar bo-oor die prentjies van haar idilliese jeugherinneringe skuif. Digte bosse en pantserkarre en outjies in die vodderige oorblyfsels van groenbruin uniforms. Terwyl sy en Lynette daardie somervakansie op Stilbaai met drie rykmanseuns uit Kaapstad se suidelike voorstede geflankeer het, was Theo in Angola vasgevang, in 'n oorlog wat vir haar destyds heeltemal onvoorstelbaar was.

Wat sy steeds, ná al die jare, sukkel om haar voor te stel.

Sy wonder of Brandon en Bob en Leonard ook later aan die grens beland het. Dalk kon hulle aanspraak maak op Britse of Europese pas-poorte, dalk kon hulle padgee uit die land, dalk het hulle ouers gedink dis nie nodig dat hulle hierdie "patriotiese plig" vervul wat so belangrik vir die meeste Afrikaanse ouers was nie. Sy onthou vaagweg dat Leo-nard een aand in die tentjie agter die Seemeeu vir haar gesê het hy hoop hy sal vir die vloot eerder as die leër gekeur word.

"My broer hoop ook so," het sy geantwoord, "of anders die lugmag. Enigiets om nie daai lelike bruin uniform met die pap bruin hoedjie te dra nie."

Leonard se skraal profiel is slegs deur die maan en die gloeiende kooltjie van sy sigaret belig. Selfs in 'n bruin leëruniform sou hy goed lyk. Mooi bly nou maar eenmaal mooi. In 'n wit of swart vlootuniform sou hy absoluut onweerstaanbaar wees.

"Ek dink ek het 'n goeie kans vir die vloot. Ek het langs die see grootgeword en ek seil al van kleins af saam met my pa."

Wat Theresa se broer met sy plattelandse onderwyser-pa natuurlik nie kon sê nie.

Sy het 'n trek van Leonard se sigaret gevat, net sodat dit gouer klaar gerook kon word en hy haar weer kon soen. Sy mond het na Camel en bier en Beechies geruik, sy hare na seewater, sy lyf na Brut en na nog iets, 'n geur wat sy nie geken het nie. Miskien is dit hoe manlikheid ruik, het sy haar verbeel. Sy kon nie wag om dit van nader te leer ken nie.

Maar voordat hulle verder kon vry, het Lynette by die tent ingekruip, met Brandon en Bob omtrent hygend van lus kort op haar hakke. Die slinkse Lynette het dit sowaar reggekry om Brandon én Bob albei om haar pinkie (en ander dele van haar lyf) te draai.

Sy het hulle aanhoudend teen mekaar afgespeel sodat hulle heeltyd onseker was oor wie sy sou kies.

Theresa het verwag dat die twee mededingende vriende mekaar enige oomblik met die vuis gaan bydam en vir Lynette gewaarsku dat sy 'n gevaarlike speletjie speel. "Vir wat moet jy hulle so aan 'n draadjie hou? Kies nou een en kry klaar."

Lynette het haar oë kamma onskuldig gerek en haar hand met die blou naels na haar mond gebring om sensueel aan 'n sigaret te suig. "Vir wat moet ek kies? Brandon is mooi. Bob is snôks. I like both."

Vir wat moet ek kies? Jare later, toe Theresa die Franse kultusrolprent *Jules et Jim* kyk, het Jeanne Moreau se karakter haar aan Lynette herinner. Haar jeugvriendin was eintlik verstommend oopkop vir 'n Afrikaanse meisie van Pretoria. In die jare sewentig.

Maar die drie "rykgat Rooinekke" – soos Theresa se broer hulle genoem het, halfspottend en halfafgunstig – het geen tekens van politiese betrokkenheid getoon nie.

Lynette se broer Waldie het niks gesê nie, net gegluur wanneer Jacques so spot. Waldie en Jacques was albei sewentien, op pad na hulle laaste skooljaar, maar Jacques was slim en gewild en goed in sport, klaar gekies as hoofseun vir die jaar wat voorlê – die soort seun waarop enige pa trots sou wees – terwyl Waldie duidelik 'n verleentheid vir sy ambisieuse pa was. Hy het gesukkel op skool, skoor gesoek met die onderwysers, jonger kinders geboelie. Groot en lomp en lelik, met bakore en aknee. Nie fair nie, het Lynette gesê, dat Theresa se broer looks én brains gekry het, en haar broer nie een van die twee nie. Waldie het die

Engelse gehaat oor wat hulle met die Boervroue in die konsentrasie-kampe gedoen het – en die swartes oor wat hulle met die Boervroue sou doen as hulle net 'n kans kon kry. Lynette sou hom beslis nie aan die "rykgat Rooinekke" voorstel nie.

Theresa kan nie onthou dat die Rooinekke ooit 'n enkele aanmer-king oor die onregverdigheid van die regering of enigiets soortgelyks gemaak het nie. Hulle was drie wit ouens wat 'n goeie tyd wou hê. Soos al die Afrikaanse ouens wat sy geken het.

En benewens Leonard se eenmalige versugting oor die vloot, het nie een van die drie ooit na diensplig of die grens verwys nie.

"Hoekom is julle deur 'n chauffeur hier afgelaai?" het Theresa teen die tweede aand gevra, toe sy haar nuuskierigheid nie langer kon bedwing nie, terwyl hulle al vyf saam van die hotel na die diskoteek gestap het. Hulle het Engels met mekaar gepraat.

Obviously, soos Lynette sou sê.

"Ons wou hike, maar my ma was in 'n totale toestand omdat my broer laas jaar in 'n motorongeluk dood is," het Brandon gesê, so ongeërg soos hy kon. Hulle was op die brug en die rivierwater het in die maanlig ge-glinster. In die skielike stilte het hulle voetstappe hard geklink. Selfs Bob het nie soos gewoonlik geskerts nie. "Die idee dat ons in vreemdelinge se karre sou klim, het haar heeltemal uitgefreak. Toe sê my outoppie oukei, ons kan op ons eie gaan vakansie hou, maar hy sal sorg dat ons veilig daar uitkom."

En sy dog hy is so 'n sorgvrye rykgat.

"Maar hoekom het julle hierheen gekom as julle niemand hier ken nie?" wou Lynette weet toe die stilte ongemaklik word.

"Juis oor ons niemand hier ken nie," het Bob gegrinnik. "Dit voel soos 'n ontdekkingsreis." A journey of discovery, het hy gesê. "Soos *Ten thousand leagues under the sea*."

Twenty thousand, wou Theresa sê, maar sy het liewers stilgebly. Haar ma sê altyd seuns hou nie van beterweterige meisiekinders nie.

"Al wat julle hier gaan ontdek, is rock spiders," het Lynette smalend opgemerk. Asof sy nie self ook een was nie.

"Wie's nou bang vir rock spiders?" het Brandon gevra.

"Ek is!" Weer die verspotte Bob. "Maar ons het al hierdie stories oor al hierdie mooi Afrikaanse meisies gehoor ..."

92

"Soos wat?" het Theresa gevra, dadelik agterdogtig.

"Soos dat julle so hardegat is." Hard to get, het hy gesê. "Ons hou van die uitdaging. Dis 'n nuwe ervaring. Live and learn."

Theresa het hom skeef aangekyk. Soos drie jagters wat moeg geraak het van springbokke skiet en nou soek hulle die uitdaging van 'n ander soort bok. Maar Lynette het geproeslag, en Theresa het onthou wat sy die vorige aand oor voëlkykers en skaars voëls gesê het. Hierdie Engelse ouens was vir die twee meisies net so 'n groot uitdaging, net so 'n nuwe ervaring, soos wat hulle skynbaar vir die drie seuns was. Live and learn.

Leonard het onverwags sy hand na haar uitgesteek, sy vingers om hare gevou, en haar hele lyf het tegelyk in warm gloede en koue hoendervleis uitgeslaan. Sy het gewonder of sy 'n grappie durf maak, hom kon vra of sy dan nie hardegat genoeg is nie – dat hy sommer so ongenooid haar hand kan vat – maar sê nou hy vang nie die grappie nie en los haar hand? Nee, sy ken nie die Rooinekke se sin vir humor nie, sy sou haar liewers net heeltemal ongeërg hou. Asof lieflike Engelse ouens met lang donkerblonde hare gereeld voor haar voete neerval. En hoop hy los nooit weer haar hand nie.

En tog was sy daardie somer heeltyd bewus van die oorlog, iewers op die agtergrond van wat sy as haar alledaagse werklikheid beskou het, soos die statiese geraas van 'n onbekende radiostasie wat inmeng wanneer jy na lekker ligte popliedjies probeer luister. Daar was soveel gerugte oor gesneuwelde en gewonde dienspligtiges dat dit al hoe moeiliker geword het om net jou oë toe te maak en jou lyf op maat van die musiek te swaai.

Ná vier Suid-Afrikaanse soldate diep in Angola gevange geneem is en soos sirkusdiere aan die internasionale media vertoon is, moes die regering noodgedwonge erken dat die weermag reeds 'n ruk lank ver anderkant die grens baklei. Teen die kommunistiese Kubane, dis hoe dit aan die volk gestel is, om die behoud van die blanke Christelik-Nasionale samelewing aan die suidpunt van Afrika te verseker.

Hierna het allerlei angswekkende gerugte soos veldbrande versprei. Derduisende Kubane wat die bloeddorstige terroriste oplei om Suid-Afrika binne te val, om te plunder en te verkrag en te moor. Geheime Russiese wapens waarteen Suid-Afrikaanse soldate magteloos sou wees.

Castro wat die wit beskawing wil vernietig, wil hê alle rasse moet saam-geklits word, soos in Kuba. Kerke sou verwoes word, godsdiens verbied word, niemand het meer geweet wat om te glo nie.

"As die regering vir ons kon jok oor wáár ons soldate baklei," het Theresa se ma een aand langs die braaivleisvuur agter die strandhuis gesê, "kan hulle mos oor die res van die oorlog ook jok?" Sy het haar onderlip gebyt, haar stem onseker. Hannie Marais het haar lewe lank aan 'n gebrek aan selfvertroue gely, soos baie Afrikaanse vroue in daardie jare, en wanneer sy enigiets kwytraak wat dalk nie sou strook met wat haar baasspelerige man dink nie, het haar stem begin bewe.

Soos verwag kon word, het haar man onmiddellik verontwaardig ge-reageer. "Hulle het nie vir ons gejók nie," het hy gesê terwyl hy die rooster oor die kole omdraai. "Hulle moes die waarheid verdoesel om ons almal te beskerm."

"Wat beteken die waarheid 'verdoesel'?" het die twaalfjarige Sandra met groot oë gevra. Dit was nie 'n moedswillige vraag nie. Sy was nooit 'n opstandige kind nie. Dié rol is deur haar ouer sussie vertolk.

"Dit beteken om te jok," het Hannie geantwoord, so sag dat haar man haar hopelik nie sou hoor nie.

Haar man se aandag was by die vetterige boerewors wat die kole onder die rooster laat sis het, maar Lynette se pa het haar gehoor. Gert Rauben-heimer het vooroor in sy seilstoel gesit en ernstig na almal om die vuur gekyk, die grootmense én die kinders, asof hy hom gereedmaak om huis-godsdiens te hou. Die gloed van die vuur het in sy brillense weerkaats en sy hoë kaal voorkop laat blink. "Alles is geregverdig in 'n oorlog. Dis nie 'n gentleman's game nie. As die vyand wil vuil speel, het ons nie 'n keuse nie. En dit beteken dat dinge soms verswyg moet word."

"Jislaaik," het Waldie gesê. "Ek wens ek kon nou al army toe gaan om daai spul kaffers te gaan opneuk!"

Lynette se twee jongste boeties wat 'n ent weg op die agterstoep met hulle Dinky Toys gespeel het, het verbaas opgekyk en begin giggel.

"Taal, Waldie," het sy ma gesê, vroetelend aan haar hare wat selfs hier by die see kliphard van die haarlak was. Dit was onduidelik of dit die vloekwoord of die k-woord was wat Marlene Raubenheimer ontstig, maar Theresa het vermoed dat "opneuk" vir haar 'n baie leliker woord as "kaffer" is.

94

"Ons moet hulle doodmaak voor hulle ons kom doodmaak, Ma!"

"Ons sal hulle keer lank voor hulle hier kan uitkom," het Theresa se pa gesê, sy oë op die rooster, asof hy met die boerewors praat.

Sal ons? Kán ons hulle keer? Theresa het oor haar kaal arms gevryf, haar vel die ene hoendervleis, soos die eerste keer toe Leonard sy tong in haar mond gesteek het. Sy het opgekyk na die Melkweg in die gitswart naglug en soos gewoonlik die Suiderkruis gesoek. Wie weet, dalk kyk een van die arme soldate daar bo in Angola ook op presies hierdie oomblik na die sterre, het sy bespiegel, dalk sien hy die Suiderkruis en verlang na sy huis. Die vlaag empatie wat sy vir die arme soldate gevoel het, was streng beperk tot die Suid-Afrikaners. Sy het nie aan die vyand as "soldate" gedink nie. Darem ook nie as "kaffers" nie. Die k-woord het haar ouers nie in die huis geduld nie. Maar vir haar was hulle kommuniste en terroriste. Dis wat hulle orals genoem is, op skool, in die kerk, in die koerant, en dis hoe sy aan hulle gedink het.

En nou sit sy hier op Castro se kommunistiese eiland, omring deur die goddelose Kubane, die gevreesde vyand van weleer. Wat sou daardie vyftienjarige meisiekind op Stilbaai gesê het as sy dit moes geweet het terwyl sy na die sterre kyk? Veertig jaar later is die Suiderkruis steeds die enigste groep sterre wat Theresa redelik maklik kan uitken. Maar hier is sy waarskynlik te ver noord van die ewenaar om die Suiderkruis te sien. Heeltemal te ver van die huis af.

11. MOSAÏEK-MEERMINNE

Die derde dag begin op 'n hoë noot. Toe sy op die agtersitplek van die rooi-en-wit oopdakkar inskuif, sê Oreste: "Goeie nuus. Señor Borges het gisteraand gebel."

"En?" Theresa leun gretig vorentoe en sien hoe sy glimlag onder sy NYY-bofbalpet al hoe breër rek. "Kan sy buurvrou ons help?"

"Sy't vir hom die adres gegee van 'n vriendin van Luisá – Mercedes se ma – wat in 'n ander deel van die stad woon." Hy rek die spanning nog 'n bietjie langer uit, saam met sy glimlag wat skielik vir haar diabolies lyk, asof hy haar desperate nuuskierigheid geniet. "Señor Borges het gereël dat ons vanoggend by haar gaan koffie drink."

"By die siek buurvrou?"

"Nee, by die vriendin. Marta Duarte Solar."

Theresa is so ingenome dat sy hom amper omhels. "So die 'omkoopgeld' wat ek vir señor Borges gegee het, het tog gehelp, nè?"

"Ek dink dit was eerder jou woorde oor die soldaat se brief wat hom geraak het," sê hy onverwags ernstig. "Vir baie van ons het die wonde van Angola nooit genees nie."

"Vir baie van ons ook nie," mompel sy. "Maar wat van jou? Ek weet jy's te jonk, maar het jy nie ouer familielede wat in Angola baklei het nie?"

"Ek is seker net gelukkig dat niemand in my naaste familie daar was nie."

Sy kyk na Ruben se wit hoed, probeer sy oë in die truspieëltjie vang, maar hy kyk stip na die pad voor hom. Sy ken hom nie goed genoeg om te vra waarom hy nie in Angola was nie.

Daarom draai sy terug na Oreste. "Onthou jy enigiets daarvan? Wanneer is jy gebore?"

"In 1988," antwoord hy. "My vroegste herinneringe is van hongerpyne. In die 'spesiale tyd' vroeg in die jare negentig."

"Wat's die spesiale tyd?"

"Ná die Sowjet-Unie uitmekaar geval het, het die geldelike bystand van die Russe opgedroog. Ons het swaargekry. Ons was gewoond aan armoede, maar nie aan honger ly nie."

"Ons Kubane was soos voëls wat uit die nes geskop is voordat ons self leer vlieg het," sê Ruben agter die stuur. "Die lekker snoesige nes van die Sowjet-Unie."

"Dis waarom ons mal is oor buffetetes waar ons kan eet soveel soos ons wil." Oreste lag ondeund, asof hy wil keer dat die gesprek te ernstig word. "Ons eet nou nog so vinnig as moontlik om soveel kos as moont-lik in ons mae te kry. Mens se lyf vergeet nooit van honger ly nie."

Sy bestudeer hom 'n paar oomblikke lank in stilte. Hy sit op sy ge-wone gemaklike manier op die passasiersitplek, sy linkerarm op die rugleuning, sy lyf agtertoe gedraai, gretig om haar te help om sy land te begryp. Of dalk net om die indruk te wek dat hy haar wil help om te begryp.

"Maak jy vir jouself kos? Ek bedoel, woon jy op jou eie? Of saam met jou familie?"

"Op my eie. Maar ek's nou op die ouderdom wat my ma baie hard laat skimp dat ek moet vrou vat. Sy wil ouma word."

"Hmm. Baie van my vriendinne is ook besig om sulke skimpende ma's te word."

"Jy't nie self kinders nie?"

"Nee. Ek wou ..." Theresa knip haarself kort. Waarom wil sy alewig verduidelik? "Nee, ek het nie kinders nie. Ook nie 'n man nie."

Sy trek die breë rand van haar sagte sonhoed laer oor haar oë en skuif agtertoe op haar sitplek.

"In my land was die begin van die jare negentig ook 'n spesiale tyd," gesels sy ná 'n ruk, ingedagte. "Om ander redes. Dit was die begin van demokrasie, die einde van 'n spul onregverdige wette, 'n tyd van onge-looflike hoop vir die meeste mense." Sy dink aan haar gewese skoonma, vasgekluister in haar woonstel uit die apartheidsjare, en sy skud haar kop. "Natuurlik nie vir almal nie."

"Vir ons was dit 'n wanhopige tyd," erken Ruben. "Maar ons mag dit nie vir mekaar gesê het nie."

Theresa kyk verras na hom.

"Maar as dit nie vir daai slegte tyd was nie, sou ek seker nie nou hierdie lekker werk gehad het nie," verduidelik Oreste gou, amper verskonend. "Dit het die regering gedwing om toerisme aan te moedig, as bron van inkomste, en nou ontmoet ek elke dag interessante mense uit ander lande."

"Was jy self al ... in ander lande?"

"In Venezuela," knik hy. "Kuba en Venezuela is mos beste pelle. En darem ook 'n paar dae lank in Londen en Parys. Gratis trip vir Kubaanse toergidse wat die regering gereël het. Maar ek hoop ek sal kans kry om nog baie verder te reis. Eendag."

"Jy's nog jonk," sê Theresa. "Ek is seker jy sal. Eendag."

Ruben se donker oë in die truspieël lyk skepties. Of dalk net treurig.

Hulle ry weswaarts in 'n breë straat af in 'n statige buurt. Die twee rylane word deur 'n middelstrook met palmbome geskei. Die woonhuise is indrukwekkend, met tropiese tuine, in skerp kontras met die bedrywige nou straatjies en vervalle geboue wat in die ou deel van die stad so styf teen mekaar staan.

"Dis ons beroemde Quinta Avenida," sê Oreste. "New York se Fifth Avenue is na hierdie ene vernoem. Nee, dis nie waar nie," sê hy laggend, "maar ons is net so trots op ons vyfde laan soos die New Yorkers op hulle s'n. Baie van die huise is ambassades en konsulate."

"Is dit waar hierdie vriendin van Luisá woon?"

"Nee, sy woon in 'n baie armer deel 'n ent verder. Jaimanitas. Dit was eintlik 'n krotbuurt tot 'n kunstenaar so 'n dekade of drie gelede sy huis met 'n soort naïewe kuns begin versier het, en toe die huise van sy bure, en toe ander strate. Nou woon daar ander kunstenaars ook en die hele buurt het 'n besienswaardigheid vir toeriste geword."

"Ek dink jy sal daarvan hou," sê Ruben met sy skaars glimlag.

En Ruben is reg. Die bont buurt rondom José Fuster se huis-kunsgalery bekoor haar. Die strate is ongeteer en stowwerig, die huisies klein en beskeie, maar versier met kleurvolle muurkuns, mosaïekwerk en beelde van meerminne en visse en hoenders, of abstrakte vorms in vrolike kleure.

Vir die eerste keer gedra Theresa haar soos 'n toeris, pluk haar selfoon uit om foto's te neem, poseer selfs op 'n bankie voor Fuster se huis saam met Oreste vir 'n selfie wat hy met haar foon neem. Hy doen dit so bedrewe dat sy besef dis deel van sy werk as gids. G'n wonder hy het so afgehaal gelyk toe sy die vorige twee dae nie vir foto's wou poseer nie.

Sy het darem 'n paar kiekies geneem van al die ou karre waaraan sy steeds nie gewoond kan raak nie. Asof sy terug by die huis 'n bewys nodig gaan hê dat sy nie gedroom het nie. Maar haar plig om die persoon te vind aan wie die brief in haar handsak gerig is, weeg so swaar dat sy nog nie vir 'n oomblik daarvan kon vergeet het nie. Asof die brief nie op dun papier geskryf is nie, maar op 'n rots of 'n ysterboei of 'n loodstaaf wat sy in haar handsak dra.

Dalk het haar skielike ligter tred niks met die naïewe volkskuns om haar te doen nie, dalk is dit net die vooruitsig van 'n ontmoeting met Luisá se vriendin wat haar weer vol hoop geblaas het. Soos 'n vlam wat warm lug in 'n ballon blaas tot dit opstyg, al hang daar ook 'n swaar vrag onder aan die ballon.

Haar hart klop vinniger toe sy en Oreste voor Marta Duarte Solar se huisie staan. Die stoep is in 'n informele kuriowinkeltjie omskep. Agter 'n pers bougainvillea staan 'n tafel met tuisgemaakte mosaïek-beeldjies en vrolik geverfde asbakkies in dieselfde naïewe styl as Fuster se werk. Naïewe namaaksels van naïewe kuns, soos die handwerk van 'n kind sonder veel talent.

Ruben kon nie parkeerplek in die straat kry nie en het 'n ent verder tussen 'n klomp toeristevoertuie en taxi's geparkeer. Hy sal daar bly om die kar op te pas, het hy gesê. Sy het weggekyk sodat hy nie kon sien dat sy teleurgesteld is nie. Blykbaar begin sy staatmaak op sy groot, soliede teenwoordigheid, die rustigheid van sy diep stem, sy skeptiese stilswye. Oreste is 'n uitstekende gids, maar dis asof hy te klein en lig is, letter-lik en figuurlik, te jonk en ligsinnig, om haar 'n houvas op hierdie land te gee.

'n Halfuur later, in Marta Duarte Solar se bedompige woonvertrek, waar sigaretrook soos mis in die lug hang, wens sy Ruben was saam met hulle. Dis nie dat sy Oreste nie vertrou om die vriendelike ketting-rokende vrou se vloedgolf van woorde korrek te vertolk nie. Maar sy vermoed Ruben sou méér kon gedoen het as om vir haar te tolk wat Marta sê. Hy sou moontlik ook kon geraai het wat sy verswyg. Dis 'n gawe wat sy al by stil mense soos hy opgemerk het. Hulle kan soms sien wat spraaksamer mense onder hulle woorde wegsteek, soos stof wat onder 'n mat ingevee word. En sy het iemand nodig wat haar kan help om 'n paar matte op te lig hier in Kuba, anders gaan sy nooit by Mercedes uitkom nie.

Marta praat self ook 'n bietjie Engels – wat sy graag wil oefen omdat dit haar help om die kunswerkies op haar stoep aan toeriste te verkwan-sel – en gooi kort-kort 'n geradbraakte Engelse frase in haar vertelling. Telkens met so 'n trotse glimlag dat Theresa dit nie oor haar hart kan kry om te bieg dat sy die skewe Engels nog minder as die Spaans verstaan nie. "Luisá was beautiful little beast." Wat op aarde beteken dit? Is dit 'n kompliment of 'n belediging? Marta love Luisá, Luisá love Marta, always huging and huging.

"Huging?" vra Theresa verward.

Marta sê 'n Spaanse woord wat wegraak in die wolk rook wat sy ter-selfdertyd uitblaas en maak 'n gebaar met albei arms om 'n omhelsing aan te dui.

"A," sê Theresa. "*Hugging.*"

"Yea," sê Marta en maak soengeluide rondom haar sigaret. "Always kissing and huging."

Sou hulle 'n lesbiese verhouding gehad het? Theresa kyk verbouereerd na Oreste.

"Hulle was baie goeie vriende," sê Oreste met sy ewig onpeilbare glim-lag.

"Baie goeie vriende," beaam Marta tussen twee diep teue aan haar sigaret.

Theresa sê liewers niks verder nie, knik net so aanhoudend dat sy begin voel soos die speelgoedhondjies met sulke los koppe wat in haar kinderjare agter in mense se karre geknik-knik het. Sluk nou en dan van haar koppie sterk swart koffie. Sy gaan waarskynlik 'n maagseer ontwikkel van al hierdie Kubaanse kafeïen. Maar daar is belangriker dinge om haar nou oor te bekommer.

Marta Duarte Solar was vermoedelik in haar jonger dae 'n vrou wat aandag getrek het. Sy het vurige donker oë en 'n hoë neusbrug en skerp wangbene, maar nou is sy brandmaer met 'n knaende rokers-kuggie, lang grys hare wat leweloos om haar geplooide gesig hang, 'n ongesonde gelerige skynsel aan haar bruin vel. In die jare tagtig het sy naby Luisá gewoon, net so skuins oorkant die straat, vertel sy. Hulle het gou vriende geword omdat hulle albei jong enkelma's was, haar seuntjie omtrent dieselfde ouderdom as Luisá se Mercedes. Maar haar Ricardo het van kleins af vir haar hel gegee. Baie stouter as Luisá se voorbeeldige dogtertjie.

"Little bastard," noem sy hom, met so 'n bitsige trek om haar mond dat Theresa wonder of sy dit letterlik bedoel, of sy verwys na die feit dat hy uit 'n ongehude verhouding gebore is, of bloot dat hy so 'n klein stoutgat was.

Hierna volg 'n lang relaas waaruit dit blyk dat Ricardo hom tog op die ou end reggeruk het. Deesdae is hy 'n lyfwag vir een of ander Baie Belangrike Persoon en die pa van twee seuns. Toe Marta met haar kleinseuns begin spog – the pineapples of my eyes – dwing Theresa haar versigtig terug na Luisá se storie.

"Ek het as skoonmaker in die Hotel Nacional gewerk," vertel sy terwyl sy 'n volgende sigaret aansteek, "en vir Luisá gehelp om ook daar werk te kry."

"As skoonmaker?" vra Theresa, om seker te maak dat sy Oreste se verklaring nie verkeerd verstaan nie. "In die Hotel Nacional?"

"Ja," sê Marta, "ek het amper my lewe lank daar gewerk, tot hierdie buurt soveel toeriste begin lok het dat ek besef het ek kan my kunswerke hier verkoop."

"My artworks," sê sy, en wys met haar sigarethand na die tafel op die stoep. Theresa knik weer, sonder om kommentaar te lewer op die kunswerke. "Maar Luisá was altyd meer ambisieus as ek. Sy wou nie as skoonmaker gewerk het nie."

Theresa se kop draai. Moontlik van skok omdat die Kubaanse soldaat se vrou dalk 'n kwarteu gelede die hotelkamer skoongemaak het waarin sy nou slaap. Moontlik net omdat sy gans te veel kafeïen in haar lyf gepomp het.

Luisá het universiteit toe gegaan, verduidelik Marta. Sy wou 'n onderwyseres word, maar sy moes opskop toe sy verwagtend raak.

"Pregnant," sê Marta en maak 'n gebaar met albei hande om 'n ronde maag aan te dui.

"Haar kêrel was besig met sy diensplig, hulle was albei baie jonk, eintlik nog kinders, hulle het gou getrou voor hy Angola toe gestuur is. En toe hy daar verdwyn … wat was sy naam nou weer?"

"Angel, sê Theresa. "Angel Perez Gonzalez."

"O ja. Angel. Ek het hom nooit geken nie, net altyd gehoor hoe sy oor hom gepraat het. Ná hy in Angola verdwyn het, was sy nogal bitter. Sy kon nooit weer verder leer nie, sy moes enige werk vat wat sy kon kry om haar en die kind aan die lewe te hou."

"Het die staat nie gehelp nie?" vra Theresa. "Het sy nie 'n pensioen of iets gekry omdat sy 'n soldaat se weduwee is nie?"

"Die staat help almal in hierdie land," sê Marta met 'n lakoniese skouerophaling en suig weer lank aan haar sigaret. "Maar ons moet onsself nogtans ook help."

"Is dit hoekom sy bitter was? Omdat die staat haar nie genoeg gehelp het nie?"

"Nee, sy was bitter teenoor Angel! Sy wou nie gehad het hy moet so kort ná die kind se geboorte so ver van die huis af gaan baklei nie. Al die dienspligtiges is nie gedwing om Angola toe te gaan nie, jy sien, in die begin was dit vrywillig, so sy't hom gesmeek om te bly. Maar hy't gevoel dis sy plig, daar's ander ouens met kinders wat gaan baklei, hy kon nie spesiale behandeling verwag nie."

"Luisá think he special," sê Marta en druk die sigaretstompie driftig in die oorvol asbak dood. "He no special."

Luisá was jare lank kwaad vir haar man, beweer Marta. Sy't lang krokodiltrane oor hom gehuil, maar sy't gevoel hy't haar en hulle kind in die steek gelaat.

"En het sy toe ander werk gekry? Of het sy 'n skoonmaker gebly?"

"O, sy't elke paar maande 'n ander werk gehad. 'n Nuwe werk en 'n nuwe haarstyl. Dit was Luisá. Tot sy op die ou end in 'n kantoor beland het, telefoon geantwoord en getik, ek dink dit was die jaar toe Mercedes hoërskool toe is. Daai werk het sy gehou. Dis nie waaroor sy gedroom het toe sy jonk was nie, maar nou ja, wie se drome word nou ooit waar?" Marta staar 'n paar oomblikke lank voor haar uit, onthou skielik iets en stap na 'n tafel in die kombuishoek van die beknopte woonvertrek. Sy kom terug met 'n foto in haar hand. "Ek het dit gisteraand gesoek, ná señor Borges gebel het om te vra of ek jou kan help. Luisá en Mercedes."

Theresa kyk na die verbleikte kleurfoto van 'n mooi jong vrou wat langs 'n dogtertjie in 'n tuin staan, seker 'n openbare park, alles baie groen om hulle. Luisá het die gepofte oordadige haarstyl wat so tipies van die jare tagtig was. 'n Kuif wat swaar en skuins oor haar voorkop hang, die hare langs die gesig in lae geknip en sorgvuldig drooggeblaas. Soos prinses Diana in daardie jare gelyk het, in 'n rok met pofmoue en valle om die hals nes die Britse prinses graag gedra het. Behalwe dat Luisá se hare baie donkerder as Diana s'n was, haar neus fyner, haar oë groter. Mooier as die prinses, ongetwyfeld. Beautiful little beast. Die dogtertjie se donker hare is in twee hoë boksterte vasgemaak. Sy lyk so ses of sewe jaar oud en lag haasbek met 'n neus wat effens opfrommel van lekkerkry terwyl sy na haar mooi ma opkyk.

Theresa voel 'n klont van ontroering in haar keel. Ontroer, oorstelp, een of ander emosie veel groter as wat sy verwag het. Vir die eerste keer word die soldaat se vrou en kind vir haar meer as net woorde, vir die eerste keer kyk sy na twee lewende mense.

"Ek neem aan dis jou enigste foto van hulle?"

"Ja," sê Marta. "Maar jy kan dit kry. As dit jou sal help om Mercedes te vind."

"Dankie." Theresa skep diep asem voordat sy vra: "Beteken dit dat jy my nie verder kan help nie?"

"Ek weet nie wat van Mercedes geword het nie. In die kind se laaste skooljaar het Luisá siek geword. Maagkanker." Sy wys na haar maag en bly weer vir 'n rukkie stil, wag dat die slegte nuus insink. "Mercedes wou medies gaan studeer. Of haar ma wou gehad het sy moes medies gaan studeer. Luisá het al haar eie drome en ambisies op die kind afgeskuif. Gelukkig was sy 'n slim kind, hard gewerk op skool, goed gevaar. En toe sy universiteit toe is, het Luisá uit Havana getrek, terug na haar familie in Cienfuegos. Dit was in die slegte dae van die vroeë negentigs."

"Die spesiale tyd?"

"The special time," beaam Marta met 'n veraf kyk in haar oë. Daarna het sy nie weer van Mercedes gehoor nie. Luisá is 'n paar jaar later dood. Haar suster in Cienfuegos het vir Marta laat weet.

"Het jy dalk 'n adres of 'n nommer vir die suster?" vra Oreste.

Theresa sukkel nog om haar stem terug te kry. Waarom sou dit haar so ontstel om te hoor dat Luisá dood is? Sy het dit tog van die begin af vermoed. Maar hierdie bevestiging maak haar kans om Mercedes op te spoor selfs skraler.

"I think she too dead," sê Marta. Maar sy het 'n adres. Sy vee 'n bietjie as van 'n stukkie papier af wat heeltyd langs die asbak gelê het en gee dit vir Theresa aan. Sy lyk opreg spyt dat sy nie verder kan help nie.

"Jy het baie gehelp," verseker Theresa haar. "Ek weet nou soveel meer as 'n uur gelede. En miskien is daar iemand by hierdie adres wat my verder kan help. Ek weet nie hoe om jou te bedank nie."

"O, dit sal wonderlik wees as jy een van my kunswerke koop," stel Marta onmiddellik voor.

Theresa kies drie van die gruwelike asbakkies op die stoep, mosaïekwerk aan die buitekant en meerminne op die bodem geverf. Die meerminne lyk soos drag queens met te veel grimering en vals vissterte. Marta wil onmiddellik vir haar nog ene skenk, maar sy verduidelik dat sy nie genoeg plek in haar tas het nie. En sy vermy Oreste se oë, bang dat sy sal bloos. Al wat sy met hierdie kitsch meerminne kan doen, is om hulle as ironiese geskenke uit te deel wanneer sy weer by die huis kom.

"Partykeer wens ek ek kon nog net één keer vir Luisá sien," sê Marta met 'n treurige, trotse glimlag. "Om vir haar te wys dat ek toe ook nie as 'n skoonmaker opgeëindig het nie. Now I am artist."

Theresa omhels die onbekende vrou, skaam oor haar estetiese snobisme en haar onherstelbare middelklaswaardes.

"I wish you find what you search," sê Marta, al weer weggesteek agter 'n rookwolk, toe Theresa wegstap.

Dit klink vir Theresa soos 'n seëngroet wat veel wyer strek as bloot die hoop dat sy die soldaat se dogter sal opspoor.

"Julle weet wat dit beteken, nè?" sê-vra sy terug in die motor vir Oreste en Ruben, haar oë op die papiertjie met die adres in haar hand. "Ek sal Cienfuegos toe moet gaan. Is dit ver van Havana?"

"Seker so vier uur in 'n bus," sê Oreste ingedagte. "Miskien meer. Te ver om in 'n dag heen en weer te ry. Jy sal moet oorslaap."

"Moontlik meer as een nag," voeg Ruben by. "Afhangend van watse inligting jy daar kry."

"Maar wie gaan vir jou tolk?" Oreste bekyk haar met 'n diep frons onder sy bofbalpet. "Ek kan nie saamgaan nie, ek het verpligtinge hier en ek—"

"Ek weet, Oreste." Vasberade en vrolik lag sy om hom gerus te stel.

"Ek het mos van die begin af geweet jy kan net hier in Havana my gids wees. En ek het van die begin af vermoed ek sal verder as Havana moet soek. Ek dink darem ek's oud genoeg om vir myself te sorg."

"Ons sal kyk wat ons kan doen," troos Ruben in die truspieël. Sy diep stem sak selfs dieper as gewoonlik. "Hopelik kan ons aan iemand dink wat jou daar kan help."

En tot haar verbasing voel sy getroos.

Die middag stap sy weer saam met Oreste in "Luisá se straat" af, soos sy nou aan dié deel van Ou Havana dink, en klop aan verskeie deure waar niemand die vorige dag oopgemaak het nie. Aangesien hulle nou bewapen is met 'n foto, wys hulle dit ook by kafees en informele sake-ondernemings, vroue wat klere verstel, mans wat fietse regmaak, almal skynbaar besig om ou besittings langer te laat hou, grootskaalse herwinning eerder as om nuwe artikels te verkoop. "Dis oor hier nie nuwe goed is om te verkoop nie," merk Oreste op. Nie krities of spottend nie, bloot feitlik.

Maar niemand herken die twee mense op die foto nie.

Hoe treurig is dit nie dat Luisá en haar dogter amper twintig jaar lank in daardie straat gewoon het – en nog twintig jaar later kan niemand hulle meer onthou nie, peins sy laatmiddag in die motor op pad terug na die hotel. Wat sal eendag van háár oorbly by al die adresse waar sy al gewoon het?

'n Dekade of twee gelede was die vibe van Obs vir haar aanloklik, sy het gehou van die rumoerige naglewe, sy wou nie in die vervelige noordelike of suidelike voorstede gaan wegkruip nie, sy wou naby die stad en die berg en die see wees. Nou is sy te bang om dit snags alleen op straat te waag, sy het nie meer raad met die dwelmhandelaars en die bendebedrywighede in haar omgewing nie, sy is gatvol van die statistiek oor toenemende inbrake wat haar sus so aanmekaar vir haar stuur. Miskien is dit tyd om te aanvaar dat sy te oud geword het vir enige soort vibe, dat sy nou 'n groener en rustiger weiveld moet soek.

Sou dit nie ironies wees as sy uiteindelik, nes haar ongeliefde gewese skoonma, vasgevang word in 'n buurt waar sy glad nie meer tuis voel nie?

Maar elke keer wanneer haar gedagtes in dié rigting begin dwaal, beur al die onderdrukte opstandigheid van haar jonger jare weer boontoe.

Miskien is die belangrikste rede waarom sy weier om in 'n sekuriteitskompleks te gaan wegkruip bloot omdat haar sus so daaroor sanik.

Nogtans. Maak nie saak hoe lank sy nog in haar kothuis uithou nie, sy is seker niemand in die straat sal haar onthou ná sy weggetrek het nie. Nie die bebaarde hipsters en getatoeëerde kunstenaars wat weerskante van haar woon nie, nog minder die Nigeriese dealers wat op die hoek rondhang, en beslis nie die studente wat soos sigeuners kom en gaan in die gehuurde kamers van die verwaarloosde dubbelverdiepinghuis skuins oorkant haar nie.

Sy sal so geheel en al vergete wees soos die Kubaanse soldaat en sy gesin. Asof sy nooit dáár was nie.

Oreste sien haar ingedagte oor die see tuur, volg haar blik na die vlieswolke wat op die noordwestelike horison laag oor die water hang, en sê vertroulik: "Dis waar Florida lê. Net agter daai wolke. Die VSA."

"Ek het nooit besef dis só naby nie."

"Dit lyk naby op 'n kaart," sê Ruben agter die stuur, so sag dat sy hom amper nie hoor nie. "Maar dis vreslik ver as jy in 'n bootjie tot daar probeer roei."

Sy ken hom nie goed genoeg om te vra of hy iemand ken wat in 'n bootjie uit Kuba probeer ontsnap het nie. Miskien tydens die ete vanaand by sy huis. Dis haar laaste kans. Môre sal sy moet uitboek by die hotel, sommer môremiddag nog 'n bus na Cienfuegos probeer haal, kyk wat daar op haar wag.

Die drie dae in Havana saam met Oreste en Ruben het te vinnig verbygegaan. Alles gaan te vinnig verby. Alles word te gou vergeet. Sy is nog glad nie gereed om hulle te groet en die eiland op haar eie aan te durf nie.

12. KERSKLAPPERS

Sommige ervarings word nooit vergeet nie, net onderdruk. As sy nie die soldaat se brief ontdek het, as sy nie Theo se groen notaboekie oopgemaak het, as sy nie haar eie dagboek van haar tienerjare in 'n bliktrommel onder haar bed gaan soek het, as sy nie besluit het om Havana toe te vlieg nie, sou alles wat daardie somervakansie op Stilbaai gebeur het, moontlik vir die res van haar lewe iewers in 'n hoekie van haar geheue versteek gebly het.

Nou dryf alles op die oppervlak, soos wrakstukke nadat 'n vliegtuig in die see neergestort het.

Die gesinne Marais en Raubenheimer het saam Kersfees gevier. Die pa's het die hele spul van hulle Kersoggend uit die bed gejaag om 'n kaalvoet-kerkdiens op die strand by te woon. Die ma's het dae lank voor die stoof staan en sweet, in 'n atmosfeer van intense mededinging, om 'n manjifieke middagmaal voor te berei. Die twee tienermeisies het hulle oë gerol terwyl almal aan tafel rumoerig klappers trek en die simpel raaisels in die klappers vir mekaar voorlees, skaterlaggend, asof dit nou rêrig die snaaksste grappie is wat hulle nog gehoor het. Al die grootmense het 'n bietjie te veel wyn gedrink en selfs die twee jongste Raubenheimer-boeties het genoeg van die portdeurdrenkte trifle geëet om ook ietwat besope op te tree. Op die agtergrond het Jim Reeves saggies oor die radio gesing. "I'm dreaming of a white Christmas".

'n Doodgewone tradisionele Afrikaanse Kersfees dus.

En tog ook nie.

'n Paar dae voor Kersdag het PW Botha, minister van verdediging, aangekondig dat daardie jaar se dienspligtermyn met 'n maand verleng word. Al die ouens aan die grens wat gedog het hulle sou kort ná Krismis huis toe gaan, moes nou hoor dat hulle eers in Februarie kon uitklaar. "Vasbyt, min dae"? Skielik was dit vasbyt, méér dae. Burgermaglede

landswyd is gewaarsku dat hulle gereed moet wees om op kort kennisge-
wing opgeroep te word om grensdiens te verrig.

Dis nie 'n paniekmaatreël nie, beklemtoon die minister, dis bloot om
"doeltreffendheid" te verhoog. "He protests too much," prewel Theresa se
ma, soos gewoonlik versigtig dat Theresa se pa haar nie hoor nie.

Die aankondiging demp die feesvrolikheid so 'n bietjie. Jacques en
Waldie begin vermoed dat húlle diensplig heelwat langer as 'n jaar kan
duur. Jacques trek sy skouers op en sê wat kan hy doen, plig is plig, hy sal
maar net bietjie ouer wees wanneer hy eendag universiteit toe gaan. Wal-
die, glad nie lus om ná skool verder te studeer nie, sê, jis, hy dink daaraan
om sommer by die permanent force aan te sluit. "Dan sal ek mos genoeg
tyd hê om die terroriste hel te gee!" Die twee ma's kyk benoud na mekaar,
in 'n skaars oomblik van empatie, maar bly stil. Oorlog is mansake, pa's
en seuns se sake, ministers en dominees se sake. Niks wat hulle daaraan
kan doen nie.

Maar Waldie is soos 'n kwaai hond wat aan 'n ketting vasgemaak is,
'n dier wat vleis ruik, maar nie by die vleis kan uitkom nie. Hoe wilder
die gerugte van oorlog word, hoe harder pluk hy aan sy ketting, al hoe
opstandiger teenoor sy pa wat dink dis belangriker om te leer as om te
baklei, al hoe meer minagtend teenoor sy ma wat hom wil oppiep asof
hy 'n baba is, al hoe meer van 'n boelie teenoor sy twee jonger boeties.

Hy begin op sy suster en Theresa spioeneer.

Oujaarsaand sluip die twee meisies eers teen ligdag by hulle buite-
kamer in, lank ná hulle geoorloofde terugkomtyd, giggelrig van te veel
Black Russians en soet vonkelwyn, versigtig om nie hulle slapende ouers
wakker te maak nie.

Maar Waldie, wat saam met Jacques in die ander buitekamer slaap,
hoor hulle. Die volgende dag waarsku hy hulle glurend dat hulle moet
ophou om hulle "soos slette" te gedra.

Theresa wil haar eers opruk. Waarvan praat hy? Hulle slaap nie rond
nie! Hulle gaan nie al die pad nie. Het hy nog nooit van 'n holiday ro-
mance gehoor nie?

Maar Lynette keer haar: "Tsj'ag, ignoreer hom, hy's net jaloers oor hy
nie 'n meisie kan kry wat haar soos 'n slet wil gedra nie."

'n Week later kom laai die chauffeur in die Jaguar die drie Rooinekke
op om hulle veilig terug huis toe te neem.

Die laaste aand in die tentjie saam met Leonard moet Theresa elke greintjie van haar oorblywende wilskrag bymekaarskraap om nie in 'n slet te verander nie. Sy vermoed reeds dat sy dit nie gaan regkry om 'n maagd te bly tot sy eendag met die prins van haar drome trou nie – maar sy wil darem ook nie nou al die kosbare vliesie laat skeur deur 'n Rooinek wat sy waarskynlik nooit weer sal sien nie. In 'n tent agter 'n lawaaierige disko. Maak nie saak hoe verlief sy op die lieflike Leonard is nie.

Ek is mal oor hom, maar ek is nie stupid nie, het sy daardie oggend in haar dagboek geskryf. *Ek weet mos 'n vakansieromanse is nie veronder-stel om langer as 'n vakansie te hou nie, anders sou ons dit iets anders genoem het.*

Asof sy haarself moes opsweep voordat sy vir die laaste keer die dap-per stryd teen Leonard se lus – en haar eie verraderlike lyf – sou stry.

Sy is hartgebroke toe sy en Lynette laatnag by hulle buitekamer insluip, weer eens lank ná hulle curfew. (Curfew is Lynette se woord. Obviously.)

Lynette terg haar dat sy nie haar eerste vakansievryery so ernstig moet opneem nie. "Dôr sal nog baie vakansies wees wôrin jy met ander ouens kan afhôk," fluister sy toe hulle die deur in die donker kamer agter hulle toetrek.

Die volgende oomblik word die lamp tussen die twee beddens aan-geskakel – verblindend helder – en hulle sien Waldie op Lynette se bed sit, sy uitdrukking moeriger as nog ooit tevore, met 'n byna leë bottel vodka langs hom en Theresa se dagboek in sy hand.

"Is dít wanneer julle twee hoere huis toe kom?" Sy tong is swaar van te veel vodka.

"Wat maak jy met my dagboek?" roep Theresa uit, onmiddellik so ontstel dat sy nie eens onthou om sag te praat nie.

"Sjjt," fluister Lynette dringend. "Voor die hele huis wakker word."

"Julle skiem julle kan die ou mense fool met julle mooipraatjies en julle liegstories, nè?" Hy praat sag en slepend, maar sy stem klink so dreigend dat Theresa bang word. "Maar julle kan nie vir my fool nie. Ek gaan nie toelaat dat my suster haar soos 'n fokken slet gedra nie."

Hy staan op en stap tot teenaan hulle, so naby dat hulle sy drankasem kan ruik.

"Waldie," sê Lynette, "los my uit of ek roep vir Pa." Haar stem bewe en Theresa besef dat sy ook bang is.

"Roep hom," sê Waldie. "Dan's julle vir die res van die vakansie gehok oor julle nou eers inkom."

Theresa gluur na hom, probeer haar vrees wegsteek: "As jy my dagboek gelees het ..."

"Wat gaan jy daaraan doen?" vra hy smalend. "As jou pa moet weet wat jy als met daai Rooinek aanvang—"

"Jy was nog altyd pathetic," sê Lynette sissend sag, "maar nou's jy helemal verby pathetic."

"Sharrap, jou slet!" Sy vuis skiet uit, verstommend vinnig vir iemand met so 'n logge lyf, en tref Lynette vol in die gesig. Sy val agteruit teen die muur, haar hande beskermend voor haar gesig.

Theresa gil. Skielik maak dit nie meer saak as hulle ouers hulle vir die res van die vakansie hok nie.

"Hou op!" gil sy. "Los haar uit, jou boelie!"

"Hy pik altyd op mense wat kleiner en swakker is as hy," sê Lynette met 'n aaklige grynslag en 'n bebloede mond. "Dis hoekom ek sê hy's pathetic. Hy kan nie—"

Die volgende vuishou tref haar op haar oogbank.

Theresa kry hom van agter beet, probeer sy swaar lyf keer, wurg hom met een arm om sy keel, maar hy is soos 'n stoomroller. Soveel sterker as sy dat hy haar met 'n enkele dwarsklap afskud. Sy land met 'n hik op haar boude. Hy stel nie belang om háár aan te rand nie. Dis sy suster wat hy vannag gaan verpletter as iemand hom nie keer nie.

Theresa gil so hard soos sy kan tot haar pa in die deur verskyn, sy bene maer en harig onder die kortbroek van sy belaglike somerpajamas. Hy aarsel skaars vir 'n sekonde voordat sy vuis teen Waldie se ken klap. Theresa hoor die aaklige geluid van iets wat breek, been of tand, dalk selfs haar pa se kneukels.

Waldie sak op die vloer neer en begin snot en trane huil.

Haar pa hyg, kyk minagtend na hom, en dan besorg na Lynette. Haar een oog is reeds besig om toe te swel, en dit lyk of daar 'n voortand in haar bebloede mond makeer.

Teen dié tyd is daar heeltemal te veel mense in die beknopte kamertjie. Die drie ander ouers en die jonger kinders, almal in hulle nagklere, knip hulle oë teen die skerp lig en staar geskok na die toneel. Lynette in een hoek op die vloer, Waldie in 'n ander hoek, soos boksers in 'n kryt. Die bloed, die trane, die vodkabottel, niks maak sin nie.

Theresa gryp haar dagboek op die bed en steek dit agter haar rug weg, maar niemand stel dáárin belang nie. Haar sussie se oë is wyd gerek, haar lip bewe. Die twee Raubenheimer-boeties het klaar begin huil.

"Waldie?" prewel sy ma. "Wat is dit dan nou, Boetie?"

Dis die eerste keer dat Theresa vir tannie Marlene sonder grimering sien, met krullers in haar hare, haar gesig bleek en verslae. So anders as gewoonlik wanneer sy almal so uit die hoogte beskou.

"Vergeet van hom." Adriaan Marais se gesig vertrek terwyl hy die kneukels van sy regterhand met sy linkerhand vryf. Dis ook die eerste keer dat Theresa haar pa sy vuis teen iemand sien lig het. "Kyk hoe lyk jou dogter. As ek hom nie gekeer het nie, het sy baie erger gelyk."

Lynette kom kreunend orent, vryf oor haar bebloede mond, voel die gat waar haar tand was. Theresa verwag dat sy histeries gaan gil. Haar voorkoms is tog vir haar 'n saak van dodelike erns. Kyk net hoeveel moeite doen sy elke aand om daardie sykous om haar kop te draai sodat haar hare glad kan bly. Maar Lynette lig net haar ken en kyk uitdagend na haar ouers – met haar ongeskonde oog – en sê: "Ons toekomstige grensheld! Dís mos nou dapperheid!"

En presies op hierdie oomblik, toe al die aksie verby is, strompel Jacques gapend en kopkrappend by die kamer in. Haar ma sê mos altyd hy sal deur 'n aardbewing kan slaap. Nog 'n toekomstige grensheld. Theresa voel 'n mislike kol op haar maag. Hy sal nie wakker word as die hele Kubaanse leër hom aanval nie.

Dit was die einde van die twee gesinne se gesamentlike vakansiehoue-ry. Lynette het heel verstaanbaar geweier om met 'n toegeswelde swart-blou oog en sonder 'n voortand op straat te verskyn. Waldie het ook met 'n gebreekte tand gesit, hoewel niemand behalwe sy ma hom juis bejammer het nie.

Twee dae later het die Raubenheimers opgepak om terug Preto-ria toe te ry, om die kinders by 'n goeie tandarts te kry, om so gou as moontlik van die "ongelukkige voorval" te vergeet. Theresa se ma het sigbaar verlig verklaar dat sy nooit weer saam met die Raubenheimers vakansie wil hou nie: "Ek het nou rêrig genoeg gehad van daai Marlene met haar stywe hare en regop skouers."

Adriaan het oorbluf na sy vrou gekyk: "Ek dog jy hou van haar?"

"Ons het nog altyd gemaak of ons van mekaar hou omdat ons mans sulke ou vriende is. Wat anders kon ons doen?"

Adriaan het die vróu met wie hy al amper twintig jaar getroud was, aangegaap asof hy haar glad nie ken nie.

En miskien het hy nie.

Maar dit sou Theresa eers baie jare later besef, toe sy self getroud was met 'n man wat sy nooit werklik leer ken het nie.

Daarna het die twee gesinne onvermydelik uitmekaar gedryf. Theresa en Lynette het kontak verloor. Lynette het getrou en kinders gekry en blykbaar van die aardbol afgeval. Een van die jonger boeties was in die laat jare tagtig kortstondig bekend as popster wat simpel Afrikaanse liedjies gesing het. Daarna het hy ook verdwyn.

En Waldie het ná skool by die staande mag aangesluit, teen sy pa se wil, en gereeld aan die grens gaan baklei. Hy was twee-en-twintig jaar oud toe hy daar gesneuwel het. Glo nie 'n heldedood in 'n geveg teen die vyand nie, het Theresa iewers gehoor, bloot 'n voertuigongeluk waarby dronkenskap betrokke was. Maar miskien was dit net 'n skinderstorie. Sy oorlewendes sou sekerlik verkies om hom as held te onthou. Die dapper grenssoldaat eerder as die tienerboelie wat sy sussie se tand uitgeslaan het.

13. RUM EN SIGARE

Sy kan nie onthou wanneer laas sy so 'n lekker aand saam met vreemdelinge deurgebring het nie. Nie omdat sy die enigste vrou tussen vyf mans aan Ruben se ronde tafel is nie. Of altans nie nét omdat sy die enigste vrou is nie.

Theresa is nie die soort vrou wat 'n afspraak met 'n goeie vriendin sal afstel ter wille van 'n aand saam met 'n onbekende man nie. Sy ken 'n paar sulke vroue en beskou hulle heimlik as verraaiers. Verraaiers van presies wát weet sy nie. Dalk bloot 'n sentimentele idee van wat susterskap behels. Maar soveel manlike aandag op een aand is beslis nie te versmaai nie. Veral nie op haar ouderdom nie.

Ruben woon saam met sy volwasse seun, Amado, in 'n chaoties deurmekaar, dog gesellige woonstel in die barrio Cayo Hueso. Geen spoor van 'n vroulike teenwoordigheid nie. Amado is so lank soos sy pa, maar baie skraler gebou, en omtrent dieselfde ouderdom as sy neef Oreste bo wie hy en sy pa albei uittroon. Dis Oreste wat Amado aan Theresa voorstel as "nog 'n musikant in die familie".

"Maar hy's 'n régte musikant," sê Ruben terwyl hy die kastrolle vol kos tafel toe dra. "Nie 'n deeltydse amateur soos ek wat meer vir die pret as vir enigiets anders bietjie trompet speel nie. Amado speel trompet in 'n orkes wat klassieke musiek maak. Hulle het selfs al in die buiteland getoer."

Theresa glimlag, geamuseerd omdat die swygsame Ruben so onverwags spraaksaam word wanneer hy met sy seun spog. Hy merk dit op en kondig verleë aan dat hulle maar kan eet. Dis 'n eenvoudige maal – geurige rys en swart boontjies en vars gebraaide vis – waaraan Theresa smul asof sy dae lank honger gely het. Sy lewe basies van empanadas en versnaperinge vandat sy in Havana aangekom het. Afgesluk met swart koffie en mojito's.

"Boontjies en rys is een van ons nasionale disse," verduidelik Oreste met kieste wat bol staan soos hy kou. "Ons noem dit moros y cristianos,

More en Christene, omdat die boontjies swart is soos die More en die rys wit soos Christene."

"Maar ons hou daarvan om swart en wit te meng, so ons eet alles saam," sê Ruben se vriend Lazaro in sy rystoel. "Anders as daar waar jy vandaan kom waar alles so lank apart gehou is." Hy sê dit sonder bitsigheid, met 'n breë skitterwit glimlag wat sy nagswart gesig soos 'n halwe maan verlig. Sy vel is blouswart eerder as bruinswart, sy skouers breed en sy arms gespierd. Hy is in 1976 in Angola gewond, so ernstig dat niemand gedink het hy sou dit oorleef nie, maar soos die Bybelse Lasarus na wie sy gelowige ma hom vernoem het, het hy as't ware uit die dood opgestaan.

"Behalwe dat ek natuurlik nie 'opgestaan' het nie." Weer die skitterende glimlag. "Toe ek uit die dood ontwaak en uit my hospitaalbed wou klim, val ek my disnis op die vloer. Dis toe ek agterkom my bene werk nie meer nie. Ek sit nou al veertig jaar in hierdie rystoel." Hy drink bier uit 'n bottel terwyl hy eet, haal sy skouers op en skud sy kop toe hy Theresa se besorgde blik opmerk. "Moenie my bejammer nie, hoor! Dis baie sleg vir my brose manlike ego as 'n mooi vrou my jammer kry. Ek verkies om te glo dat ek hulle met my glimlag en my ongelooflike sex appeal kan verlei."

"En hy het hulle in sy jonger dae by die dosyne verlei. Rystoel en al," vertel Ruben se ander gas, Miles, wie se ma blykbaar meer na jazz geluister het as kerk toe gegaan het, want hy is na Miles Davis vernoem. 'n Maer man met 'n aantreklike hoekige gesig en 'n vel die kleur van melkkoffie, wat 'n dekade ná Lazaro ook in Angola gaan baklei het.

Ondanks die ouderdomsverskil van tien jaar, het hulle daardie bloedbroerverbintenis van mans wat in dieselfde oorlog geveg het. Hulle het mekaar ontmoet deur 'n organisasie wat hulp verleen aan gewonde oudsoldate, vertel Miles, en gou hegte vriende geword.

"Is jy ook ... gewond?" vra Theresa aarselend, onseker oor wat hulle alles bereid sou wees om haar te vertel.

"Nie op 'n manier wat jy kan sien nie. Maar niemand kom mos ongewond uit 'n oorlog nie. My kop is taamlik opgefok deur wat ek daar belewe het." Gelukkig praat almal aan tafel genoeg Engels dat Theresa nie 'n tolk nodig het nie. "Dis hoekom ek sielkunde gaan studeer het toe ek terugkom uit Angola. Jy ken mos die ou gesegde oor sielkundiges wat sielkundiges word omdat hulle self sielkundige hulp nodig het."

"So jy werk nou as sielkundige?"

"Onder meer. Daar's baie werk vir sielkundiges in hierdie land."

"In my land ook," sê Theresa, meer vir haarself as vir die geselskap, hoewel Ruben wat langs haar sit, na haar kyk asof hy verstaan wat sy bedoel.

"Maar ons word nie genoeg betaal om behoorlik te kan lewe nie," voeg Miles by, "daarom doen ek ander goed ook vir geld. Soos omtrent almal wat ek ken."

"Hay que inventar?" sê Theresa met so 'n swak Spaanse aksent dat almal lag.

"Hay que inventar," beaam Lazaro, die onderste helfte van sy gesig weer in 'n wit halfmaan oopgebreek.

"En jy?" vra sy vir hom. "Hoe bly jy aan die lewe?"

"Deur heeltemal te veel te drink," antwoord Lazaro en sluk gulsig uit die bierbottel in sy hand. "Dis my enigste oorblywende sonde noudat ek te oud geword het om vroue uit my rystoel te verlei."

"Nee, ek bedoel—"

"Ek weet wat jy bedoel," verseker hy haar. "Ek het 'n kroegkafee by my ma geërf. Ek het so 'n spesiale ophysstoel op wieletjies agter die toonbank. Lig myself uit die rystoel tot op die kroegstoel en hys dit dan hoog genoeg op sodat ek bo-oor die toonbank kan sien. Dit was óf dit, óf ek moes die toonbank laat afsaag tot dwerghoogte."

Hy lag so uitgelate dat sy nie anders kan as om saam te lag nie.

"Ons is almal dankbaar oor Lazaro se ma se kroeg." Miles kou aan 'n hap vis en spoeg 'n paar grate uit, sluk dit met bier af. "Ek en Ruben help ook partykeer daar vir 'n ekstra inkomste."

"So Lazaro is julle baas?" Nou verstaan sy waarom Ruben hom so maklik uit sy kroegwerk kon wikkel om haar en Oreste in sy taxi rond te ry.

"Die groot swart baas," beaam Lazaro. "Elke keer wat ek hulle beveel om iets te doen, neem ek wraak namens my voorouers wat as slawe na hierdie eiland gebring is."

"Hei, ek het ook slawebloed," kap Miles terug. "Jy kan mos sien ek is nie suiwer wit nie."

"Niemand in hierdie land is meer suiwer wit nie," sê Amado, wat nogtans witter as enigiemand anders aan tafel lyk, selfs as Theresa.

"Die enigste rede waarom Amado soos 'n vampier lyk," sê Oreste, "is omdat hy heeldag tussen vier mure sit en musiek oefen. Plaas dat hy sy trompet strand toe vat en daar gaan blaas."

Amado glimlag goedig oor sy neef se tergery. Hy is 'n besonder aantreklike jong man, lang skraal gesig met 'n kuiltjie in die ken, lang gladde swart hare wat op sy skouers hang, swart T-hemp en swart jeans. Duidelik nie wat jy 'n sorgvrye strandloper sou noem nie. Selfs op 'n tropiese eiland is daar blykbaar mense wat soos potplante binnehuis floreer.

"Daar's nog rys en boontjies oor," sê Ruben met die skeplepel in sy hand. "Wil jy nie nog hê nie, Theresa?"

Dis die eerste keer dat hy haar op haar naam noem. "Theresa" kry 'n onverwagse Spaanse klank wanneer dit met daardie swaar stem uitge-spreek word.

"Ek het oorgenoeg gehad, dankie. Het jy alles self gemaak?"

"Hy's 'n baie goeie kok!" roep Oreste uit.

"Nie baie goed nie," mompel Ruben in sy baard. "Ek hou van kos maak, maar my ervaring is beperk tot wat ek in die hande kan kry. En dis soms maar min."

"Hy kan van enigiets kos maak," sê Amado. "Gee vir hom drie yuccas en 'n sak spykers en hy maak vir jou die lekkerste yucca-en-spyker-sop wat jy ooit sal proe."

Die blik van wedersydse bewondering tussen pa en seun ontroer Theresa. Sy sal nooit so 'n goeie verhouding – of selfs 'n slegte verhouding – met 'n kind van haar eie hê nie. Sy druk die gedagte dadelik dood, soos jy 'n kersvlammetjie tussen jou vingerpunte sal blus.

"Ek het nie juis 'n keuse gehad nie," sê Ruben terwyl Lazaro voor-oor leun om die laaste rys uit die kastrol te krap en die laaste boontjies bo-op die rys te skep. "Toe sy ma my los, moes ek baie vinnig leer kook en huis skoonmaak en al daai dinge doen wat ek gedog het my vrou sou doen."

"En soos jy kan sien, het hy nooit rêrig leer huis skoonmaak nie." Oreste kyk betekenisvol om hom rond.

Die eet-woonkamer waarin hulle sit, is 'n nes van wanorde. Boeke en koerante en koeverte en papiere lê op stoele en tafeltjies en rakke, eintlik enige beskikbare oppervlak buiten die vloer. Op die vloer staan houtkissies en plastieksakke met leë bottels en glasflessies wat waarskynlik herwin eerder as weggegooi gaan word. In ander oop kolle, soms bo-op boeke of koerante, is daar elektriese kabels en kragproppe en gloeilampe, dalk nog in 'n bruikbare toestand en dalk nie. Moontlik goed wat ook herwin of herstel kan word. En oral lê ou vinielplate rond, sommige nog in hulle kartonomslae, ander sommer so oop en bloot, kaal en blinkswart, asof hulle aanmekaar gespeel word. In 'n hoek naby die kombuisie draai 'n plaat op 'n outydse platespeler, maar die geselskap is so luidrugtig dat Theresa skaars die musiek kan hoor, net nou en dan die paar note van 'n trompet of 'n saxofoon wat haar laat vermoed dat dit jazz uit die jare vyftig of sestig is.

"Wel, hy't ook nie eintlik leer kos maak voor ek by hom kom woon het nie," terg Amado saam met sy neef.

"Dis waar. Voorheen het ek meer gedrink as kos gemaak." Ruben haal sy skouers op, 'n hulpelose gebaar, voordat hy vir Theresa verduidelik: "Sy ma het my gelos – en hom saamgevat – toe hy nog baie klein was. Oor ek te veel gedrink het. Toe ek alleen agterbly, het ek natuurlik net nog meer gedrink." Hy skud sy kop stadig, asof hy nie kan glo wat hy sê nie. "En toe gaan sy ma dood. Toe hy elf jaar oud was. My skoonfamilie het gedink ek sou nie 'n goeie pa wees nie, so ek moes hard baklei om hom by my te kry. Die meeste van die bakleiwerk was met myself. Dis toe ek ophou drink het. En 'n taxibestuurder geword het om meer geld te verdien. Dis 'n goeie werk vir iemand wat nie drink nie."

"So jy drink géén alkohol nie?" Nou eers besef Theresa dat hy nie soos die ander mans aan tafel 'n bierbottel voor hom het nie.

"Ek's 'n alkoholis wat al sestien jaar lank sober is. Maar ek bly 'n alkoholis. Dis iets waarvan mens nooit heeltemal herstel nie."

"Soos oorlog," sê Miles somber.

"Por Dios, nou word die geselskap darem te neerdrukkend!" roep Lazaro uit. "Wat gaan ons gas van ons dink? Ons Kubane is mos veronderstel om vrolik en hedonisties te wees!"

"Ons kan haar later vanaand na die Malecón toe neem," stel Miles voor. "Dan kan sy die vrolike hedonisme van die Kubane in aksie sien."

"Jy bedoel die lang muur daar langs die see?" vra Theresa nuuskierig. "Ek het gehoor dis waar mense saans uithang en drink en kuier. Maar ek het gedog dis net vir jong mense—"

117

"Maar ons is mos jonk!" Lazaro gryp die bierbottel voor hom, drink dit met een teug leeg, en plak dit hard op die tafel neer. "Is ons nie?"

"Dit sal 'n interessante ervaring op jou laaste aand in Havana wees," sê Oreste, terug in sy rol as toergids. "Dis in die middel van die week, so dit sal nie so lewendig soos naweke wees nie, maar dis mooi weer en dis volmaan, so ek skat daar sal genoeg aksie wees om dit die moeite werd te maak."

"Dis altyd die moeite werd om langs die Malecón te gaan uithang," reken Lazaro. "Veral vir my wat nie meer baie kans kry om êrens uit te hang nie."

Hy swaai sy rystoel weg van die tafel en tol dit vinnig in die rondte, maak sy oë toe en skud sy kop asof hy dans, en meteens sien Theresa hom nie as 'n sestigjarige verlamde oudsoldaat nie, maar as 'n dansende jong man vol lewenslus en hoop. Die jong man wat hy moes gewees het voordat hy Angola toe gestuur is.

"Wel," sê Ruben, "daar's plek vir almal in die Plymouth. Ons kan Lazaro se stoel in die kattebak laai. Wie kom saam?"

"Ag, nee wat, ek wil nie julle jong mense se pret bederf nie," sê Amado. "Ek gaan liewers vroeg bed toe."

"Hy's bang ons steek hom in die skande," grinnik Miles. "Jy't hom mooi ordentlik grootgemaak, Ruben, my broer."

"Nee, hy's net bang as daar mooi jong meisies is, sal hulle meer in my belangstel as in hom," lag Lazaro. "En daar's altyd mooi jong meisies langs die Malecón."

"So ek gaan die enigste ou mens tussen hierdie spul jeugmisdadigers wees?" sê-vra Oreste.

"Jy hoef nie saam te kom nie," sê Ruben terwyl hy die tafel begin afdek. "Ons sal haar veilig terug by haar hotel besorg."

"Ek is haar amptelike gids," sê Oreste. "Ek is bang julle lei my kliënt in die versoeking."

Theresa staan op om Ruben en Amado te help afdek. "Dis oukei, Oreste. Ek is so lanklaas in enige soort versoeking gelei dat dit nogal lekker klink."

Danksy die volmaan wat laag oor Ou Havana hang, is die Malecón bedrywiger as gewoonlik op 'n weeksaand. Nogtans nie naastenby so lewendig soos op 'n Saterdagaand in die hoogsomer nie, verseker Lazaro haar terwyl hulle langs die seemuur drentel. Ruben stoot die rystoel, Miles en Theresa stap weerskante van hom, ooswaarts in die rigting van die hawe. Hulle het die Plymouth naby die Hotel Nacional geparkeer, waar die Rampa by Avenue Antonio Maceo aansluit, want dis een van die gewildste dele van die roete. En dit maak dit makliker vir Theresa om terug te keer na haar hotel, voeg Ruben beleef by, indien hulle geselskap haar begin verveel.

Die plan is om eers 'n ent te stap om hulle aandete te verteer – "om van al daardie More en Christene ontslae te raak," skerts Lazaro – en dan by die Rampa op die muur te sit en rum te drink. Uit 'n bottel wat Miles in 'n rugsak saamdra.

"Net so uit die bottel?" vra Theresa.

"Ek het 'n paar weggooiglase saamgebring," sê Miles. "Ingeval jy nie uit dieselfde bottel as ons wil drink nie."

"Nee, dis nie dit nie, dis net …" Sy het as student laas op straat uit 'n bottel gedrink. Maar dalk tel die Malecón nie rêrig as "op straat" nie, dalk is dit "langs die see", soos 'n strandpiekniek?

Ruben gee haar 'n skuins kyk, asof hy raai wat sy dink, en sy voel haar wange warm word.

Terwyl hulle stap, volg flarde musiek hulle soos vlinders, van die een musikant na die volgende: 'n tiener wat taamlik amateuragtig op 'n kitaar tokkel om sy meisie te imponeer, twee mans met Rasta-lokke wat tromme speel, 'n groepie ouer mans in wit geklee wat polsende Latyns-Amerikaanse musiek maak. 'n Jong Kubaan dans op 'n besonder sensuele manier met 'n giggelende ouer Noord-Amerikaanse vrou. Langs dié onpaar paartjie dans 'n beeldskone vrou met indrukwekkende, wikkelende boude in 'n noupassende rooi rok, haar kop agteroor gegooi en haar mond wyd oop.

Lazaro sug diep uit sy rolstoel en hulle stap verder.

Dis moeilik om te raai hoeveel van die drentelaars en muursitters om hulle toeriste is. Theresa hoor Amerikaanse aksente, flertse Frans en Duits, een of twee ander tale wat sy nie herken nie. Al die Spaanssprekendes is seker ook nie Kubane nie. Volgens Oreste is daar 'n duidelik hoorbare verskil tussen Kubaanse Spaans en Spaanse Spaans, hoewel sy dit natuurlik nie kan hoor nie.

Seker soos Suid-Afrikaanse Engels wat anders as enige ander soort Engels klink.

Theo het op 'n keer vir haar vertel dís hoe buitelandse joernaliste destyds agtergekom het daar is Suid-Afrikaanse soldate in Angola, lank voordat PW Botha gedwing is om dit amptelik te erken. Die soldate se uniforms en voertuie en wapens en ander benodigdhede kon "vermom" word, maar hulle aksente het hulle verraai.

"Vertel my van Angola." Sy kyk na die see, spieëlglad en glansend in die maanlig, die sagte geklots van golfies op die rotse onder die muur skaars hoorbaar bo die musiek en die mensestemme. "Nie noodwendig van die oorlog nie," voeg sy oorhaastig by, "ek's eintlik net nuuskierig oor julle indrukke van die land."

"Wat is jóú indrukke?" vra Miles.

"Ek was nog nooit daar nie. Dit klink seker vreemd vir julle, want dis soort van 'n buurland, maar ons Suid-Afrikaners kon nie eintlik in Afrika reis toe ek jonger was nie. Behalwe om te gaan oorlog maak." Sy trek haar skouers verskonend op. "Of dalk het ons net nie genoeg belanggestel nie. Vir my was Europa altyd aanlokliker as my eie vasteland."

Sy verwag 'n beskuldiging, of minstens 'n verontwaardigde blik, maar nie een van hulle reageer op haar onverwagse belydenis nie.

"En die oorlog in Angola het omtrent my hele volwasse lewe lank aangehou. Die afgelope jare het 'n paar van my mansvriende daar gaan toer, avontuurlustige ouens wat hou van kampeer en visvang, maar ek's nie juis 'n bok vir sulke buitelugsports nie. Ek verkies ... plekke met elektrisiteit en warmwaterkrane."

Amper sê sy "beskaafde" plekke.

"Nie ek óf Lazaro is ooit terug soontoe nie," sê Miles, "so vir ons is dit amper onmoontlik om aan Angola te dink sonder om aan oorlog te dink."

"Toe ek teen die einde van 1975 daar aankom, was Luanda in chaos," vertel Lazaro ingedagte, asof hy diep moet nadink om te onthou. "Die meeste van die rykgat Portugese en ander koloniste het reeds padgegee, winkels en besighede net so laat staan, al hulle besittings op skepe gelaai en weggevlieg. Daar was nog heelwat armer wittes oor, baie van hulle banger vir Kommuniste as vir die duiwel self, maar hulle kon nie bekostig om vroeër weg te kom nie. Teen daai tyd was hulle desperaat.

120

Dis waar ek geleer het dat jy desperaatheid kan ruik. Dit ruik anders as gewone armoede, anders as vrees, dis … 'n onvergeetlike reuk."

Theresa hou hom dop terwyl hy praat, soveel ernstiger as wat sy hom tot dusver gesien het, en wonder of sy nie die hele aand vir almal bederf het deur nou aan Angola te begin karring nie. Hulle wandel steeds op die breë sypaadjie tussen die seemuur en die straat. Die ander twee mans luister in stilte na Lazaro.

"Ek onthou die lang konvooie voertuie wat suidwaarts gery het. Op pad na Suid-Afrika, die enigste beloofde land wat nog vir die wittes in Afrika oorgebly het, waar party van hulle seker van voor af begin het nadat hulle alles in Angola verloor het. Ander het heeltemal tou opgegooi, Afrika het hulle ontnugter gelaat, hulle het gefokkof na Portugal of Brasilië of waar ook al." Hy kyk uit sy rystoel op na Theresa toe hy verder praat: "Maar ek het nie veel herinneringe van Luanda nie, ons het skaars daar aangekom, toe stuur hulle ons bos toe. Om die vyand in die suide te gaan keer. Jóú mense." Sy glimlag versag weer sy woorde.

"My mense," knik Theresa.

"Daarna is my 'indrukke' van die land eintlik net sulke flitse. Digte bosse en onbegaanbare modderpaaie. Dit was die reënseisoen. Muskiete en vlieë en ander insekte wat ek nog nooit voorheen gesien het nie en hopelik nooit weer sal sien nie. Spinnekoppe en slange. Jirre, weet jy hoe bang is ek vir spinnekoppe?" Hy lag bulderend, sy mond wyd oop en sy oë toegeknyp, voordat hy verder vertel van gehuggies, verlate huise en verwoeste dorpies, die aanhoudende vrees vir die landmyne wat oral geplant is.

"Ná 'n paar weke was ek banger vir landmyne as vir spinnekoppe." Maar hy sê niks oor enige spesifieke gevegte waarin hy betrokke was nie, hy gee geen besonderhede oor dooies of gewondes nie, hy praat oor die fauna en flora eerder as oor die oorlog.

"So jy was daar gedurende Operasie Savannah?" vra sy, steeds hoopvol dat hy iets sal sê wat haar nader aan Theo se oorlogservaring kan bring. Net 'n brokkie inligting wat haar kan help om 'n paar kolletjies te verbind, om 'n vae prentjie te vorm van 'n oorlog wat steeds vir haar soos 'n leë bladsy voel.

"Dis wat die Suid-Afrikaners dit genoem het. Vir die Kubane was dit Operasie Carlota. Vir my was dit net oorlog. Ek was 'n voetsoldaat, ek het bevele gevolg, ek het nie 'n fokken benul gehad van hoe die 'groter prentjie' lyk nie."

Dis waarskynlik steeds te moeilik om oor die slagveld te praat, veral met 'n vrou. Boonop 'n vrou wie se manlike familie of vriende aan die vyand se kant baklei het.

"Ek was daar in 1988," sê Miles sag. "Toe het ons gewéét ons is besig om die Slag van Cuito Cuanavale te veg."

"A!" sê Theresa.

Selfs sy, wat heeltemal te min van hierdie oorlog weet, onthou dat Cuito Cuanavale as 'n keerpunt beskou is. 'n Triomf vir die Kubane – of 'n taktiese oorwinning vir die Suid-Afrikaners. Dit hang net af van waar jy staan as jy na die feite kyk. Soos Theo altyd oor alles gesê het. Teen daardie tyd het sy saam met hom gewoon, 'n ondersteuner van die End Conscription Campaign, terwyl hy steeds op die draad gesit het. Of so het sy gedink.

"Dit hang net af van waar die draad is waarop ek sit," het Theo haar geterg.

"Ek was in 'n gepantserde eenheid," sê Miles. "Tenks. En ek het 'n rang gehad. So ek was seker 'veiliger' as ou Lazaro wat net 'n voetsoldaat was. Maar die verantwoordelikheid – om mense onder jou bevel in te stuur in 'n situasie wat jy wéét hulle kan nie almal oorleef nie – dís wat ek nie kon gevat het nie. Ek het aanmekaar vir myself gesê ek gehoorsaam ook maar net bevele van bo af. Die verskoning van alle soldate in alle oorloë, nè?"

Nou het hulle omgedraai en terug in die rigting van die hotel begin stap. Die skitterende see lê regs van hulle, die ronde maan bo die stad skuins agter hulle. Hierdie strook van die Malecón is minder bedrywig, afgesien van 'n paar skamel geklede jong vroue wat hulle lywe so suggestief oor die seemuur gedrapeer het dat hulle sekerlik prostitute moet wees.

Theresa kan selfs die see hoor sug, 'n sagte geklots van water wat vir haar soos reëlmatige asemhaling klink.

"En jy?" vra sy vir Ruben wat steeds die rystoel stoot. "Hoe het jy dit reggekry om nie Angola toe te gaan nie?"

"Is dit 'n beskuldiging?" vra hy met die skaduwee van 'n glimlag.

"Nee, eerder bewondering. Ek bedoel …" Sy loer vlugtig na die ander twee. "Jammer, nou klink dit asof ek julle kwalik neem dat julle gaan baklei het. Dis glad nie wat ek bedoel nie."

"No sé." Ruben is ingedagte. "Ek weet nie. Blote toeval. Ek is 'n paar jaar jonger as Lazaro—"

"Al sou jy dit nooit raai as jy my begeerlike lyf sien nie," skerts Lazaro.

Ruben grinnik vir sy vriend. "Ek het my diensplig in 1978 begin, toe dit tydelik kalmer was daar anderkant. En ek het aan asma gely. Nou nog, maar deesdae is die aanvalle nooit meer so kwaai nie, want ek het geleer om dit betyds te keer. Hou altyd my pompie byderhand." Hy tik teen die borssak van sy wit katoenhemp. "En deesdae dink ek die asma was 'n bedekte seëning. Dit het my uit Angola gehou. En ek kon nooit soos al die ouens om my begin rook nie."

"Hy's nie 'n régte Kubaan nie," sê Lazaro. "Hy't nooit gerook nie en deesdae drink hy ook nie meer nie."

"En hy maak kos en hy hou huis," voeg Miles by. "Régte Kubane het altyd vroue wat sulke dinge vir hulle doen."

"En julle?" spot Theresa saam. "Is julle 'regte Kubane'?"

"Ek het nie 'n vrou nie," sê Lazaro, "maar ek erken skuld op al die ander sondes."

"Ek het al twee vroue gehad," erken Miles. "Twee keer getroud, twee keer geskei, die tweede keer taamlik onlangs. So ek het nog nie genoeg tyd gehad om te leer kos maak en huishou nie. Maar ek het twee dogters, een by elke vrou, en hulle sal een van die dae groot genoeg wees om hulle arme hulpelose pa in die huis te help."

"Ek het nooit kinders gekry nie," sê Lazaro met 'n oordrewe treurige uitdrukking.

"Soos jy in jou jonger dae rondgeslaap het, het jy waarskynlik 'n hele paar kinders waarvan jy nie weet nie," beskuldig Miles hom.

"Ek hoop nie so nie. Ek is nou oud genoeg om te weet ek sou 'n slegte pa gewees het. Ek het die oorlog jare lank geblameer, gedink dis oor ek in 'n rystoel sit dat ek nooit 'n vrou of kinders gekry het nie, maar ek dink al hoe meer daar's mans wat liewers nie in vaste verhoudings moet wees nie. Dit laat al hulle onderdrukte duiwels uitbars."

Theresa wonder watter duiwels hierdie skertsende man met sy manjifieke glimlag en bulderende skaterlag alles kan onderdruk. Maar sy vra nie. Sy was immers verlief op iemand wat sy demone so behendig onderdruk het dat sy niksvermoedend met hom getrou het.

"Ek het ook gedog dis die oorlog se skuld dat my eerste huwelik nie uitgewerk het nie," sê Miles. "My kop was heeltemal te deurmekaar gekrap. Maar toe die tweede ene óók ineenstort ... ek weet nie ... mens kan seker nie die oorlog vir alles blameer nie."

"Is jou man in die oorlog dood?" vra Ruben onverwags langs haar.

Sy skep diep asem voordat sy hom antwoord: "Nee, lank daarna. Toe hy lankal nie meer my man was nie. Maar iets in hom het daar in Angola doodgegaan. Of agtergebly."

"Dink jy dis hoekom julle uitmekaar is?" vra Miles.

Vir die eerste keer klink hy vir haar soos 'n sielkundige.

"Ek weet nie." Sy luister na die gesuis van die see, hou haar oë op haar stappende voete. "Die oorlog het sy kop 'deurmekaar gekrap', soos jy sê. Baie meer deurmekaar as wat jou kop ooit was. Hy't die laaste deel van sy lewe in 'n inrigting vir geestelike versteurdes deurgebring.'n Malhuis'." Sy kan nie die sug keer wat soos 'n golf in haar opstoot nie. Dis waarom sy so bang is om oor Theo te praat. Sy is bang vir melodrama, sentimentaliteit. Batos. "Maar as dit nie vir sy ervarings in die oorlog was nie, sou hy seker 'n ander soort persoonlikheid gehad het toe ek hom ontmoet het. Meer ligsinnig, minder donkerte. En dan sou ek waarskynlik nie op hom verlief geraak het nie. Dis juis die donker kant wat my aangetrek het." Sy skud haar kop, kyk steeds na haar voete. "Onnosel, ek weet, maar ingewikkelde karakters met weggesteekte dieptes was altyd vir my aantrekliker as vervelige, voorbeeldige mans."

"Ek is 'n ingewikkelde karakter met diep dieptes." Lazaro laat almal weer lag.

Vreemd dat jy sulke eerlike gesprekke kan hê met vreemdelinge wat jy raakloop terwyl jy reis. Dis nie die eerste keer dat dit met haar gebeur nie en sy hoop dit sal nie die laaste keer wees nie. Is dit omdat 'n mens weet jy hoef hulle nooit weer in die oë te kyk nie dat jy bereid is om meer van jouself te ontbloot as wanneer jy met jou familie gesels?

Hulle stap verby 'n jong paartjie wat op die muur sit en vry, 'n omhelsing wat so onvanpas intiem is dat sy haar kop wegdraai.

"Hulle sê die Malecón is die wêreld se langste rusbank," merk Ruben op. "Mense het nie genoeg plek by die huis nie, so hulle kom sit hier en doen wat hulle op 'n rusbank by die huis sou gedoen het as hulle plek gehad het."

Sy hou hom 'n rukkie lank in stilte dop voordat sy vra: "Was jy nog lief vir jou vrou toe sy dood is? Ná julle al so lank uitmekaar was?"

"Ek het altyd lief vir haar gebly. Geweet ek sou nooit weer iemand soos sy kry nie. Sy was heeltemal te goed vir my." Hy kyk op na die paar sterre wat ondanks die helder maan bo die stadsligte sigbaar is. "Baie slimmer as ek. Baie meer geleerd."

"Geleerdheid maak mens nie noodwendig slimmer nie," probeer sy troos.

"Ek weet. Maar sy was rêrig 'n slim vrou. Dosent in Engels. Dis dank-sy haar dat ek ordentlik Engels kan praat. Sy't vir my Engelse boeke gegee om te lees. My gedwing om met haar in Engels te gesels. Met Amado het sy van kleins af omtrent net Engels gepraat. Sy't gedroom dat ons drie eendag in die VSA sou kon gaan woon. Ná haar dood het ek baie skuldig gevoel omdat ek nooit rêrig haar droom gedeel het nie." Hy krap in sy baard, vryf oor sy nek, verleë oor sy buitengewone spraak-saamheid. "En jy?"

"Dit was anders vir my. Teen die tyd dat my eksman dood is, het ek al baie langer sonder hom as saam met hom gelewe. Daar was lankal nie meer sprake van liefde nie. Maar sy dood het allerhande onwelkome emosies weer oopgekrap. Skuldgevoel is maar één van hulle."

"Is dit hoekom dit so belangrik is om daai brief af te lewer?"

Sy knyp haar handsak met die kosbare brief onwillekeurig stywer onder haar arms vas. "Dis een van die redes."

Oplaas is hulle terug by die Rampa, waar daar nou minder mense as vroeër is. 'n Enkele kitaarspeler vermaak steeds 'n groepie omstanders met flamenco-ritmes. Hulle vind 'n sitplek op die muur en Miles haal die bottel rum uit sy rugsak. Toe hy vir haar 'n sopie in 'n plastiekglas wil skink, keer sy hom. Hy gee die bottel vir haar aan en kyk hoe sy dit na haar mond bring en vinnig sluk. Net 'n klein slukkie, wat haar byna laat stik, maar Miles en Lazaro klap hande asof sy 'n onmoontlik moei-like toets geslaag het.

"Ek kan jou môre na Cienfuegos toe neem," sê Ruben terwyl die ander twee ook uit die bottel sluk. "As jy wil."

"Het jy nie ander werk nie?" vra sy oorbluf.

"Ek het klaar vir my baas gevra of ek nog 'n paar dae kan afkry."

Lazaro se spierwit glimlag strek weer van oor tot oor. "Dis eintlik die baas wat voorgestel het dat hy jou Cienfuegos toe neem. En waarheen jy ook al van daar af wil gaan."

"En ek het die voorstel geesdriftig gesekondeer." Miles bars uit van die lag vir haar verbouereerde uitdrukking.

"Wanneer was dit?"

"Een of ander tyd gisteraand."

"Vóór julle my ontmoet het?" Sy vat die bottel by Miles aan en sluk weer sonder om te dink wat sy doen. "Waarom sou julle iemand wou help wat julle glad nie ken nie?"

"Ons weet mos Ruben se oordeel is heelwat beter as ons s'n wanneer dit by vroue kom."

"En ek kon nog nooit a damsel in distress weerstaan het nie," grinnik Lazaro, trots op sy idiomatiese Engels.

"Ek's lankal nie meer a damsel nie." Nou bloos sy soos 'n donnerse damsel. En die besef dat sy aan die bloos is, laat haar wange net nog meer gloei. Sy kyk weer na Ruben. "Is jy seker?"

"Waarom nie?"

"Dit sal wonderlik wees as jy ook bietjie vir my kan tolk. Ek sal jou betaal, natuurlik," verseker sy hom vinnig, voordat hy dalk spyt kry.

"Tolk, gids, drywer, lyfwag, sê net wat jy nodig het. Ek kan net nie so baie soos Oreste praat nie," waarsku hy haar, oënskynlik ernstig.

"Ek sal bly wees as jy minder praat. Ek bedoel ... moet asseblief nie vir hom sê ek dink hy praat te veel nie ..."

Dit lyk of Ruben haar verleentheid geniet.

"Ons almal dink hy praat te veel," sê Miles voordat hy nog 'n sluk rum vat en die bottel vir haar aangee. "Jou geheim is veilig by ons."

Eintlik wil sy nie nog rum hê nie, maar die hele aand het so 'n ver-stommende wending geneem dat sy gelate uit die bottel drink. Miles het 'n sigaar aangesteek en gee dit ook vir haar aan. Sy teug daaraan sonder om teen te stribbel, hoes 'n bietjie, teug weer. Die rook en die rum laat haar kop draai, op 'n aangename manier, soos toe sy baie jare gelede dagga gerook het. Sy kyk op na die naglug.

"Kan mens die Suiderkruis van hier af sien?" vra sy mymerend, vir niemand spesifiek nie.

"Op 'n sekere tyd van die jaar," antwoord Lazaro sonder 'n oomblik van aarseling. "'n Sekere tyd van die nag, kort voor dagbreek, vir 'n baie kort rukkie. As die weer saamspeel." Hunkerend kyk hy ook op, na die volmaan wat die sterre selfs dowwer en verder as gewoonlik laat lyk. "Ek het dit eers uitgevind toe ek van Angola af teruggekom het. Voorheen het ek meer in stadsligte as in sterre belanggestel, maar daar het ek baie tyd gekry om snags na die sterre te lê en kyk."

Daardie aand op Stilbaai toe sy gewonder het of 'n arme soldaat iewers in Angola nie dalk op dieselfde oomblik as sy na dieselfde sterre kyk nie? Dalk was Lazaro daardie soldaat? Dis 'n vreemde, vertroostende gedagte.

14. "WE SHALL OVERCOME"

Ná daardie enkele oomblik van openbaring onder die Suiderkruis op Stilbaai, het Theresa geleidelik weer van Angola vergeet.

Terwyl sy haar laaste skooljare op haar plattelandse dorp omgewens het, was sy steeds bewus van die grensoorlog, maar dit was soos sy heelwat later in haar lewe vaagweg bewus sou wees van chroniese rugpyn. Dis dáár, niks wat jy daaraan kan doen nie, maar dis nie erg genoeg om jou lewe te ontwrig nie. Jy raak gewoond daaraan.

Sy het nooit 'n kêrel "iewers aan die grens" gehad aan wie sy briewe en kospakkies gepos het nie. Nie eens 'n naaste familielid nie, want danksy die gelukkige ster waaronder haar broer blykbaar gebore is, is hy nooit grens toe gestuur nie.

Haar ma het hard probeer om haar witbroodjie te oorreed om medies te studeer. Hy was skrander genoeg om gekeur te word en Hannie het nie weggedeins van emosionele afdreiging nie. ("Dit sal alles wat ek vir my kinders gedoen het, die moeite werd maak as my seun eendag as 'dókter' aangespreek word," het sy smagtend verklaar.) Theresa het toe al vermoed dat Hannie meer deur vrees as trots aangedryf word, dat sy haar enigste seun wou beskerm, eerder as om met hom te spog. Mediese studente kon hulle diensplig uitstel tot ná hulle graad gekry het en dan as dokters in die weermag werk – baie veiliger as om 'n voetsoldaat in die bos te wees.

Jacques het egter besluit hy wil ekonomie studeer en "so gou as moontlik so ryk as moontlik word", nie noodwendig in Suid-Afrika nie. Hy wou sy diensplig agter die rug kry sodat hy kon begin geld maak. En toe word hy sowaar vir die vloot gekies. Dit was sekerlik nie 'n piekniek nie, maar hy is nie bos toe gestuur nie, hy was nooit naby die grens nie. En wat hy ook al op see moes doen, het hy nie met sy sussies by die huis bespreek nie. Hulle was nog skoolkinders; hy het hom soos 'n man begin gedra. Bietjie windgat, maar Theresa was nogtans trots op hom, so kiertsregop in sy swierige swart uniform met die wit pet wat sy sonbruin gesig aantrekliker as ooit tevore laat lyk het.

Heeltemal te windgat, het sy teen die einde van sy diensplig besluit.

Daarna het sy ook gaan studeer, by dieselfde universiteit as haar broer, maar sy het haar heil gesoek by "links-liberale kuiergatte" (soos hy haar vriende beskryf het), terwyl hy hom tuis gevoel het by die meer ambisieuse en meer gematigde studente, akademiese uitblinkers en voorbeeldige sportmanne. Hulle het al hoe verder van mekaar weggedryf.

En die oorlog het vir Theresa so onverstaanbaar en so onwerklik soos altyd gebly. Die grens was 'n abstrakte konsep, nie 'n plek nie. En oorkant die grens, in Angola, was onvoorstelbaar.

Haar jeugdige opstandigheid, waaroor haar ma altyd so diep beswaard het, het haar ná skool amper onwillekeurig in 'n linkse rigting gestuur. Nooit érg links nie. Sy was aan 'n Afrikaanse universiteit, waar enigiemand wat die Nasionale Party se beleid bevraagteken het, sonder te veel moeite soos 'n rebel kon voel. Haar vriende was "andersdenkende" taalstudente of toekomstige filosowe, dramastudente en kunsstudente wat vreemd aangetrek het, maar nie een van hulle het ooit werklik die Christelik-Nasionale kraalmure afgebreek nie. Hulle het verkies om in kroeë te sit en kuier eerder as om politieke vergaderings by te woon.

Vroeg in die jare tagtig, toe sy as verslaggewer in Kaapstad begin werk, het sy nuwe vriende bygekry. Hulle was steeds oorweldigend wit, steeds meestal Afrikaans, maar sommige was aktief betrokke by die Vryheidstryd – die Struggle, soos almal dit genoem het – en sy het soms saam met hulle betoog. Meer uit joernalistieke nuuskierigheid as enigiets anders. Sy het selfs 'n paar keer in 'n township beland, inwoners se huise besoek saam met 'n vriend wat vir 'n demokratiese regshulporganisasie gewerk het, 'n protesvergadering in 'n kerksaal bygewoon waar haar bleek vel en haar blonde hare haar soos 'n skepsel van 'n ander planeet laat voel het.

En 'n enkele keer is sy met traangas bespuit, toe sy haar halftoevallig in 'n optog teen militêre diensplig bevind het. Dít sou sy nooit vergeet nie. Hoe jou keel en jou neus en jou oë aan die brand slaan, hoe die trane oor jou wange stroom en jy na jou asem hyg en hulpeloos hoes tot jy wil kots om van die brandpyn ontslae te raak.

Daar is mense wat gereeld aan hierdie soort marteling blootgestel word, het sy daardie aand in haar woonstel teen die hange van die berg besef terwyl sy haar bloedbelope oë in die badkamerspieël bestudeer het. En veel erger strawwe wat sy sukkel om haar te verbeel. Elektriese skokke, nat sakke oor koppe, vuishoue en skoppe, eensame aanhouding.

Stoksielalleen in 'n sel vir weke of maande.

"Ek sou 'n patetiese aktivis gewees het," bieg sy die volgende dag by die koerant teenoor haar kollega Theo. (Hulle is in hierdie stadium nog net kollegas en beste vriende. Niks meer nie.) "As 'n bietjie traangas my so kan traumatiseer!"

"Ons kan nie almal aktiviste wees nie," troos hy en steek vir haar 'n sigaret aan.

"Ja, maar ons kan ook nie almal níks doen nie," protesteer sy terwyl sy angstig aan die sigaret suig.

"Ons doen nie niks nie, ons is mos besig om die stelsel van binne af te verander," sê Theo met sy gewone ironiese glimlag.

Maar vandag is sy nie in 'n bui vir ironie nie. Haar oë voel steeds bietjie branderig. Sy weet nie of dit die fisieke nagevolg van die traangas is of bloot 'n emosionele reaksie nie.

"Ons doen fokkol aan die stelsel, Theo, jy weet dit so goed soos ek. Kyk, moet nou nie vir my lag nie, maar ek het 'n behoefte aan ... groter betrokkenheid."

Hy lig sy wenkbroue hoog bo sy helderblou oë en verstaan haar doelbewus verkeerd. "Waarom soek vroue altyd meer betrokkenheid? Mitzi beskuldig my nou al weke lank van 'n gebrek aan betrokkenheid."

Mitzi is sy huidige metgesel, so fyn en fraai en Bambi-agtig soos al haar voorgangers. Theresa is verlig om te hoor die verhouding staan einde se kant toe. Sy weet mos nou al, as hulle eers oor betrokkenheid begin kla, is die dood in die pot.

"Ek praat van 'n ander soort betrokkenheid, Theo. Ek soek 'n konneksie met 'n wyer verskeidenheid van my landgenote. Ek kan nie in 'n township gaan toyi-toyi nie, dit laat my heeltemal fake voel. Ek is aan die swart mense se kant; ek weet die bestel is onregverdig en die wette moet verander, maar ek kan nie hulle pyn vóél nie. Dis hoekom ek dink die End Conscription Campaign is dalk iets wat ek kan ondersteun—"

"Want jy kan die pyn vóél van die wit ouens wat grens toe moet gaan?" Sy toon is nie eens ironies nie, dis sommer openlik sarkasties.

"Nee, natuurlik nie, maar ek sien elke dag die skade om my. Al julle ouens wat grens toe gestuur is, is op een of ander manier opgefok."

Hy blaas 'n paar woeste rookwolke uit, soos 'n kwaai draak, voordat hy verder praat. "En jy dink die ecc kan ons help?"

"Nee, dis te laat om julle te help." Sy besef nie hoe wreed haar woorde klink nie. In dié stadium het sy geen benul van wat Theo alles anderkant die grens belewe het nie. "Maar as diensplig afgestel of selfs net verander kan word, sal dit al die ouens help wat in die toekoms opgeroep kan word. En al die swart mense op wie hulle sal moet skiet."

"As ek vir my ma moet vertel ek werk nou saam met 'n goeie Afrikaanse meisie wat die 'terroriste' op die grens wil help ..." Hy lyk opreg geamuseerd. "Sy sal jou nooit vergewe nie."

Profetiese woorde, sou Theresa jare later dink.

Dwarsdeur haar huwelik het sy geglo dat sy iets verkeerds moes gedoen het, dat sy net 'n manier moes vind om haar skoonma van haar te laat hou. "Ek is tog 'n nice mens!" het sy teenoor Theo en Nini en haar suster en almal wat wou hoor, geprotesteer. "Is ek nie?" Almal het gewoonlik saamgestem. Maar ná die egskeiding het sy die stryd gewonne gegee en alle bande met Elize gesny. Wat haar voormalige skoonma net nog méér vyandiggesind gemaak het.

Op hierdie dag in 'n Kaapse koerantkantoor skud sy egter net haar kop oor haar kollega se spottende woorde. Sy het geen rede om te vermoed dat sy eendag aan Theo se ma voorgestel sal word nie. Wat nog te sê van haar skoondogter word.

"Dit gaan lankal nie meer net oor die grens nie," redeneer sy met Theo. "Jy weet die troepe word deesdae in die townships ingestuur. Stel jou voor jy moet in 'n tenk sit en skiet op kinders wie se ma's en pa's in jou kombuis of in jou tuin werk."

"As jy in 'n tenk sit, kyk jy nie na die gesigte van die mense wat jy skiet nie. Jy skiet net."

"Selfs as hulle kinders is?"

"As jy goed genoeg gebreinspoel is, skiet jy enigiets wat beweeg."

Hy kyk nie na haar nie, hy kyk by die venster uit, na die hawe en die see, die hyskrane en die skepe, Robbeneiland op die horison.

"Maar hoe lewe jy verder? Nadat jy dit gedoen het?"

"Ag nee, fok, Marais, jy word nou heeltemal te ernstig vir 'n Donder-dagoggend. Het jy nie 'n storie oor 'n beauty queen wat jy moet gaan klaar skryf nie?"

"Vlieg in jou moer, Van Velden."

Sy druk die sigaret dood en stap terug na haar kantoorhokkie. Sy is nie rêrig vies vir hom nie; dis maar hoe hulle met mekaar praat. "Hiert, jou ou slet," sou sy hom terg wanneer daar nogmaals 'n nuwe Bambi aan sy arm hang. "Tj'aag, Marais, jy's net suur omdat jy lanklaas genaai het."

"Wat weet jy van my sekslewe, Van Velden? Ek's nie 'n show-off soos jy nie." Spottende en selfspottende kamerade. Niks meer nie.

Theresa het 'n ondersteuner van die End Conscription Campaign ge-word – maar soos gewoonlik het sy nie "al die pad" gegaan nie. Sy was nie aktief betrokke by die beweging nie, sy het dit van die kantlyn af aangemoedig, omtrent soos haar pa en haar broer die WP-rugbyspan ondersteun het. Deur luide toejuiging en deur kledingstukke en bykom-stighede te koop wat wys waar hulle lojaliteit lê. Theresa het 'n stapel T-hemde met ECC-slagspreuke gekoop om onder haar "linkse vriende" uit te deel, maar sy het nie vir Theo een gegee nie.

"Hy's mos nie eintlik 'n ou vir T-shirts nie," het sy vir hom verskoning gemaak. "Hy verkies Yuppie-hemde met krae en knope."

"Gee dit vir hom om te dra wanneer hy draf," het 'n kollega voorgestel.

"Hy's ook nie eintlik 'n ou wat met sy gevoelens op sy mou rondloop of dinge op sy bors uitspel nie, nè?"

Haar eie ECC-T-hemde het sy gereeld gedra, op 'n keer selfs na Son-dagmiddagete by haar ouerhuis. Haar ma en pa het niks gesê nie, hulle het moontlik nie eens geweet waarvoor die letters ECC staan nie, maar haar broer het haar kort voor ete in die kombuis gekonfronteer. "Vir wie probeer jy imponeer met daai T-shirt?" Hy het sag gepraat, want hy wou nie hê hulle ouers moet hoor nie, maar sy toon was aggressief.

Theresa het die bak braai-aartappels vasgehou wat sy in die kombuis kom haal het en kamma onskuldig afgekyk na haar T-hemp. 'n Wit agtergrond met die swart letters ECC baie diskreet soos drie skakels in 'n gebreekte ketting. Swart buitelyne van gepantserde karre met die slagspreuk *War is no solution.* "Hou jy nie daarvan nie?"

"Jy doen dit net om vir Ma en Pa te ontstig."

"Ek het juis hierdie een gekies omdat ek hulle nié wil ontstig nie. Die ander een het 'n kaart van Suidwes met bloed wat uit 'n masjiengeweer drup en 'n moerse groot slogan wat sê *Peace Now SADF Out*."

"Jy soek moeilikheid. Soos altyd. Jy en Pa gaan baklei en dan's almal se ete weer bederf."

"Ek kan altyd die aandag van my T-shirt aflei deur vir hulle te vertel dat jy van plan is om binnekort te emigreer?"

"Ek sal self vir hulle vertel," het hy net 'n bietjie te vinnig gesê.

"Wanneer?" Skielik was sy die aanvaller en hy die verdediger.

"Nie nou nie." Hy het na die deur gekyk asof hy vasgekeer voel. "Dis nie die regte tyd nie."

"Maar dis die regte tyd om my politieke beginsels te kritiseer?"

"Ek kritiseer nie jou 'politieke beginsels' nie – ek weet nie eens of jy so iets het nie – ek kritiseer jou kleredrag!"

Op hierdie oomblik stap hulle ma by die kombuis in, voel onmiddellik die gespanne atmosfeer aan, en kyk benoud na hulle: "Waaroor stry julle nou weer?"

"Ag, dis niks, Ma. Jacques dink ek is nie ordentlik aangetrek nie."

Hannie bestudeer haar dogter vir 'n oomblik. Theresa sien haarself deur haar ma se oë – lang blonde hare wat altyd ietwat onversorg lyk, grimeringlose gesig, wit T-hemp met 'n slagspreuk en swart jeans met 'n skeur op die knie by stowwerige swart tekkies – maar daar is geen afkeur in Hannie se oë nie, net eindelose verdraagsaamheid. Theresa probeer met dieselfde verdraagsaamheid na haar ma kyk. Hannie se mond is nog pienk van die lipstiffie wat sy vanoggend vir kerk aangesmeer het, haar kort donkerblonde hare so netjies soos altyd gekam, maar sy het darem haar kerkrok uitgetrek. Sy dra nou wat sy as slenterdrag beskou: 'n donkerblou langbroek met 'n plooi aan die voorkant gestryk en 'n beblomde bloesie.

"Ek gee nie om wat julle aantrek wanneer julle huis toe kom nie," sê sy terwyl sy voor die oond buk om die skaapboud uit te haal. "Ek is maar net te bly om julle 'n slag te sien."

Sy dra die skaapboud na die eetkamertafel, waar haar man reeds wag. Voordat Theresa haar met die bak braai-aartappels volg, steek sy haar tong vir Jacques uit. Sy is nog jonk genoeg om haar soms soos 'n kind te gedra – veral wanneer sy haar ouerhuis besoek.

Toe sy langs haar suster aan tafel gaan sit, sê Sandra met 'n soet glim-lag, "Nice т-shirt."

Theresa wonder al hoe meer of haar suster werklik so 'n naïewe Sneeuwitjie is soos almal dink.

Haar ma het heel waarskynlik geweet wat ECC beteken, het sy jare later besef. Hannie Marais het haar dikwels dom gehou om die vrede in die huis te bewaar. Sy sou moontlik selfs 'n ondersteuner gewees het van enige organisasie wat sou kon keer dat haar seun grens toe gestuur word. Maar sy sou dit nooit hardop erken nie, veral nie teenoor haar man nie. Om die vrede te bewaar.

Teen die middel van die jare tagtig, toe Theresa en Theo eindelik 'n "item" geword het, het sy twee kassette gekoop waarna sy gereeld geluister het terwyl sy haar ou Volksie bestuur. *Forces Favourites* was 'n versameling van liedjies wat jy nooit oor die radio sou hoor nie, deur Suid-Afrikaanse musikante wat openlik teen diensplig gekant was. Liedjies soos "Don't dance" van die Kalahari Surfers en "Shot down in the streets" van die Cherry Faced Lurchers en "Too much resistance" van Nude Red, wat haar minder vervreemd in haar eie land laat voel het.

Dit het helaas nie die konneksie met haar swart landgenote verskaf wat sy so graag wou hê nie. Dit was nie asof sy ná soveel dekades van apartheid skielik met 'n spul swart vriende kon spog nie. Maar die wete dat al hoe meer wit mense ook soos sy voel, was darem 'n soort troosprys.

Die ander kasset wat sy gaar gespeel het, tot sy kort-kort 'n potlood in die gaatjie moes steek om die uitgerekte spoel met die hand styf te draai, was die geheimsinnige Bernoldus Niemand se musiek. Hy was 'n "Rooinek" wat onder 'n skuilnaam Afrikaanse liedjies geskryf het, het sy mettertyd agtergekom, maar "Hou my vas, korporaal" was die eerste Struggle song wat sy ooit in haar eie taal gehoor het. Selfs Theo het na Bernoldus Niemand geluister, verras dat Afrikaanse musiek terselfdertyd so snaaks en so ondermynend kan wees. Veral "Snor City", wat met al die gesnorde manne in sy tuisstad van Pretoria spot, het hom hardop laat lag.

Soms is hierdie alternatiewe Suid-Afrikaanse musiek ook by haar vriende se partytjies gespeel, saam met Bob Dylan of Joan Baez se pro-tesliedjies. Theresa onthou 'n someraand op 'n balkon in Vredehoek, toe almal te veel goedkoop bokswyn gedrink het en "Rainy day women #12&35" iewers in die woonstel op 'n draaitafel vasgehaak het. "Everybody must get stoned ... get stoned ... get stoned ..." Tot 'n bebaarde gas met 'n bandana, wat klaarblyklik reeds stoned was, swaar opstaan, na die draaitafel stap en die plaat afhaal en dit soos 'n frisbee van die balkon afgooi.

"My plaaaaat!" gil die gasvrou terwyl almal op die balkon verstom na die ronde swart skyf staar wat met 'n sierlike boog bo-oor die stadsliggies sweef en 'n oomblik lank byna roerloos teen die agtergrond van die see bly hang. Die see so swart en blink soos die vlieënde plaat. En ver weg die skittering van 'n eilandjie waar die toekomstige president van die land in 'n tronk aangehou is.

En toe begin iemand giggel, vir die Vreemde Vlieënde Voorwerp, vir die gasvrou se gillende verontwaardiging, vir die plaatgooier se gerookte traak-my-nie-agtigheid, en binne sekondes is 'n dosyn mense op die balkon hulpeloos aan die lag. Dit sou seker nie naastenby so snaaks gewees het as almal nugter en ongerook was nie.

Maar wat Theresa veral van dié aand onthou, is dat dit geëindig het met almal in 'n kring in die middel van die sitkamer, toe hulle met hulle arms om mekaar se skouers staan en wieg het terwyl hulle uit volle bors "We shall overcome" sing. Selfs in haar besope toestand was sy bewus van die absurditeit van die gebaar. 'n Dosyn wit Suid-Afrikaners wat 'n gospellied uit die Amerikaanse Civil Rights-stryd oorneem omdat hulle nie die woorde van die Struggle songs ken wat hulle eie swart landgenote sing nie.

Gelukkig was Theo nie by dié partytjie nie. Sy kan haar nie voorstel dat hy saam met hulle sou gesing het nie, al was hy ook stormdronk. En hy sou haar genadeloos gespot het omdat sy haar so teen haar eie beterwete in sulke situasies kon laat saamsleep.

15. SONHOED, SERP EN SONBRIL

Die stadsverkeer is agter hulle en die snelweg strek oop voor hulle uit. Sy kyk op na die vlieswolke wat die blou lug versluier en geniet die warm bries wat oor haar arms blaas. Ruben wou die dak van die ou sportmotor opslaan om haar bleek vel gedurende die lang rit na Cienfuegos teen die son te beskerm, maar sy het hom gekeer. Sy verkies om eerder 'n dik laag sonskerm aan die ontblote dele van haar lyf te smeer. Die wye rand van haar sonhoed, wat sy met 'n lang serp onder haar ken vasgebind het sodat dit nie wegwaai nie, gooi darem ook 'n strook skaduwee oor haar neus.

En selfs al sou sy met 'n rooi gesig in Cienfuegos opdaag, is 'n bietjie sonskade steeds min om te betaal vir hierdie gevoel van byna roekelose vryheid wat sy op die lang pad in 'n oopdakkar ervaar. Seker die naaste wat 'n versigtige vrou soos sy ooit aan die opwinding en adrenalien van ekstreme sport sal kom.

Wanneer het sy so verskriklik versigtig geword? So bang vir enige vorm van seerkry, fisiek of emosioneel? Sy was tog van jongs af opstandig – in elk geval meer as enigiemand anders in haar gesin – maar haar opstandigheid is altyd deur versigtigheid getemper. "Take a walk on the wild side", sou sy saam met Lou Reed neurie, maar elke keer wat sy 'n paar treë aan die wilde kant van die lewe gegee het, het sy gou weer na die veiliger kant teruggeskarrel. Dalk was hierdie ingeboude vrees haar redding toe sy jonger was. Sy kon alles beproef sonder om die pad ooit heeltemal byster te raak. Maar nadat sy en Theo uitmekaar is, het haar vrees haar begin terugrem. Dalk was dit juis omdat hy alle versigtigheid oorboord gegooi het – en sy die ontsettende gevolge daarvan kon sien – dat sy al hoe versigtiger gelewe het.

Al hoe banger.

Of dalk is dit net 'n onvermydelike deel van ouer word.

En tog. Hier ry sy nou in 'n Plymouth Fury 1958 deur 'n onbekende land, met 'n vreemdeling aan die stuur, op pad na wie weet wat in die volgende onbekende stad op haar wag. Dis moontlik die dapperste ding wat sy die afgelope twintig jaar gedoen het.

Sy kyk na Ruben langs haar, sy wit panamahoed skynbaar vasgeplak op sy kop, en onthou hoe gefassineerd sy as kind was deur al daardie rolprent-cowboys wat nooit hulle hoede verloor het nie, maak nie saak hoe wild hulle baklei of hoe vinnig hulle op perde rondjaag nie. Ruben se lyf is te groot en swaar vir 'n cowboy, maar sy bespeur tog iets van die ouer John Wayne in sy houding. Nie die windmakerigheid van die bejaarde cowboy nie, eerder die stilte en die selfvertroue.

Wat seker ook as verwaandheid beskou kan word.

"Wat's so snaaks?" vra hy.

"Nee, ek wonder sommer ... Het jy ooit cowboy-flieks gekyk?"

"Ons het nie 'n wye keuse van cowboy-flieks gehad toe ek grootge-word het nie. Ons glorieryke revolusieleiers het nie geglo aan die verheer-liking van die Amerikaanse Wilde Weste nie." Hy hou sy oë op die pad, 'n speelse trek om sy mondhoeke toe hy "glorieryke revolusieleiers" sê. "Maar ek was mal oor dié wat ek wel te sien gekry het."

"John Wayne?"

"John Wayne, James Stewart, later Clint Eastwood ..." Sy diep stem klink dromerig. "Maar in my binneste was ek altyd aan die Rooi Indiane se kant."

"Ek ook," lag sy. "My pa was 'n groot bewonderaar van John Wayne. Hy kon dit nie verdra dat ek en my sussie huil oor die Indiane of die perde wat doodgaan nie. In sy wêreldsiening was daar 'n natuurlike rangorde, met die wit man heel bo en enige inboorling wat halfkaal rondloop, heel onder. Saam met die perde."

"En waar het vroue in sy prentjie gepas?"

"In die kombuis. Saam met die kinders. Net bokant die perde in die stal." Die bitsigheid in haar eie stem verras haar so dat sy verontskul-digend begin lag. "Nou is hy so seniel dat rangorde niks meer vir hom beteken nie. En ek mis die chauvinistiese ou bliksem. Vreemd, nè?"

Ruben knik stadig sonder om sy oë van die pad af te haal. Hy is 'n besonder empatiese luisteraar. As sy nie 'n wag voor haar mond plaas nie, gaan hierdie Kubaanse taxidrywer binnekort meer van haar weet as enige van haar kollegas in Kaapstad.

Die palms weerskante van die pad lyk vir haar verwaarloos, die blare stowwerig en geskeur, anders as die fotogeniese palms wat sy nog altyd op poskaartprente van tropiese strande bewonder het. Heimlik voel sy verlig om iets te vind wat haar nie aan 'n poskaart of 'n rolprent uit Hollywood herinner nie. Miskien gaan sy nou eers, nadat sy uit Havana weggekom het, die "regte Kuba" ontdek.

'n Ent verder vou die landskap oop, minder palms, minder bome, laer struike met weiende kleinvee wat sy nie kan identifiseer nie: "Bokke?"

"Skape," antwoord Ruben.

"Ek het nog nooit sulke skape gesien nie," stry sy. "En ek kom van 'n land met baie skape."

"Wel, elke land het sy eie skape, en hier by ons lyk hulle so." Hy loer onderlangs na haar. "Ons praat nou van regte skape, nie menslike skape nie, nè?"

"Ons het baie van albei soorte."

Hulle ry verby 'n muur waarop Che Guevara se ikoniese kop met die ewige swart baret uitgebeeld is. *Viva Cuba libre* is in groot rooi letters langs die reusagtige gesig geverf, maar die verf begin afdop en sommige van die letters is byna onleesbaar verweer. Sy onthou die slagspreuke uit haar eie land se vryheidstryd in die laat jare tagtig. Nie dikwels op mure nie, of anders is dit doodgeverf voordat sy dit kon sien, maar op baniere en T-hemde in protesoptogte, en uit die monde van derduisende mense. "A luta continua. Amandla! Awethu!" Dis so ver van waar sy nou is, in afstand en in tyd, en tog is die herinnering eensklaps helderder as wat dit in jare was. Hierdie reis bly vir haar 'n tydsprong, agtertoe en vorentoe, aanhoudend.

Op die fraai stadsplein in Cienfuegos beleef Theresa weer eens 'n oomblik van déjà vu wat sy aanvanklik nie begryp nie – tot sy besef dat sy die toneel herken uit al die stories oor Suid-Amerikaanse stadjies wat sy al gelees het. Die simmetriese pleintjie met die standbeeld van 'n volksheld in die middel, 'n orkesverhogie met 'n koepeldak, bome wat skaduwee verskaf en bankies om op te sit, statige koloniale geboue aan al vier kante. 'n Spierwit teater, 'n spierwit katedraal met twee hoekige koepeltorings, 'n indrukwekkende ou stadsaal met 'n massiewe koepeldak, 'n palacio met ligblou pilare en 'n oop koepeltoring.

Nes sy Engeland se country lanes en geilgroen heinings en krimp-varkies herken het toe sy kort ná haar studentejare vir die eerste keer oorsee gereis het. Of New York se Central Park en Brooklyn Bridge, toe sy haar twee dekades gelede vir die eerste keer in dié stad bevind het. Danksy die boeke wat sy van jongs af gelees het, later ook die baie rolprente wat sy gekyk het, het sulke verre bestemmings vir haar nog altyd bekender gevoel as die meeste lande in Afrika. Selfs bekender as 'n buurland soos Angola.

Ruben vra of sy nie haar selfoon wil gebruik nie. Die plein is die plaaslike "hot spot", verduidelik hy, met die beste internetontvangs in die omgewing. Te oordeel aan die lyftaal van frustrasie en die swetsende kommentaar van 'n paar toeriste wat rondom hulle met selfone vroetel, is "die beste" steeds nie juis bevredigend nie.

Sy skud haar kop gelate. Tydens die rit hierheen het sy hom vertel hoe sy die vorige nag gesukkel het om 'n enkele foto op haar splinternuwe Facebook-muur gelaai te kry. Sy het die kiekie van haar saam met Oreste op die mosaïekbankie voor José Fuster se vrolike huis gekies, om darem net vir Nini en haar sus te laat weet dat sy veilig in Kuba is en nog nie haar soektog laat vaar het nie. Sy het nie besef hóé stadig die internet op hierdie eiland kan wees nie; sy het gedog sy doen seker maar iets ver-keerd – altyd haar eerste gedagte wanneer sy voor 'n struikelblok te staan kom – aangesien sy so 'n groentjie op sosiale media is. Uiteindelik het sy moeg en moedeloos aan die slaap geraak, met haar foon dwarsdeur die nag op die hotel se wi-fi ingeskakel, en toe sy vanoggend wakker word, het sy gesien dat die foto iewers in die nag tog opgelaai is.

Daar was selfs 'n *like* en 'n opmerking van Nini: *Sê vir Oreste ek stuur groete!* Asook 'n paar vriendskapversoeke van kollegas in Kaapstad, wat sy geïgnoreer het. Waarom sou sy virtuele vriende wou word met mense wat sy elke dag in lewende lywe op kantoor kan sien?

"Nee wat," sê sy vir Ruben. "Ek moet eerder wegbly van die internet terwyl ek in Kuba is."

Hy glimlag nie, maar hy lyk nogtans ingenome.

Die adres waar Luisá se familie twintig jaar gelede gewoon het – en dalk, dalk, dalk steeds woon, soos Theresa ondanks alles aanhou hoop – lyk minder armoedig, meer middelklas, as enige van die huise of woonstelle wat sy tot dusver in Kuba besoek het. (Buiten Ruben en sy seun se plek, wat nogtans soveel eenvoudiger is as haar eie Kaapse kothuis wat sy graag as "beskeie" beskryf.) Dis eintlik 'n kompleks, drie bont huisies agter 'n traliehek, met 'n gedeelde binnehof waar spatsels pers en oranje bougainvillea met die helder kleure van die mure meeding.

Maar beslis nie 'n sekuriteitskompleks nie. Die hek is nie gesluit nie, en aangesien daar nie 'n klokkie of enigiets anders is om hulle teenwoordigheid aan te kondig nie, stoot hulle die hek eenvoudig oop en stap na die grootste van die drie huisies in die middel van die erf. Die geboutjie regs van die hek is wat jy in Kaapstad se gegoede suidelike voorstede seker 'n granny flat sou noem, 'n tuinwoonstel met een of twee vertrekke, maar die buitemure is geverf in 'n skakering van turkoois wat jy nie sommer in die stigtelike Kaapse voorstede sou aantref nie. Die middelste huis is kanariegeel en langs een van die symure loop 'n lelike sementtrap op na 'n plat dak waar die derde woning duidelik eers later bygebou is, die vensters in 'n ander styl as op die onderste verdieping, die mure meer oranje as geel. En langs die oranjegeel dakwoonstel pryk 'n reënwatertenk met Che Guevara se gesig reusagtig groot in swart en rooi daarop geverf.

Theresa kyk van die reënwatertenk na Ruben en weer terug, haar uitdrukking so verbaas dat hy sy skouers lig en sê: "Hy's orals, nè?"

"Is daar 'n wet dat elke straat in die land hierdie ou se gesig op 'n baie sigbare plek moet wys?"

"Ek dink ons hou maar net van hom. En ons het agtergekom dat ons toeriste nog meer van hom hou."

Hulle hoor iewers radiomusiek, maar kry geen reaksie nadat Ruben 'n paar keer aan die voordeur van die geel gebou geklop het nie. Toe hulle omdraai om aan een van die ander deure te gaan klop, verskyn 'n vrou op die trap na die dakwoonstel en groet hulle in Spaans.

Ruben lig sy panamahoed en groet met ouwêreldse beleefdheid terug. Die vrou glimlag en sweef statig by die trap af.

Gloria Swanson in *Sunset Boulevard*, dis die beeld wat by Theresa opkom, want dis klaarblyklik 'n middeljarige vrou dié wat weier om te aanvaar dat haar gloriejare verby is. Haar skouerlengte hare is koringgeel gekleur met 'n kuif wat suggestief skuins laag oor een oog hang. Haar pienk T-hemp kleef te knap aan haar lyf en die ronde hals is laag genoeg om 'n paar borste met 'n diep gleuf te wys. Bo-oor die borste is die woorde PRETTY WOMAN in skelpienk blinkertjies uitgespel, die letters effens uitgerek weens die omvang van die borste. Haar wit kniebroek span ook gevaarlik styf oor haar stewige bobene en breë heupe. Maar haar middellyf en enkels is dun, haar bruin kuite goed gevorm, haar nek taamlik lenig. Sy is nie wat Theresa "mooi" sou noem nie, darem net te vulgêr, maar sommige ouer mans sou haar waarskynlik aantreklik vind. Soos 'n oorryp piesang waarvan die skil begin bruin raak, maar wat moontlik net so lekker soos 'n vars jong piesang kan smaak.

Dis altans wat Theresa vermoed toe sy die skielike ondeunde vonkeling in Ruben se donker oë opmerk. Hy praat Spaans met die vrou, wat haarself as Benita Madrigal Rosabal voorstel.

"Wat 'n lieflike storieboek-naam." Theresa steek haar hand uit om te groet, maar die ander vrou kyk skaars na haar.

Benita Madrigal Rosabal se volle aandag word opgeëis deur Ruben Torres Márquez se groot (ringlose) hand wat ook na haar uitgestrek word.

"Noem my Benita," sê sy met 'n skalkse laggie. "As ek jou Ruben kan noem ..."

Dis nie nodig dat Ruben dié woorde vir Theresa vertolk nie. Die lyftaal van flirtasie is so oud soos die mensdom en universeel verstaanbaar. En Ruben laat hom ook nie twee keer nooi om saam te speel nie. Hy staan 'n tree nader en kyk diep in die stralende Benita se oë terwyl hy vir haar verduidelik waarom hulle hier is en wie hulle soek. "Amat", hoor Theresa. "Luisá Amat. Mercedes Perez Amat". Dis soos gewoonlik omtrent al wat sy verstaan, net die name van die karakters in hierdie vreemde speurverhaal.

Benita sit haar hand op Ruben se arm en begin opgewonde babbel, so vinnig dat Ruben binne 'n paar sinne nie eens meer probeer tolk nie. Hy knik net, vra 'n paar kort vrae, kry antwoorde wat onverklaarbaar langer en langer word. Theresa voel so oorbodig dat sy nie 'n verveelde sug kan keer nie. Benita kyk gesteurd na haar voordat sy hulle met 'n armgebaar boontoe nooi. Vermoedelik net om die flirtasie met Ruben nog 'n rukkie langer uit te rek.

"Ons gaan net gou iets in haar woonstel drink," maak Ruben verskoning terwyl hulle Benita die trap op volg. Hulle kyk albei onwillekeurig na die vrou se wikkelende boude, want sy is 'n paar trappies hoër as hulle met haar agterstewe ongemaklik na aan hulle gesigte. Hoewel Ruben nie juis ongemaklik lyk nie. "Sy sê haar familie het dié plek omtrent twaalf jaar gelede met die Amats uitgeruil."

"Uitgeruil?"

"Ons kon mos nie eintlik eiendom koop nie. Sulke huise is maar so van geslag tot geslag aangegee of anders verruil vir 'n groter of kleiner woonplek. Sy sê Luisá se suster het in die onderste huis saam met haar kinders gewoon. En 'die ou mense' – Luisá se ouers – daar langs die hek. En Luisá 'n ruk hier in die dakwoonstel nadat sy van Havana teruggekom het. Nou woon Benita hier bo en haar kinders en klein-kinders daar onder. Jy kan seker sê dis die Kubaanse weergawe van *Dallas*."

Theresa reageer nie op die spottende aanmerking nie. Sy het ophou luister ná sy gehoor het dat Luisá in hierdie woonstel gewoon het. Op die stoepie voor die woonstel, reg onder Che Guevara se gesig op die reënwatertenk, trek haar maag saam soos toe Marta in Havana vir haar vertel het dat Luisá ook in die Hotel Nacional gewerk het. Sy is nader aan die soldaat se vrou as wat sy nog ooit was.

"Is dít waar sy oorlede is?" vra sy vir Ruben. "Hier op die dak?"

Benita beduie dat hulle op die plastiekstoele op die stoepie kan sit terwyl sy gou koeldrank en bier in die yskas gaan haal.

"Ek weet nie of ek dit moet vra nie." Ruben vryf onseker oor sy swartgrys baard. Theresa kyk deur die oop voordeur na 'n paar goedkoop meubelstukke wat nie by mekaar pas nie. Naaste aan die deur is 'n boekrak sonder enige boeke, net 'n klomp kitsch ornamentjies daarop uitgestal. "Mense wil gewoonlik nie wéét dat iemand anders in hulle woonplek dood is nie."

Maar toe Benita 'n skinkbord met botteltjies bier en koeldrank buite-toe dra, vra hy tog vir haar, asof hy verstaan hoe belangrik dit op hierdie oomblik vir Theresa voel om dit te weet. Benita trek haar skouers ongeërg op en lig 'n bierbottel en sê "Cheers!", die enigste Engelse woord wat sy nog kwytgeraak het, voordat sy in Spaans verder babbel.

Sy weet nie of Luisá hier of in die hospitaal dood is nie, tolk Ruben vir Theresa, en dit lyk asof sy nie juis omgee nie.

Benita se aandag is weer geheel en al op Ruben toegespits, haar rug half op Theresa gedraai. Theresa hoor nou glad nie meer Luisá se naam nie. Sy vermoed dat Benita haar eie lewensverhaal met Ruben deel, breedvoerig, tot in die fynste besonderhede.

Ruben het alle pogings laat vaar om die woordvloed te probeer stuit. Hy sluk gelate aan sy koeldrank, 'n veraf kyk in sy oë.

En Theresa probeer haar verbeel hoe dit vir Luisá was om op hierdie stoepie te sit en na die pers en oranje bougainvillea in die binnehof te kyk en na haar studentedogter te verlang, terwyl sy elke dag sieker en swakker word. Sou sy ook na Angel verlang het? Of was sy tot die einde kwaad vir hom omdat hy haar in die steek gelaat het toe hy in Angola gaan baklei het?

Haar oë begin brand van trane wat haar so onverhoeds betrap dat sy gou verskoning maak – Benita kyk nie eens om nie – en na die bad-kamer vlug. Maar in die woonstelletjie word sy nog méér bewus van Luisá se teenwoordigheid, byna op 'n fisieke vlak, asof sy met 'n spook te doen kry. Sy voel hoe haar arms in hoendervleis uitslaan. Sy vóél die vrou se lewenslange strewe na iets beters aan haar eie lyf, asook haar uiteindelike bewuswording dat niks ooit beter gaan word nie, dat sy op die ouderdom van skaars veertig gaan sterf, met soveel onvervulde drome, soveel dinge wat sy nog wou gedoen het.

Dis nie regverdig nie, dink Theresa met die soort tienerjarige opstan-digheid wat sy deesdae, in haar alledaagse lewe, in haar eie gemaksone, meestal moeiteloos onderdruk.

Dis nie regverdig nie.

Sy spat water oor haar gesig en vryf haar klam vingers deur haar kort haarspriete. Sy kan nie nou uitmekaarval nie. Sy het 'n taak om te ver-rig, iemand wat sy wil opspoor, 'n brief wat sy wil aflewer. Sy kyk vlugtig in die spieël, haal haar donkerbril uit haar handsak om haar rooi oë weg te steek, en stap terug na die stoep.

In die woonvertrek merk sy drie amateuragtige skilderytjies van na-tuurtonele teen 'n muur op – spierwit sneeulandskappe wat jy nooit in Kuba sal aantref nie – en 'n poskaartprent van die Eiffeltoring. Benita se idee van binnehuisversiering, wat haar van voor af ontstig. Benita het waarskynlik net soveel onvervulde ideale soos wat Luisá gehad het.

Soos wat sy, Theresa, seker ook het.

Al hierdie getob oor dinge wat veertig jaar gelede gebeur het, stuur haar gemoed weer deur tienerjarige storms en drange. Daar is geen ander verklaring vir die melancholie wat dreig om haar te oorweldig nie.

Op die stoep sluk sy die res van haar bier vinnig af en val Benita onbeleef in die rede: "Vra haar of sy enigiemand ken wat sal weet wat van Luisá se dogter geword het."

Nee, antwoord Benita kopskuddend, sy weet net Luisá is hier in Cienfuegos begrawe, maar sy sal bietjie by die bure hoor of—

"Is haar graf hier naby?" vra Theresa gretig.

"Ja," beaam Benita dadelik. "Die Amat-familie het 'n grafkelder in die Cementario la Reina. Hulle was eens op 'n tyd gegoede mense. Lánk gelede. Nou ..." Sy draai haar palms boontoe in 'n hulpelose gebaar, kyk na Che se gesig op die reënwatertenk asof sy met hom persoonlik praat. "Nou is niemand mos eintlik meer gegoed nie."

"Ons kan die graf gaan soek," sê Ruben vir Theresa.

Hy kyk weer hoopvol na Benita, vra haar of sy asseblief sal hoor of enige van die bure verdere inligting het. Hulle is nog tot môre hier, miskien selfs langer. Hang af van wat hulle hier vind ...

Hierdie nuus beur Benita onmiddellik op. Sy wil weet waar hulle vannag oorbly – met 'n glimlag wat vir Theresa soos 'n taamlik voorbarige uitnodiging lyk – en Ruben verduidelik dat Oreste vir hulle bekostigbare verblyf bespreek het by 'n vakansieoord langs die see waarheen hy gereeld groot toergroepe bring.

Twee kamers, wys hy met sy vingers, en Theresa wonder of dit werklik nodig is om dit so duidelik uit te spel dat hy en sy vroulike reisgenoot nie 'n kamer deel nie.

Benita spring op om 'n pen en 'n pienk notaboekie te gaan haal, skryf haar foonnommer in die boekie neer, skeur die bladsy uit en oorhandig dit met 'n stuitige oogknip aan Ruben. Terwyl Ruben sy nommer ook in die boekie neerskryf, kyk hy vlugtig op, vang Theresa se geamuseerde blik, en kyk gou weer af.

Sy ken hom eintlik glad nie. Vir al wat sy weet, sien hy uit na die moontlikheid om vanaand vir Benita Madrigal Rosabal te bel om verdere hulp met hulle soektog te versoek.

Sy kan al hierdie wisselende emosies nie meer hanteer nie. Dis so 'n voortdurende skommeling, van die adrenaliengedrewe roekeloosheid wat sy vanoggend in die oopdakkar ervaar het tot die oomblikke van nostalgiese déjà vu wat sy aanmekaar belewe, van die intense melancholie wat haar in Luisá se voormalige woonplek oorweldig het tot haar geamuseerde irritasie met Benita se onsubtiele flirtasie. En nou, ná 'n frustrerende soektog in 'n groot ommuurde begraafplaas, tussen indrukwekkende wit marmerbeelde op welgestelde oorledenes se grafte en eenvoudige hopies grond met houtkruisies waar armes ingespit is, nadat sy moedeloos plat op die grond in die skaduwee van 'n marmerengel se uitgestrekte vlerke gaan sit het, warm en sweterig en oortuig daarvan dat hulle nooit die familie Amat se laaste rusplek sal vind nie, roep Ruben haar van 'n ent verder, op 'n ander paadjie tussen die grafte, sy diep stem hoorbaar verlig.

"Ek dink ons het dit!"

Sy volg die rigting van sy stem tot by 'n ou familiekelder waarvan die wit verf afskilfer, nie in die deftigste deel van die begraafplaas nie, sonder engele of beelde, maar steeds indrukwekkend groot en formeel. Verskeie geslagte van Amats is sedert die negentiende eeu hier gebêre, sien sy terwyl sy haar leesbril weer op haar neus druk en die name en sterfdatums op die grafstene teen die geboutjie probeer ontsyfer.

"Luisá Amat Lorenzo." Ruben beduie na 'n swart marmerteël met vergulde letters wat reeds begin dof raak. "Gebore 26 Augustus 1955. Sterf 14 Julie 1996."

"Dood op Bastilledag," fluister Theresa, bang dat haar stem gaan breek as sy harder praat. "Maar julle vier dit seker nie hier nie?"

"Ons revolusie het ander datums."

"Sy was nog nie eens een-en-veertig nie."

"En hier's haar suster." Ruben wys vir haar 'n marmerteël langs Luisá s'n. "Ramira Amat Lorenzo, gebore 1950, dood 2002."

"Ook skaars vyftig. Die Amat-vroue gaan blykbaar vroeg dood."

Haar bors trek toe terwyl sy dit sê. Want dit beteken dat Luisá se dogter teen dié tyd ouer is as wat haar ma was toe sy gesterf het. Dit beteken dat Mercedes self moontlik ook al dood is. Dááraan durf sy nie nou dink nie.

"Nie almal nie." Ruben wys na nog 'n marmerteël 'n entjie verder. "Dit moet Luisá en Ramira se ma wees. Clara Lorenzo Rios, dood in 2004, toe sy al diep in die tagtig was."

"Ruben!" Sy gryp sy arm asof sy wil keer dat sy omval terwyl sy na 'n ander marmerteël net bokant Luisá se naam kyk. Die letters hierop is byna onleesbaar, dowwe swart op dowwe grys, maar sy kan die naam net-net sien.

Sy moet 'n tree nader gee om die datums ook te lees: "*Angel Perez Gonzalez. Gebore 10 Februarie 1955. Sterf 12 Desember 1975.*" Haar stem is skor van emosie.

Selfs Ruben lyk effens aangedaan terwyl hy sy kop stadig knik. "Dis die Angel wat ons soek."

"Maar hoekom sal hy saam met háár familie begrawe wees?"

"Dalk het sy familie nie hulle eie grafkelder nie. Benita het gesê die Amats was 'n gegoede familie—"

"Dink jy sy oorskot is van Angola af hierheen gebring? Of dalk het daar niks van hom oorgebly om terug te bring nie, dalk is hy nooit eens begrawe nie, dalk is sy naam net hier aangebring sodat daar darem iewers iets van hom oorbly, wat dink jy, Ruben?"

Ruben sit sy groot hand op haar skouer om haar te kalmeer, om al hierdie onbeantwoordbare vrae te stuit. "Ek weet rêrig nie, Theresa."

"Maar dit beteken minstens dat Luisá nie tot die einde vir hom kwaad gebly het nie, of hoe? Dit beteken sy wou langs hom begrawe word? Of in elk geval haar naam langs syne op dieselfde grafsteen sien."

Ruben sê niks verder nie, los net sy hand op haar skouer.

"Ek weet nie hoekom dit vir my so belangrik voel dat sy nie vir hom kwaad moes gebly het nie. Hy was so verskriklik jonk. Hy't net gedoen wat hy gedink het hy moet doen. En toe gaan hy dood."

Sy haal haar bril af en kyk anderkant toe sodat Ruben nie kan sien sy het weer begin huil nie. Sy wil wegloop, sommer net tussen die grafte infoeter, agter 'n marmerengel gaan skuil sodat die vreemdeling langs haar nie hierdie petalje van 'n huilende vrou hoef te aanskou nie. Maar hy het sy arm om haar rukkende skouers gevou, en dit voel so verdomp vertroostend dat sy net daar bly staan, terwyl sy geluidloos huil oor 'n dooie soldaat en sy dooie vrou wat sy so graag sou wou leer ken het.

16. JAWS

Die rancho waar hulle die nag oorslaap, is so groot soos 'n plaas met lelike, lang, plat geboue wat Theresa aan skoolkoshuise op die Suid-Afrikaanse platteland herinner. Onder die ander gaste, skynbaar almal toergroepe, is 'n spul uitbundige Amerikaanse tieners op 'n skooltoer, wat die koshuisatmosfeer net versterk. Veral toe Theresa ná aandete in 'n oorvol lawaaierige eetsaal terugstap na haar kamer aan die einde van 'n lang kaal gang, en twee onderwysers teenkom wat die kinders se kamerdeure van buite af toeplak met geel kleeflint wat lyk soos dié waarmee die polisie gewoonlik misdaadtonele afsper.

In háár jeug in die jare sewentig is tieners darem nie tydens skool-toere in hulle kamers toegeplak nie, onthou sy in 'n vlaag van terug-skouende dankbaarheid. Beteken dit dat die kinders deesdae wilder en waaghalsiger is – of bloot dat die onderwysers vindingryker geword het? Dis inderdaad 'n slim manier om die kinders veilig te hou, weg van die dreunende diskomusiek op die dansbaan langs die swembad, sonder om hulle lewens in gevaar te stel indien 'n noodgeval sou opduik en hulle dringend uit die kamers moet ontsnap.

Maar as die kinders slimmer as die onderwysers is, soos in haar er-varing dikwels die geval is, sou hulle moontlik hulle eie soortgelyke kleeflint saamgebring het. As daar iemand soos haar jeugvriendin Lynette in een van daardie kamers sit, sou hulle almal vannag kon uitglip en 'n Kubaanse kelner of 'n ander jongeling omkoop om die deure vóór môreoggend weer van buite af toe te plak. Lynette sou die hele spul soos die rottevanger van Hamelin na die strand agter die vakansieoord gelei het om in die donker te gaan vry of rook of drink.

Nie om langs die swembad te gaan dans nie. Dis duidelik dat die dansbaan later vanaand 'n geriatriese slagveld gaan word.

Die res van die toergroepe bestaan meestal uit afgetredenes – en hoewel baie van hulle seker nie sóveel ouer as Theresa is nie, lyk almal vir haar veel meer desperaat. Britse en Duitse gryskoppe en kaalkoppe wat blykbaar heeldag om die buitelugkroeg tussen die swembad en die dansbaan rondhang. Vroue met geplooide leervelle en mengeldrankies en sigarette, alleen by tafeltjies, kamtig besig om uit slapbandboekies te lees, maar eintlik hou hulle die beskikbare mans om die kroegtoonbank dop. Met 'n soort verbete hoopvolheid wat Theresa weer eens aan haar tienerjare herinner. Aan haar en Lynette in die Stilbaai Hotel.

Voëlkykers op soek na 'n skôrs voël.

Die hemel help haar as sy veertig jaar later weer met 'n mengeldrankie en 'n sigaret moet sit en wag dat 'n manlike wese haar opmerk!

Sy skarrel vinnig verby die immer hoopvolle vroue toe sy uit die eetsaal kom, asof hulle aan 'n aansteeklike siekte ly. Die dansmusiek wat vroegaand al begin speel het, blikkerige internasionale pop en irriterende elektroniese klanke, lei haar gelukkig glad nie in die versoeking om te dans nie. Inteendeel, sy wil so gou as moontlik so ver as moontlik vlug.

Maar hoe gaan sy die aand op haar eie omkry in hierdie vreemde weergawe van 'n koshuiskamer met aaklige geblomde gordyne en 'n gladde nylonagtige beddeken? Ruben het nie saam met haar geëet nie. Op pad na die eetsaal het sy hom haastig by die voordeur sien uitstap, vars aangetrek in 'n wit broek en wit hemp met die kenmerkende panamahoed op die kop, op pad na die Plymouth wat 'n ent verder geparkeer was. Die skoon klere en die haas het haar laat vermoed dat hy 'n afspraak met die wulpse Benita Madrigal Rosabal gescore het.

Sy was teleurgesteld toe sy besef dat sy alleen sou moes eet, en vies vir haarself omdat sy teleurgesteld was – sy is tog gewoond daaraan om alleen te eet, doen dit al jare lank – en uiteindelik selfs vies vir Ruben omdat hy haar onbewustelik laat glo het dat sy nié vanaand alleen hoef te eet nie.

Selfs hier in die laaste kamer in die lang gang hoor sy die doefdoef-basklanke van die dansmusiek langs die swembad. Sy blaai deur die Kubaanse gidsboek wat sy in Havana aangeskaf het, maar die musiek is so hinderlik dat sy op niks kan konsentreer nie. En as sy die venster toemaak om die geraas uit te doof, word die kamer ondraaglik bedompig.

Ná 'n uur is sy so nat gesweet en geïrriteerd dat sy 'n handdoek gryp en koers kies na die sandstrandjie agter die vakansieoord. Nie nood-wendig om te gaan swem nie, net om uit die warm kamer te ontsnap. En dalk ook omdat sy kán, besluit sy terwyl sy verby die Amerikaanse tieners se toegeplakte deure stap. Omdat háár kamer nie soos 'n misdaadtoneel afgesper is nie. Daar is darem enkele voordele ook aan ouer word.

Sy kan nie onthou wanneer laas sy in die aand in die see geswem het nie – en sy het in elk geval Nini se raad dat sy haar swembroek moet inpak, verontagsaam.

("Ek weet, ek weet, jy gaan op 'n missie, maar jy gaan spyt wees as jy nie jou swembroek saamneem nie.")

Soos gewoonlik was Nini natuurlik reg.

Op die strand skop sy haar sandale uit en stap tot by die soom van die water, wat verrassend louwarm teen haar kaal voete klots. Soveel aange-namer as die ysige seewater van Clifton of Bloubergstrand of die Weskus waaraan sy gewoond is. Op Stilbaai en ander Suid-Kaapse kusdorpe waar die water darem 'n paar grade warmer is, waar sy as kind en jong volwas-sene vakansie gehou het, kom sy deesdae maar min. Daardie soort weke lange vakansie by die see is vir haar iets van die verre verlede.

Toe sy jonk was, kon gewone middelklas-Afrikaners nog swembad-dens en strandhuise bekostig. Nou moet jy welgesteld wees, anders bestee jy eerder jou spaargeld op 'n vierwielaangedrewe voertuig waarin jy avontuurlustige reise na onbekende bestemmings kan aanpak. Of jy probeer so nou en dan oorsee uitkom. Hoewel dié opsie ook al hoe moeiliker word namate die rand verswak.

Sy stap stadig dieper in die water, tot die golfies oor haar kuite spoel.

In die somer van 1975 sou sy en Lynette dit beslis nie ná donker in die see gewaag het nie. Selfs bedags het hulle nie juis geswem nie, eerder net in hulle nuwe bikini's op die oorvol strand lê en bak. Dit was die jaar toe Steven Spielberg se *Jaws* die silwerskerms van die wêreld getref het.

Lynette se twee stout boeties het hulle daarin verkneukel om op die strand te staan en "Haai!" te skreeu – en wanneer die skare swemmers angsbevange uit die water storm, het hulle kamma onskuldig gewaai, soos in "Haai, hier is ons!" Tot Lynette se kwaai pa sy plakkie van sy voet afgeruk het en hulle net daar op die strand voor al die mense 'n pak slae gegee het.

Vir Theresa was die bloedstollendste deel van dié fliek die openingsto-
neel waar 'n meisie in die nag kaal gaan swem en die onsigbare haai haar
so byna speels begin rondpluk, op maat van 'n stukkie balletmusiek, tot
sy skielik net onder die water verdwyn.

Woeps, weg is sy!

Theresa was jare lank te bang om enige seewater ná sonsondergang
aan te durf.

Maar daar is darem seker nie haaie in hierdie see wat so stil soos 'n
dam in die amperse volmaan glinster nie. En sy is tog lankal nie meer
'n beteuterde tiener wat bang is vir alles van haaie en onderwysers tot
seks en skemerkelkies nie.

Sy stroop haar rok oor haar kop en gooi dit na die handdoek op
die strand agter haar. Hier staan sy nou in haar onderklere in die see.
Niemand kan haar sien nie, die strandjie is verlate, die water lyk onge-
looflik aanloklik. En as sy dapper genoeg is om in haar onderklere te
swem, kan sy net sowel kaal swem. Sy knip haar wit katoenbra los, blitsig,
voordat haar moed haar begewe, en klim uit haar katoenbroekie, gooi die
bondeltjie ook agtertoe na die handdoek, en hardloop laggend die see in.

Soos daardie jong meisie in *Jaws*.

Nee, besluit sy toe sy opkom vir asem, soos 'n "vry fokken vrou", om
vir Antjie Krog aan te haal. So skaamteloos eufories voel sy dat sy op haar
rug draai en 'n ruk lank net so in die maanlig lê en dryf, haar arms en
bene wyd oop, haar tepels hard van genot.

Wat op aarde sou Nini sê as sy dít moet hoor?

'n Kwartier later sit sy bibberend op die strand, met die te klein hotel-
handdoek om haar kaal lyf gedraai, die euforie nou vervaag, maar steeds
trots op haar waagmoed. En vir die eerste keer ná haar egskeiding twintig
jaar gelede onthou sy weer haar eerste – en tot vanaand enigste – kaal
maanligswem in die see. Of altans, vir die eerste keer laat sy haarself toe
om te onthou, want dit was saam met Theo, in die laat jare tagtig, toe
hulle nog verspot verlief was.

Kort voordat hy haar gevra het om te trou.

Dit was tydens 'n road trip al langs die Suid-Kaapse en Oos-Kaapse
kuslyn, deur Transkei, 'n baie aangename ompad tot by hulle eindbe-
stemming in Pretoria, die woonstel waar Theo se weduweema gewoon

het. Die oomblik toe hulle dáár opdaag, het alle aangenaamheid verdwyn. Maar gedurende die uitgerekte reis het Theresa nog nie geweet wat voorlê nie. Dat die skynheilige tannie van Pretoria met die eerste oogopslag sou besluit haar toekomstige skoondogter is 'n loskop flerrie uit wie se kloue sy haar seun moes bevry. Dat sy sou aandring dat haar seun op die rusbank in die sitkamer slaap, nie saam met sy meisie in die enigste gastekamer nie, dat dit sou lei tot 'n heftige argument tussen ma en seun, dat Theo Theresa se hand sou gryp en haar by die voordeur sou uitsleep om saam met haar in 'n goedkoop hotel te gaan slaap.

"Ek kan nie glo dis hoe Ma die vrou behandel met wie ek wil trou nie!" was sy laaste woedende uitroep voordat hy die deur agter hom toegeklap het.

In die hysbak – wat destyds silwerskoon was en altyd gewerk het – het Theresa verdwaas na Theo gestaar.

"Wil jy met my trou?" Haar stem was flou van skok.

"Natuurlik. Wil jy nie?"

"Ek weet nie. Seker. Ja. Ek dink ek wil." Sy het haar verskrikte gesig in die hysbakspieël gesien, haar neusvel wat afdop van te veel son, haar lang blonde hare nog gekoek van seewater, en sy het hulpeloos begin giggel. "Ek sou net graag 'n meer romantiese huweliksaansoek wou gehad het …"

Hy het op sy een knie neergesak, sy oop palm na haar uitgehou. "Wil jy met my trou, Marais?"

Voordat sy kon antwoord, het die hysbak se deur oopgeskuif. Twee kaalvoetmeisietjies wat vlak voor die deur gewag het, het grootoog na hulle gestaar.

Theo het met 'n verleë grynslag opgestaan en die kinders het mekaar se hande styf vasgehou terwyl hulle skrikkerig by die hysbak inskuifel. Theresa kon nie ophou giggel nie.

Maar sy het nooit amptelik ja gesê nie.

En hy het altyd volgehou dat sy hóm gevra het. Daardie eerste verdwaasde "Wil jy met my trou?" het immers uit háár mond gekom. Maar dit maak nie saak wie vir wie gevra het nie, het sy haarself later wysgemaak, 'n huweliksaansoek in 'n hysbak in Pretoria tel nie rêrig nie.

Die nag toe hulle op 'n verlate strand aan die Transkeise kus kaal onder 'n halwe maan geswem het, is gelukkig 'n meer romantiese herinnering.

Hulle het albei 'n bietjie te veel gedrink, net genoeg om enige onnodige vrees vir haaie of gevaarlike seestrome of middernagtelike verdrinking te verdryf, nie genoeg om die dieper water heeltemal roekeloos aan te durf nie.

Hulle het in die vlak branders rondgeplas en hand aan hand uit die see gehardloop en op die sand neergeval en mekaar met hulle afgestroopte kledingstukke probeer droogvryf. Hulle het nie handdoeke saamgebring toe hulle van hulle tentjie na die strand gestap het nie. Hulle het nie beplan om te gaan swem nie. Alles het spontaan gebeur. Die afdrogery het onvermydelik in 'n vryery ontaard en hulle het net daar op die strand liefde gemaak, hulle klam lywe spoedig bedek met 'n laag sand soos kos wat in meel gerol is voor dit gebraai word. Daar was sand in hulle ore en tussen hulle vingers en later selfs op hulle tonge, maar dit het hulle nie gekeer nie, niks kon hulle gekeer het nie. Die dreuning van die branders – soveel harder as die geklots van hierdie Kubaanse golfies – het alle geluide behalwe hulle hygende asemhaling uitgedoof. Dit was een van die beste orgasmes wat hulle ooit saam bereik het. Of ooit saam sou bereik.

Maar dít het hulle natuurlik ook nie daardie nag geweet nie.

Dit was waarskynlik die begin van die einde. Of die einde van die begin? G'n wonder sy wou dit voorheen nie onthou nie.

Toe hulle eindelik weer hulle klere oor hulle taai, sanderige lywe aantrek, het sy gebieg dat sy nog altyd te bang was om snags in die see te swem.

"Onthou jy die somer van *Jaws*?" het sy gevra. "Negentien-vyf-en-sewentig?" Hy het nie geantwoord nie. Laggend het sy voortgegaan, domonnosel: "Daai fliek het die see snags vir my bederf. Vir die res van my lewe, het ek gedog. Tot vanaand."

Sy het vraend na hom gekyk toe hy steeds niks sê nie, net stip na die donker see en die druisende branders staar.

"Theo?"

"Daai somer was ek in die army. Aan die grens. Waar daar nie haaie was nie."

Sy stem het dof geklink, asof hy deur 'n doek praat, en toe hy sy kop na haar draai, was daar 'n blik in sy oë wat sy daarna nooit weer sou vergeet nie. Soos 'n gordyn wat vinnig weggeruk word om jou 'n swart gat te wys waarvan jy salig onbewus was. En so vinnig weer teruggeruk word dat jy onmiddellik wonder of dit nie net jou verbeelding was nie.

Dis wat Theresa in die dae en weke en maande daarna sou hoop, want sy het nie kans gesien vir 'n man wat só 'n swart gat in hom wegsteek nie. Toe al het sy vermoed sy sou altyd aangetrokke wees tot afvlerkvoëls met donker dieptes. Maar nie só donker nie. Fok weet, nie só diep nie.

Die nag op die Transkeise strand het sy net haar arm oor sy skouers gegooi en haar kop teen sy nek gedruk. Sy kon nie aan 'n enkele troos-woord dink nie. Sy was nie dáár nie. Wat kon sy sê?

17. STUKKENDE SPEELGOED

Toe Theresa by die eetsaal instap, sit Ruben reeds aan tafel, besig om 'n enorme ontbyt te verorber. Nie juis wat sy oggendkos sou noem nie. Daar is enigiets van rys en vleis tot slaaie op sy bord, maar sy onthou Oreste se skertsende opmerking oor hoekom die Kubane so baie van buffetetes hou en besluit om eerder niks te sê nie. Sy gaan skink gou 'n koppie gitswart koffie, gryp 'n bakkie vars vrugteslaai van die buffet-toonbank af, plak haar nuuskierig langs hom neer. Hy lyk in sy noppies terwyl hy sit en kou.

"Jy's in 'n goeie bui?" skimp sy.

"Ek het 'n baie suksesvolle aand gehad," sê hy toe hy eindelik klaar gekou het. "Ek het Benita gebel."

"Benita Madrigal Rosabal?" Haar stem is tartend om haar verbasing weg te steek. Benita het vir haar soos die jagter in hierdie storie gelyk. Die jagse jagter. Sy kry summier skaam vir haar neerbuigende houding. "Bly om te hoor jy was suksesvol."

"Dis nie wat ek bedoel nie." Hy bloos sowaar!

Sy sluk haar koffie en kyk met nuwe belangstelling na hom.

"Ek het haar gebel omdat ek skielik besef het as haar familie en die Amats huise omgeruil het, sou sy mos die adres van haar familie se vo-rige huis hê – waarin minstens één van die Amats moontlik nog woon?"

"En?"

"Ek weet nie hoekom ek nie gistermiddag by haar huis al daaraan gedink het nie," sê Ruben kopskuddend.

"Jy't seker maar 'n verskoning gesoek om haar weer te sien," terg sy.

"Nee, dis nie ..." Hy byt sy eie woorde af, vat 'n hap rys, kou rustig terwyl sy wag. Aspris stadig. Natuurlik om haar te straf oor haar voor-barige tergery. "Sy't gesê as ek by haar kom eet, sal sy my die adres gee. En haar bes doen om my te help om die mense in die huis op te spoor."

"En?"

"Sy't baie lekker kosgemaak." Sy donker oë glinster en sy wonder of hy háár nou terg. Sy bord is byna leeg geëet, maar hy is klaarblyklik nog nie klaar met hierdie ontbyt nie. Hy vat 'n hap van die sny brood met kaas op sy kleinbordjie en sluk dit met koffie af. "En sy't nie net vir my die adres gegee nie, sy't 'n ou vriendin gebel wat in dieselfde buurt woon, en dié vrou kon bevestig dat Ramira Amat se jongste dogter nog steeds daar woon. Clara Duarte Amat."

"Clara," sê Theresa. "Soos haar ouma."

Ruben lig sy wenkbroue, verbaas dat sy die ouma se naam onthou.

Maar sy het die familie se grafstene afgeneem en gisteraand toe sy nie kon slaap nie, lank na die foto's op haar selfoonskerm lê en staar. Ietwat moedeloos, want sy het begin vrees dat Mercedes Perez Amat se spoor net daar in die begraafplaas van Cienfuegos sou doodloop.

"Sy's glo 'n kleuterskooljuffrou, gewoonlik smiddae by die huis, so ons kan vanmiddag 'n draai by haar gaan gooi."

"Vanmiddag!" Dis 'n uitroep eerder as 'n vraag, 'n kreet wat bo die gekletter van eetgerei en die geklets by ander tafels uitstyg.

"Ja, sy woon in Trinidad, dis naby genoeg dat ons die dag daar kan deurbring en vanaand weer hier kan kom slaap."

"Wat sou ek sonder jou gedoen het, Ruben?"

"Jy moet eintlik vir Benita bedank." Nou is sy oë ongetwyfeld ondeund. "Wat sou ons sonder háár gedoen het?"

"Wel. Ek vermoed jy't haar reeds op 'n gepaste manier bedank," sê sy met 'n onderdrukte grinnik. "En as ons vandag enige nuwe inligting kry, kan jy haar vanaand wéér bedank, nè?"

Dis jammer dat daardie wittand-glimlag in sy swartgrys baard so skaars is, want dit laat hom onmiddellik soveel jonger en ligter en gelukkiger lyk.

Trinidad behoort in elk geval op enige toeris in dié land se lysie te wees, het Ruben haar op pad hierheen meegedeel. Sy is nie "enige toeris" nie, wou sy eers weer protesteer, maar die refrein begin selfs vir haar 'n bietjie hol klink, daarom het sy bloot geknik en verder uitgevra. Die stadjie is vroeg in die sestiende eeu deur Velázquez gestig, het Ruben agter die stuur van die Plymouth vertel, en word vandag beskou as 'n skat van koloniale argitektuur wat deur Unesco beskerm word.

En noudat sy op die Plaza Mayor staan, kan sy sien waarom. Breë bleek keisteenstrate omsoom deur geboue wat in pastelkleure geverf is, ligblou en lentegroen, kuikengeel en kersiebloeiselpienk, soms met vensterrame en deure in verrassend kontrasterende kleure. 'n Wilgergroen voordeur in 'n hemelblou fasade. Heldergeel hortjies teen 'n afskilferende pienk muur. Die geheelindruk is van 'n vrolike babakamer of 'n prettige kleuterpartytjie.

Theresa kén kleuterpartytjies. Sy moes jare lank haar susterskinders se verjaardagpartytjies bywoon – die kinderlose tante tussen al die vrugbare mammas – en hoewel sy meestal teensinnig opgedaag het, het sy haar gewoonlik gelate deur die uitbundigheid om haar laat meevoer. Dis hoe sy nou in Trinidad voel, asof sy haar soos al die ander toeriste om haar wil gedra. Sy haal selfs haar selfoon uit om 'n paar foto's te neem terwyl sy saam met Ruben verby die bont markkraampies in die strate drentel.

Hy het haar verseker dat hulle genoeg tyd het om toeris te speel; hulle kan in elk geval eers ná drieuur vanmiddag vir Clara Duarte Amat sien. Benita het Ruben gebel terwyl hulle nog op pad was na Trinidad en trots aangekondig dat haar vriendin sommer gou voor werk vanoggend by Clara se huis gaan aanklop het. Net om seker te maak dat Clara vanmiddag tuis sal wees. Ruben het haar hartlik bedank voordat hy afgelui het, sy diep stem warmer as gewoonlik.

"Sy is omtrent op jou spoor, nè?" het Theresa geamuseerd opgemerk.

Hy het sy skouers gelig, sy oë steeds op die pad. "'n Man moet doen wat 'n man moet doen, nè?" Maar 'n paar oomblikke later het hy besorg na haar gekyk. "En as hierdie Clara ons nie verder kan help nie?"

"Ek weet nie, Ruben. Dan moet ons seker maar môre na Havana teruggaan? Dalk kan ek daar nog iets uitvind ..."

Maar sy weet sy probeer haarself flous. Indien Clara nie vandag 'n nuwe leidraad kan verskaf nie, het die spoor na die Kubaanse soldaat se dogter inderdaad doodgeloop.

"Wanneer moet jy terugvlieg?"

"Oor vyf dae."

"Moenie moed opgee nie," het Ruben gesê en haar hand vertroostend gedruk. "Baie kan in vyf dae gebeur."

Sy het verras afgekyk na sy reusagtige hand wat hare heeltemal verdwerg. Of hy haar verrassing opgemerk het, weet sy nie, maar die volgende oomblik was albei sy hande weer op die stuur.

"Ek hoop jy's reg," het sy sonder veel oortuiging gesê.

Ruben lei haar na 'n kroeg waar toeriste verskillende soorte rum kan proe terwyl 'n plaaslike orkessie tradisionele musiek maak. Sy huiwer op die drumpel en skud haar kop onseker. Binne lyk dit plesierig, aanloklik koel en skemerdonker, in teenstelling met die skerp sonlig buite wat deur die wit keistene van die strate weerkaats word. Sy weet hy wil haar bloot vir 'n rukkie laat vergeet van die onafgelewerde brief in haar handsak, van haar soektog wat moontlik niks gaan oplewer nie, maar sy aarsel nogtans.

"Wat van jou?" vra sy. "Jy drink mos nie rum nie?"

"Ek het oorgenoeg rum in my lewe gedrink." Hy klink byna nostalgies. "Ek weet hoe dit proe."

"Maar is dit nie vir jou … frustrerend om te sit en kyk hoe 'n spul mense om jou dronk word nie?"

"Ek werk deeltyds in 'n kroeg," herinner hy haar met 'n skewe glimlag.

"Presies. Nou hóéf jy dit nie te doen nie."

"Ek wíl dit doen, Theresa."

Hy sit sy hand teen haar rug om haar saggies vorentoe te druk, tot sy laggend oor die drumpel tree.

"Ek is mal oor die manier waarop jy my naam sê."

Hy frons verleë onder die rand van die panamahoed. "Jammer, ek weet my Engelse uitspraak is nie waffers nie—"

"Nee, ek sê mos ek hou daarvan! Buitendien, ek kan skaars drie sinne in Spaans sê, so ek is heeltemal afhanklik van jou Engels."

"Wat kan jy in Spaans sê?" vra hy terwyl hulle tussen die toeriste deur na die kroegtoonbank beur.

"Un vaso de vino blanco, por favor." Die herinnering tref haar in die waaie van haar bene, laat haar wankelrig teen die toonbank leun. Die begin van haar en Theo se verhouding. 'n Enkele sin in 'n vreemde taal wat alles verander het.

"Ons het nie wyn hier nie," antwoord die jong kroegman agter die toonbank in goeie Engels. "This is a rum joint."

"Hy't my verstaan," prewel sy verbouereerd.

"Dis dalk tyd dat jy nog 'n paar Spaanse frases leer," merk Ruben droog-weg op.

Op pad terug na die straat waar die Plymouth geparkeer is, stap hulle verby 'n huis met 'n oop voordeur wat haar laat vassteek. Die voorkamer is blinkskoon en leeg, geen meubels, geen ornamente, net 'n enkele stoel waarop 'n pop in 'n uitspattige uitrusting van glansende geel satyn sit. Die pop is so groot soos 'n baba, maar glad nie soos 'n baba aangetrek nie. Die satyngewaad hang tot op die vloer en 'n soort tulband-hooftooisel is om haar kop gedrapeer. Dis so 'n bisarre prentjie dat Theresa met die eerste oogopslag wonder of sy nie te veel rum geproe het nie.

"Dis 'n casa de santos," verduidelik Ruben. "'n Huistempel waarin 'n Santeria-priester woon. Het jy nog nooit van Santeria gehoor nie?" vra hy toe sy steeds onbegrypend na hom staar.

"Ek verbeel my ek het iets daaroor in my gidsboekie gesien. Dis 'n soort sekte wat hier onder swart slawe ontstaan het, is dit nie? Soos voedoe?"

"'n Mengsel van Wes-Afrikaanse rituele en Rooms-Katolieke in-vloede."

"Maar wat soek die snaakse pop daar op die stoel?"

"Dis 'n altaar, soos in die Katolieke kerk. Die pop is die afbeelding van 'n heilige. Daai geel ene is Ochún, dink ek, die beskermheilige van Kuba. Godin van liefde en skoonheid en water en ek weet nie wat nog alles nie. Maar die Santeria-heiliges is baie minder 'heilig' as die Ka-tolieke s'n. Of dalk net minder skynheilig," voeg hy by toe hulle ver-der stap.

"Hoekom sê jy so?" Sy kyk onderlangs na hom.

Hy is nie 'n professionele gids soos Oreste wat aanmekaar oorbodige inligting uitdeel nie, hy strooi net sulke krummels wat sy self verder moet volg. Dalk juis daarom dat sy die krummels meer waardeer as Oreste se stortvloed van feite.

"Wel, Ochún was glo 'n wulpse jong maagd wat graag kaal gedans het. Vreeslik sensueel. Moes die arme mans mal gemaak het. En ná haar huwelik was sy ontrou, so sê hulle, omdat haar man haar nie seksueel bevredig het nie."

"Nou toe nou." Theresa kan nie anders as om te grinnik nie. "Dit klink of die Santeria-geloof vir vroue meer vryheid gegun het as enige Christelike geloof waaraan ek kan dink."

"Die rituele het ook maar allerhande macho reëls. Dinge wat net mans mag doen om viriliteit te verseker en so aan."

"Nogtans. 'n Wulpse vroulike heilige wat kaal dans en van seks hou? Weet jy hoeveel meer bevry vroue wêreldwyd sou gewees het as ons meer sulke heiliges gehad het?" Sy lag vang haar onkant, 'n dreuning wat diep uit sy bors kom, selfs dieper as sy stem. "Nou verstaan ek waarom Kubaanse vroue 'n internasionale reputasie vir sensualiteit het."

"Het hulle?" vra hy kamma verbaas.

"Dink maar aan Benita Madrigal Rosabal!" roep sy laggend uit.

"Ek probeer baie hard om nié aan haar te dink nie," sug hy.

Sy kan nie agterkom of hy spot of ernstig is nie.

Clara Duarte Amat is 'n kort vroutjie met sagte rondings en 'n oop kinderlike gesig – wye bruin oë, 'n knopneusie, rosige ronde wange en kort krullerige hare in 'n moeitelose informele styl geknip. Sy dra geen grimering nie, jeans en 'n wye hemp en plakkies aan haar voete.

No nonsense, dis die frase wat by Theresa opkom terwyl sy hulle op die stoep van haar huis met die hand groet.

Maar sy haal onmiddellik die wind uit Theresa se seile. Sy het geen kontak met haar niggie Mercedes nie, sê sy, ook nie die vaagste benul wat van haar kon geword het nie. Sy nooi hulle nogtans om op die stoep te sit – dalk net omdat Theresa so teleurgesteld is dat dit lyk of haar knieë onder haar lyf gaan knak – en bied hulle iets aan om te drink.

Theresa sak op 'n plastiekstoel neer en skud haar kop, maar Ruben aanvaar die aanbod namens hulle albei.

Nadat Clara in die huis verdwyn het, kyk Theresa hulpeloos na Ruben. "Wat nou?"

"Kom ons hoor wat sy sê," troos hy op sy rustige manier en gaan sit op 'n plastiekstoeltjie wat soos 'n kind se speelding onder sy groot lyf kraak. "Dalk kan sy ons tog iets vertel wat ons nog nie weet nie?"

Hulle wag in stilte totdat Clara weer verskyn. Sy dra 'n skinkbord met drie glase ystee en 'n bekertjie koeldrank vir 'n kind – 'n kleuter met sy ma se groot donker oë wat agter haar bene wegkruip en nuuskierig na hulle staar. Clara gaan sit en laat hom toe om op haar skoot te klouter.

"Vra haar of daar niemand anders in haar familie is wat enige kontak met Mercedes het nie," sê Theresa vir Ruben, haar stem hees van onderdrukte hoop.

Clara verras haar deur te glimlag en te sê dat sy Engels verstaan. Maar sy glo nie iemand in die familie kan hulle help nie. "Dis ingewikkeld," maak sy verskoning, duidelik ongemaklik. Sy bly 'n oomblik lank stil, asof sy wonder wat sy hulle kan vertel, en gaan in Engels voort. "Ek is die jongste van drie kinders. My broer en suster is omtrent tien jaar ouer as ek. Hulle is Mercedes se tydgenote. Andres en Aleja. Hulle was van jongs af maats, lank voor ek gebore is, al het hulle mekaar eintlik net vakansies gesien wanneer Mercedes en haar ma by die familie kom kuier het. Toe hulle al drie tieners was en ek net 'n chiquita, 'n klein dogtertjie, het hulle my nie toegelaat om saam met hulle rond te hang nie, so ek het nooit rêrig kans gekry om haar te leer ken nie ..."

Theresa glimlag simpatiek. Sy onthou maar te goed hoe naar sy met haar eie sussie was. En Sandra is skaars drie jaar jonger as sy.

"Die laaste keer wat ek haar gesien het, was by die begrafnis van abuelita Clara – my ouma – meer as tien jaar gelede. Maar toe het Andres reeds verdwyn, wat die vriendskap tussen Mercedes en Aleja bederf het. Die begrafnis was baie ... una tensa atmósfera!" Sy lag triestig terwyl sy oor haar kind se glansende swart krulhare streel. "Ek weet begrafnisse is nie veronderstel om vrolik te wees nie, maar dié ene was rêrig aaklig."

"Wat het van Andres geword?" vra Theresa versigtig.

"Hy't na die VSA gevlug. In 'n tuisgemaakte bootjie. Politieke asiel gesoek." Clara frons en kyk onseker na Ruben. "Ek weet nie of ek enigiets verder moet sê nie."

"Ek verseker jou wat jy ook al sê, bly tussen ons," sê Ruben sag.

Theresa sien hoe hulle mekaar 'n paar oomblikke lank woordeloos takseer. Dan besluit Clara blykbaar om Ruben te vertrou. Sy skep diep asem en draai na Theresa: "Mercedes was een van daai Kubane wat rêrig hart en siel in la revolución geglo het. Ek sê was, want ek weet nie of sy intussen verander het nie. Ek bedoel, ons glo almal in die revolusie," voeg sy gou by, vermoedelik ter wille van Ruben, "maar die meeste van ons kan nogtans sien dat ons nie una sociedad ideal geskep het nie. Ons het 'n eenpartystaat, al meer as 'n halwe eeu lank, en ons is nie juis 'n voorbeeld van vryheid van spraak nie. Kyk net hoe bang is ek nou om reguit met julle te praat."

Theresa leun vooroor in haar stoel, want Clara se stem sak al hoe laer en sy sukkel om haar gebrekkige Engelse uitspraak te verstaan. "En Mercedes?"

"Wel, sy't seker nie geglo ons woon in el paraíso nie. Sy was heeltemal te slim om in enige soort paradys te glo. Maar sy't nogtans vasgeklou aan die idee van la revolución. Onthou, haar pa is dood in die naam van hierdie revolusie, toe hy daar in Afrika teen jou mense gaan baklei het, en sy was altyd geneig om hom … a idolatrar, om hom te verafgod, al het sy hom nooit geken nie. Of dalk juis omdat sy hom nooit geken het nie."

"My mense," mompel Theresa verontskuldigend. "Dis juis hoekom ek Mercedes wil vind, om te vergoed vir wat my mense gedoen het."

Clara laat rus haar ken op haar kind se kop. "Ek's rêrig jammer ek kan jou nie help nie. Mercedes het my broer se vlugtog na die VSA beskou as die diepste moontlike traición. Verraad. Nie net teenoor sy land nie, maar teenoor háár, sy prima, sy niggie. En toe Aleja my broer se kant kies … wel, dit was die einde van húlle vriendskap ook."

"En jou ouma se begrafnis?" probeer Ruben pols. "Kan jy nie onthou waar Mercedes daai tyd gewoon of gewerk het nie?"

"Sy was vriendelik met my," mymer Clara met 'n veraf trek in haar oë. "Ek dink sy was jammer vir my omdat my ma dood is toe ek nog jonk was, soos haar ma ook. En sy't seker besef dis die laaste keer wat sy enigeen in die familie sou sien. Abuelita Clara het almal bymekaar gehou, ondanks al die politieke verskille, maar ná haar dood …"

Hulle sit 'n ruk lank in stilte.

Die kind het van sy ma se skoot afgespring en in 'n boks met ou speelgoed 'n ent verder op die stoep begin krap. Stukkende karretjies en verflenterde lapdiere wat voorheen aan ander kinders behoort het, dalk selfs aan sy ouers toe hulle klein was. Op hierdie afgesonderde eiland word niks mos weggegooi nie.

"En waar woon jou suster nou?" vra Theresa.

"In Havana. Sy's 'n verpleegster. Sy en Mercedes het in 'n stadium saam in 'n hospitaal in Havana gewerk. Toe Mercedes nog besig was met haar mediese studie."

"Het sy klaar gestudeer? Het sy 'n dokter geword?" Theresa hoor die desperaatheid in haar eie stem en besef net weer hoe min sy eintlik nog van dié Mercedes weet. En toe Clara knik: "Sal jou suster nie dalk weet by watter hospitaal sy daarná gaan werk het nie? Enige leidraad wat ons kan opvolg. Enigiets."

"Ons ry môre terug na Havana," sê Ruben. "As jy vir ons 'n foonnommer kan gee, kan ons haar kontak."

Clara byt op haar lip, kyk na die kind wat met 'n klomp kleurvolle plastiekblokkies sit en speel. "Ek dink nie dis 'n goeie idee om te bel nie. Dit sal dalk net ou wonde oopkrap. Heel waarskynlik sal sy die foon in jou oor neersit."

Theresa voel haar laaste bietjie hoop wegvloei, soos water uit 'n leë bad. Sy draai haar kop en hou haar hand voor haar gesig sodat hulle nie kan sien hoe hard sy teen die trane moet stry nie. Dan merk sy op dat die seuntjie sy hand ook voor sy gesig hou en deur sy vingers vir haar loer. Hy dink dis 'n speletjie. Sy sprei haar vingers oop sodat sy vir hom kan loer, maak haar vingers weer toe, glimlag onwillekeurig toe hy giggel.

"Romero hou van jou," sê Clara verras.

"Dankie vir jou tyd en jou beleefdheid." Theresa staan op om te loop.

Clara bly sit. "Daar's 'n ander moontlikheid," sê sy aarselend. "Aleja is op Facebook. Ek weet nie … miskien kan julle haar op dié manier kontak … 'n private boodskap stuur? Dit gee haar darem bietjie tyd om te dink of sy wil antwoord of nie …"

"A!" Ruben kyk ingenome na Theresa. "Uiteindelik gaan jy kans kry om jou splinternuwe Facebook-rekening te gebruik."

"Dis nou te sê as ek iewers ordentlike internetontvangs kan kry."

"Ons sal dit hier in Trinidad uitsorteer." Ruben staan onmiddellik op uit die krakende plastiekstoeltjie, verlig dat daar weer 'n vonkie hoop is wat hulle in die donker kan volg. "Hier's baie toeriste, hier sal iewers 'n kafee met internet wees."

"Ek het ongelukkig nie self wi-fi nie," sê Clara terwyl sy 'n selfoon uit haar jeans se sak haal en vinnig op die skerm tik. "Maar ek kan vir julle 'n onlangse foto van Aleja wys. Wat dit makliker sal maak om haar op Facebook te vind?"

Sy wys die skerm vir Theresa: 'n ouer, skraler, strenger weergawe van die vrou wat hier voor hulle staan. Tensy dit slegs die verpleeg-ster se uniform is wat haar strenger laat lyk. Maar dis duidelik Clara se suster.

"Jy't nie dalk 'n foto van Mercedes ook nie?" vra die ewig hoopvolle Ruben.

"Weet julle glad nie hoe sy lyk nie?"

"Ons het net 'n foto van toe sy nog 'n dogtertjie was," sê Theresa.

"Wel, ek het natuurlik niks onlangs nie." Clara soek gou deur die ouer foto's op haar skerm. "Maar ek het moontlik ... A! Hier's 'n groep-foto wat op abuelita Clara se begrafnis geneem is. Mercedes is die mooi vrou wat heel links staan," wys Clara. "Die enigste een wat nie swart of wit dra nie. Die res van die familie het gedink hierdie blou geblomde rok is un escándalo! Geen respek vir die dood nie. Maar Mercedes het gesê blou was haar ouma se gunstelingkleur en sy dra die rok vir abuelita Clara, nie vir die familie nie."

Theresa neem die selfoon uit Clara se hand en kyk aandagtig na die skerm. Sowat 'n dosyn familielede poseer voor 'n paar palmbome, almal ietwat oorbelig in die verblindende sonlig, buiten die lenige vrou met die kort donker hare en die blou rok wat effens eenkant van die groep staan, in die skadu van 'n palm. Dis nie al wat haar van die res onderskei nie. Sy is die enigste een wat glimlag, en al is dit 'n toemond-glimlag, meewarig eerder as vrolik, val dit nogtans op tussen al die somber be-grafnisgesigte.

Theresa se maag trek saam, soos elke keer wanneer sy 'n bietjie nader aan die ontwykende Mercedes Perez Amat kom. Sy kan nie ophou kyk nie, dis asof sy die onduidelike gesiggie op die kiekie in haar geheue wil inbrand.

Ruben merk op hoe onwillig sy is om die selfoon terug te gee en vra of Clara die foto na sy foonnommer sal stuur. Terwyl hy en Clara nommers uitruil, kyk Theresa vir die eerste keer behoorlik na die ander mense op die foto. Tot op dié oomblik het sy net oë vir die buitestaan-der in die blou blomrok gehad, maar nou herken sy ook vir Aleja in 'n swart uitrusting en 'n jeugdige Clara in 'n maagdelike wit rok aan die regterkant van die groep. Dis twaalf jaar gelede, herinner sy haarself, teen dié tyd lyk Mercedes miskien heeltemal anders. Sy kon haar hare gekleur of laat groei het, gewig opgetel het, plooie bygekry het, moontlik selfs grys geword het. Sy is weliswaar skaars veertig jaar oud, maar baie van die Latyns-Amerikaanse vroue wat Theresa die afgelope dae gesien het, lyk asof hulle skoonheid en sensualiteit op 'n vroeë leeftyd begin verwelk.

"Sy was nog nie dertig nie, of hoe?" vra sy toe sy die foon teruggee.

"Ja. 'n Bietjie jonger as wat ek nou is," bevestig Clara terwyl sy ingedagte na die foto staar. "Ek onthou nou iets wat iemand dié dag gesê het … een van die nare ou tantes … dat dit ook maar goed is dat Mercedes nou op die verste punt van Kuba gaan werk. Voordat sy die hele familie uitmekaar laat skeur."

"Die verste punt?" vra Ruben gretig. "Guantanamo se rigting?"

"Nee, die teenoorgestelde kant. Noordwes. Pinar del Río? Viñales?" Clara skud haar kop, fronsend, sukkel om die herinnering uit haar geheue op te diep. "Ek is amper seker iemand het van Viñales gepraat. Maar ek wil julle nie op 'n dwaalspoor lei nie."

"'n Dwaalspoor is darem steeds 'n spoor," sê Ruben. "Dis beter as 'n doodloopstraat."

"Dalk kan jou suster in Havana dit bevestig? Dat sy in daardie deel van die land beland het?" Theresa verwens die hoopvolheid wat sy eensklaps weer in haar stem bespeur. Sy gaan tog net weer teleurgestel word.

"Ek weet nie," sê Clara met 'n hulpelose skouerophaling. Romero het intussen begin neul om sy ma se aandag te trek. Clara tel die seuntjie op haar heup en wieg hom heen en weer terwyl sy hulle groet. Toe hulle reeds omgedraai het om terug na die straat te stap, sê sy: "Luister, as julle vir Mercedes vind, sê tog vir haar baie van ons dink steeds haar pa was 'n held. Al die Kubane wat in daai oorlog dood is, was helde. Al wonder party van ons vandag waarvoor hulle nou eintlik moes doodgegaan het."

Dieselfde kan seker van al die Suid-Afrikaanse soldate gesê word, dink Theresa toe sy in die Plymouth klim wat in die straat voor Clara se pienk huisie geparkeer is. En tog. Wat van ouens soos Lynette se broer wat so gretig was om te gaan "kaffers doodmaak"? Kan jy iemand soos Waldie Raubenheimer vergewe omdat hy net nog 'n gebreinspoelde jongeling was? Net nog méér gebreinspoel as Theo van Velden en derduisende ander? Dan moet jy mos alle soldate in alle oorloë vir hulle gruweldade vergewe? Omdat oorlog nie anders kan as om tot gruweldade te lei nie?

Haar kop is so vol ongemaklike vrae dat sy skaars sien hoe die vrou op die stoep met die kind op die heup vir hulle waai toe hulle wegry. Ruben waai namens haar, 'n wye en dankbare gebaar.

"Nou gaan ons 'n kafee of 'n hotel met wi-fi soek sodat ons hierdie Aleja kan kontak," stel hy oordrewe opgeruimd voor.

"En dan?" Haar stem is flou.

"As sy instem, kan ons haar môre in Havana gaan sien. As sy weier of nie op die boodskap reageer nie, ry ons steeds môre Havana toe – dis in elk geval op die pad na Viñales – en bly die nag daar oor. En as ons g'n ander spoor in Havana kan vind nie, ry ons oormôre na Viñales."

"Maar moet jy nie werk nie? Ek bedoel, dis baie gaaf van jou, Ruben, maar hoe lank kan jy aanhou om my kruis en dwars deur Kuba te karwei?"

"My 'baas' het my 'n paar dae afgegee, soos jy weet. En dis nou eers die tweede dag."

"Sowaar," merk Theresa verwonderd op. "Dit voel soveel langer."

"Ek sê jou mos. Wie weet wat nog alles in die volgende paar dae kan gebeur?"

"Ruben." Sy draai skuins op haar sitplek om sy gesig en sy lyftaal goed dop te hou. Hy kyk reguit voor hom terwyl hy deur die breë stofstrate van Trinidad ry. "Wees nou eerlik met my, asseblief. Dink jy rêrig daar's 'n kans dat ek hierdie Mercedes kan opspoor voordat ek weer huis toe vlieg?"

Hy aarsel skaars vir 'n oomblik – maar dis 'n oomblik te lank, besluit Theresa – voordat hy antwoord. "Waarom anders sou ek so hard probeer om jou te help?"

Omdat jy 'n man met 'n goeie hart is, wil sy sê, maar dan merk sy die glimlag op wat hy in sy baard probeer wegsteek.

"Jy's 'n mooi vrou en jy's goeie geselskap, maar ek's darem nog nie só 'n desperate alleenloper dat ek 'kruis en dwars deur Kuba' sal ry net om 'n mooi vrou geselskap te hou nie."

Sy glimlag, dankbaar vir die kompliment.

"Luister, Theresa." Hy kyk vlugtig na haar, maar sy kan nie die uitdrukking in sy oë onder die rand van sy hoed sien nie. "As jy oor 'n paar dae in daai vliegtuig klim sonder dat jy die brief in jou handsak kon aflewer, moet jy jouself minstens kan troos dat jy alles in jou vermoë gedoen het om dit reg te kry. Dink jy nie so nie?"

18. 'N ROBYNROOI ROK

Een keer vantevore in haar lewe het sy haarself probeer oortuig dat sy "alles in haar vermoë" sou doen om 'n begeerte te vervul wat vir haar al hoe onmoontliker gevoel het. "As ons dan nou rêrig moet aanvaar dat ons kinderloos gaan bly," het Theresa op die aand van hulle derde huweliksherdenking vir Theo gesê, "wil ek myself minstens kan troos dat ek alles gedoen het wat ek kán om 'n kind te kry."

Haar stem was sag, smekend, selfs 'n bietjie desperaat. Onvanpas in die elegante restaurant waar hulle die geleentheid gevier het, tussen die klanke van kristalglase wat in heildronke gelig word en silwereetgerei wat oor porseleinborde geskraap word en die opgeruimde geselskap by die tafels rondom hulle.

In die romantiese beligting van flikkerende kerse en diskrete lampies kon sy die uitdrukking in haar man se oë nie lees nie. Hy het sy kop geskud en nog 'n sluk wyn gevat en verby haar gestaar, na 'n enorme abstrakte skildery teen die muur agter haar.

"Ons het nou genoeg gedoen, Theresa. Ons kan nie so voortfok nie."

"Ons moet juis voortfok." Flou grappie, het sy onmiddellik besef, maar dit was te laat om dit te keer. "Ek weet nie van enige ander manier om swanger te raak nie."

"Wel, daar was die Maagd in die Bybel ..." Met 'n sweem van spot om sy mondhoeke, wat haar verheug het, want solank hy kon spot, het sy hom nog nie heeltemal verloor nie. "Maar dit sal seker nie vir ons werk nie, nè?"

"Theo, kan ons nie net nog één keer die IVB-ding probeer doen nie? Asseblief?"

"Jissis, Theresa, asof dit nie erg genoeg is dat ons sekslewe lankal in sy moer is nie! Weet jy hoe háát ek dit om op 'n spesifieke dag en uur beveel te word om 'gemeenskap' te hê? Daar's fokkol plesier daaraan, dit het 'n plig geword; dit voel of ek dit met 'n vuurwapen teen my kop en 'n tikkende tydbom onder die bed moet doen. En ná die tyd lê jy daar soos 'n blerrie kadawer met jou bene in die lug om my saad so lank as moontlik in jou lyf te hou!" Sy stem het al hoe harder geword tot die paartjie by die naaste tafel nuuskierig na hulle gestaar het.

Theresa het verskonend geglimlag en haar man se hand gevat om hom te kalmeer. Hy het sy hand weggetrek en sy glas wyn in een teug leeg gesluk, sy oë toe asof hy dit nie meer kon verdra het om na haar te kyk nie. Dalk sien hy haar aanmekaar met haar bene in die lug.

Soos 'n blerrie kadawer.

"En toe dwing jy my boonop om aan die IVB-sirkus deel te neem."

"Ek het jou nie gedwing—"

"Dit was erger as al ons patetiese pogings om in die privaatheid van ons eie huis voort te plant. Om in 'n kliniese hokkie te sit en draadtrek sodat my saad geoes kan word en in 'n proefbuis—"

"Sjt. Jy praat te—"

"En daar's geen waarborg dat dit ooit sal werk nie, maak nie saak hoeveel keer ons nog probeer nie. Al wat tot dusver gebeur het, is dat jy gewig opgetel het, jy kan nie meer in jou klere pas nie, jy haat jou eie lyf, jy's heeltyd bedonnerd, want jou hormone is haywire – en jy's steeds nog net mooi niks nader aan swangerskap nie!"

"Ek was drie keer swanger," het sy gefluister, bang dat haar stem sou breek as sy harder moes praat, vuurwarm van skaamte omdat al hoe meer koppe in hulle rigting gedraai het.

"En dit was elke keer verby voordat dit behoorlik begin het. Voordat enigiemand anders agtergekom het jy verwag. Ek weet nie eens of mens sulke vroeë miskrame 'swangerskappe' kan noem nie."

Sy het ineengekrimp, gewens sy kon nog verder krimp, heeltemal onsigbaar word vir al die oë rondom hulle.

Hy het blykbaar besef dat hy te ver gegaan het. Sy stem het sagter geword en hy het sy hand oor die spierwit linnetafeldoek na haar uitgesteek: "Miskien gebeur dit weer eendag. Vanself. As ons ophou probéér. Miskien word jy eendag verwagtend en kry ons 'n kind. Wie weet. Maar ek sien nie kans om weer vir in vitro-bevrugting te gaan nie. Moet dit asseblief nooit weer vir my vra nie."

Sy het na sy hulpelose hand op die tafel gestaar, haar eie hande tussen haar knieë vasgeknyp, tussen die sagte voue van die robynrooi syrok wat sy spesiaal vir hierdie aand gekoop het. Omdat sy op haar mooiste wou lyk. Omdat sy hom wou verlei om in te stem om nog één keer die frustrerende proses van proefbuisbevrugting aan te durf.

Maar ook omdat al haar ander gunstelingrokke onvleiend styf om haar lyf gespan het. Omdat sy vet geword het, soos haar man tereg opgemerk het, vet en lelik en bedonnerd en wanhopig. Alles ter wille van hierdie onmoontlike begeerte. Wat sy nou moes prysgee.

Met 'n mompelende verskoning het sy opgespring en na die kleedkamer gevlug.

Vóór dié keerpunt in die herfs van 1993 het Theresa en Theo drie jaar van intense en uitputtende hoop belewe. Persoonlike hoop omdat hulle 'n pasgetroude paartjie was en politieke hoop omdat alles in die land oornag verander het. Hulle het in 1990 getrou, in die eerste euforiese weke nadat Nelson Mandela so onverwags vrygelaat is en Namibië onafhanklik verklaar is en die langdurige grensoorlog uiteindelik irrelevant geword het, terwyl die Nuwe Suid-Afrika dag ná dag voor hulle verbysterde oë gebore word. Soos alle geboortes sou dié een nie sonder pyn of bloedverlies wees nie, maar gedurende die eerste drie jaar het hulle nuutgevonde hoop hulle deur alles gedra.

Hoop is soos vloeistof wat in 'n breekbare kruik gestoor word, en hulle kruik het telkens in skerwe gespat, elke keer wanneer Theresa dink sy is swanger en dan begin sy weer bloei, elke keer wanneer bloeddorstige geweld weer in die land losbars. En tog is die houer elke keer wonderbaarlik herstel, oor en oor gevul met persoonlike en politieke hoop, soos ook met die meeste van hulle medeburgers gebeur het. Al die skerwe weer aanmekaar geplak, elke keer met meer krake as voorheen, die houer al hoe leliker. Maar skynbaar onvernietigbaar.

Tot op die herfsaand van hulle derde huweliksherdenking.

Chris Hani, een van die helde van die vryheidstryd, is enkele dae tevore deur verregse samesweerders vermoor, wat die land weer eens tot op die rand van 'n afgrond gedryf het. Agter hulle was al die opgekropte hoop en vreugde en gewilligheid om saam te werk; voor hulle was die gapende donkerte van chaos en geweld en nog meer bloedvergieting.

En kinderloosheid, het Theresa agter die toe toiletdeur van die deftige restaurant besef, dit was háár voorland.

169

Miskien is dit ook maar beter om nie in sulke onseker tye kinders in die lewe te bring nie, het sy haarself getroos. Sy was immers nie die soort vrou wat ooit geglo het dat moederskap 'n roeping behoort te wees nie. Voorheen kon sy haar altyd 'n bevredigende kinderlose lewe voorstel, 'n lewe gewy aan werk en boeke, aan vriendskap en reise, aan allerlei selfsugtige vreugdes wat drasties ingeperk sou word indien sy kinders moes grootmaak. Sy sou nie eens die woord "selfsugtig" gebruik het vir al die dinge wat sy nog wou gedoen het nie. Moederskap sou eerder 'n selfsugtige keuse wees as jy onseker is oor die toekoms wat jy jou kind kan bied.

Maar toe sy eers besef dat moederskap nie noodwendig 'n keuse is nie, altans nie vir haar nie, dat sy waarskynlik tot kinderloosheid gedoem is, het haar vae begeerte om kinders te kry 'n allesoorheersende obsessie begin word.

'n Obsessie wat besig was om haar man van haar weg te dryf, moes sy daar voor die vleiend beligte spieël van die stylvolle kleedkamer aan haarself erken, terwyl sy haar hande onder die koue kraanwater staan en was asof niks hulle ooit weer skoon sou kry nie. As sy haar verhouding met Theo wou red, moes sy hierdie onsinnige obsessie laat vaar.

Sy het haar trane afgedroog en die swart onder haar oë weggevryf en haar lippe weer robynrooi geverf – om by die nuwe rok te pas – en by haar man aan tafel gaan sit om die bottel wyn leeg te drink.

Maar hulle verhouding het onherroeplik verander. Jare later kon sy terugkyk na daardie toneel in die restaurant se kleedkamer, die vrou in die rooi rok wat haarself so vasberade regruk, en haar vinger op die denkbeeldige prentjie druk. Dís waar die hoop vir hulle begin uitlek het. Daar was te veel krake in die kruik, hulle kon dit nie weer herstel nie.

Dalk het dit uiteindelik maar min met hulle kinderloosheid te doen gehad. Moontlik bloot 'n sameloop van omstandighede, die atmosfeer in die land, hulle ouderdomme, toevallighede. Theo se lank onderdrukte depressie het soos 'n wilde dier uit 'n hok gebars. Nie die berugte swart hond waarvan almal altyd praat nie, eerder 'n beseerde swart beer, waansinnig van pyn, bereid om homself en almal rondom hom te verpletter om die pyn te laat ophou. Sy toenemende nagmerries was moontlik die sneller vir sy depressie, die byl wat die beer se hok oopgekap het. Terwyl hy voorheen net nou en dan deur sy oorlogsdrome gepla is, het dit nou weekliks gebeur. Soms selfs 'n paar nagte agtermekaar.

"Oorlogsdrome" is hoe Theresa daaraan gedink het, 'n vae newelagtige begrip, want hy het nooit die besonderhede met haar gedeel nie. Sy het magteloos lê en luister hoe hy in sy slaap swets en kerm en hyg, gevoel hoe sy lyf begin ruk tot hy swetend van angs wakker skrik, sy oë verstar. Wanneer sy hom wou troos, moederlik in haar arms wou toevou, het hy tot op die rand van die bed gerol en sy rug op haar gedraai. Soms het hulle ure lank so gelê, sonder om aan mekaar te raak, terwyl albei oordrewe reëlmatig asemhaal om mekaar te oortuig dat hulle weer ingesluimer het. Die nag het nie meer vir hulle rus gebring nie. Soggens het hulle uitgeput opgestaan.

"Is dit omdat diensplig nou afgestel word?" het sy een nag in 1993 vir sy rug gefluister. "Is dit nie soos 'n deksel wat gelig word om allerhande goggas in jou onderbewussyn te laat uitkruip nie?"

Hy het nie geantwoord nie, maar aan die effense verandering in die ritme van sy asemhaling kon sy hoor dat hy luister.

"Dis tog 'n soort amptelike erkenning dat al die jare van baklei eintlik nutteloos was? Nou word daar 'n nuwe weermag gevorm waarin die ou wit soldate en die swart 'terroriste' almal saam moet baklei. Teen wát, wonder ek?"

"Daar sal wel weer 'n denkbeeldige vyand gevind word." Sy woorde was amper onhoorbaar, asof hy sy mond aspris teen die kussing gedruk het. "En ek het nie 'n amptelike erkenning nodig om te weet dat die grensoorlog 'n sinlose klug was nie."

"Ja, maar—"

"En wat weet jy in elk geval van die 'goggas' in my onderbewussyn?"

Die skielike aggressie het haar altyd onverhoeds gevang. Sy moes eers 'n paar keer diep asemhaal voordat sy kon antwoord: "Ek weet niks, want daar's 'n spul dinge wat jy steeds weier om met my te deel. Ek kan maar net raai, uit wat jy in jou slaap sê en hoe jy stoei en sweet, dat jy nog nie klaar is met daai oorlog nie."

"Ek kan dit nie deel nie, so hou asseblief op om my soos 'n Sielkunde 1-student te probeer analiseer."

"Ek het nie eens Sielkunde 1 nie," het sy flou teengestribbel. "Maar ek weet dis altyd beter om oor trauma te praat as om dit te probeer onderdruk. Een of ander tyd gaan dit uitbars en dan—"

"Jissis, Theresa, daar is dinge waaroor mens nie kán praat nie. Jy moet net eenvoudig daarmee saamlewe, dis al. Ek weet nie of jy dít ooit sal verstaan nie."

Hy wou niks verder sê nie. Sy het in die maanlig wat deur die venster val na die homp van sy rug lê en staar. Om een of ander rede het dit haar aan 'n gestrande walvis herinner. Hy was steeds skraal, seningrig, geen oortollige vet aan sy lyf nie, niks wat 'n walvis oproep nie. Maar al wat sy kon sien, was die weerloosheid van sy gekromde skouers, die hulpeloosheid van sy opgetrekte bene, die magteloosheid van 'n dier wat stadig doodgaan.

19. HEMINGWAY SE BED

Toe sy vroegaand by die beskeie eetsaal van die rancho instap – nadat sy weer eens deur 'n horde beplooide zombies buite rondom die swembadkroeg moes beur – is Theresa verras om Ruben daar aan te tref. Vars aangetrek, sonder sy hoed, sy welige hare agteroor gekam en nog klam ná 'n stort. Sy was te lui om self ook skoon klere aan te trek. Die wit katoenuitrusting wat sy al heeldag dra, 'n oopknoophemp en 'n los langbroek, het teen dié tyd 'n stowwerige beige skynsel gekry en kleef verkreukel aan haar sweterige lyf. Sy het immers nie verwag dat sy geselskap aan tafel sou hê nie.

"Het jy nie 'n afspraak met Benita nie?" vra sy toe sy oorkant hom gaan sit.

Hy trek sy breë skouers op. "Ek sal ná ete 'n drankie saam met haar gaan drink. Om haar te bedank vir al haar hulp."

Sy weet steeds nie wat die geskikte toon is wanneer hulle oor Benita praat nie. "Jy laat dit soos plig eerder as plesier klink," sê sy dus maar, vaagweg geamuseerd.

"Benita is 'n baie behoeftige vrou," sê hy met 'n flits van 'n glimlag. "Ek glo nie ek kan al haar behoeftes bevredig nie."

Hy gaan niks verder sê nie. Toe hy opstaan om 'n bord kos by die buffettoonbank te gaan skep, kyk sy hom goedkeurend agterna. Vir 'n man met so 'n massiewe lyf, het hy 'n ligvoetse manier van stap. Hy sal moontlik 'n grasieuse danser wees.

En wat ook al tussen hom en Benita Madrigal Rosabal gebeur het of nog sal gebeur, het in elk geval niks met háár uit te waai nie. "Gentlemen don't kiss and tell". Só het haar ma altyd gesê wanneer Jacques wou spog oor al die meisies wat hy op universiteit verower het.

Die volgende oggend lyk hy moeër as gewoonlik aan tafel, maar sy eetlus is onaangetas, sy bord weer eens oorlaai met allerhande geregte wat hoegenaamd geen verband hou met Theresa se begrip van ontbyt nie. Sy weerstaan die versoeking om hom verder oor sy nagtelike avonture te pols. Dalk het hy bloot sleg geslaap weens die dreunende diskomusiek langs die swembad.

Sy vra hom eerder, so ongeërg as moontlik, of Clara se suster gereageer het op die Facebook-boodskap wat hulle die vorige dag uit Trinidad gestuur het.

"Nee." Hy skud sy kop. Sy hou haar gesig uitdrukkingloos, want sy het tog nie rêrig 'n reaksie verwag nie, het sy? Maar sy kry dit nie reg om hom te bluf nie, want hy voeg dadelik gerusstellend by: "Nog nie, maar dalk net omdat die wi-fi hier so sleg is. Kom ons hoop daar wag 'n boodskap by my woonstel in Havana."

"Kom ons hoop so." Sy sluk 'n glas vars koejawelsap af om 'n sug te keer. "Ek wou nog vir jou gevra het, Nini het my vertel daar's 'n soort bed-en-ontbyt-stelsel in Kuba wat deur die regering beheer word?"

"Alles in Kuba word deur die regering beheer," herinner hy haar droogweg.

"Waar toeriste in plaaslike inwoners se huise kan oornag? Glo goedkoper as hotelle. Is daar so iets naby jou woonstel waar ek vannag kan oorslaap?"

"Casas particulares," sê hy nadat hy rustig klaar gekou het. "Dis wat dit genoem word. Maar jy hoef nie onnodig geld uit te gee nie. Jy kan in my woonstel oorslaap."

Wáár? Sy woonplek het vir haar bitter beknop gelyk. En baie deurmekaar.

"Dis klaar gereël," sê hy asof hy haar skeptiese gedagtes lees. "My seun slaap nie vannag daar nie. Jy kan sy kamer kry. Hy sal die bed skoon oortrek en die ergste chaos opruim voor ons opdaag."

"Ek wil nie vir Amado uit sy kamer verdryf nie."

"Hy slaap gereeld by sy musikantvriende oor. As hulle tot laat saans konserte hou of repeteer. Dis rêrig nie 'n probleem nie."

Hy bekyk haar oor 'n vurk met kos, sien dat sy steeds huiwer. "Ek sal in die gesig gevat voel as jy gaan betaal om in iemand anders se huis te slaap. Spaar eerder jou geld vir Viñales, as ons daarheen ook moet gaan."

Met 'n dankbare kopknik aanvaar sy sy aanbod.

"Mi casa es su casa," verseker hy haar. "My huis is jou huis. Ons Kubane is veronderstel om 'n gasvrye spul te wees."

"Ons Boere ook. En hoe meer ek jou mense leer ken, hoe meer verstom is ek dat jou mense en my mense mekaar nog in ons eie leeftyd kon doodgemaak het."

Op die lang pad terug na Havana in die oop sportmotor praat hulle nie veel nie. Theresa begin gewoond raak aan die stiltes van hierdie groot man. Dis nie die swaar neerdrukkende stiltes wat Theo soos skanse om hom gebou het om almal van hom weg te hou nie. Ruben se stilte word soos 'n ou kombers oopgegooi sodat jy gemakliker langs hom kan sit. Sy knak haar kop agteroor teen die rugleuning van die sitplek en kyk deur haar donkerbril na die wolke wat soos wollerige wit skape teen die blou lug saambondel. Die skape wat sy van kleins af ken. Nie die rare bokskape van dié eiland nie.

Sy is verras deur die blydskap wat in haar opwel toe hulle eindelik weer deur die bedrywige strate van Havana ry. Nie dat sy die stad al ken nie, natuurlik nie, maar sy herken darem hier en daar 'n gebou of 'n standbeeld. Dit voel minstens nie meer so skrikwekkend onbekend soos die res van die land nie.

En "ken" is ook maar 'n relatiewe begrip.

Hierdie reis laat haar elke dag wonder of sy haarself naastenby so goed ken soos sy graag sou wou geglo het.

Toe hulle by Ruben se woonstel opdaag, voel sy terselfdertyd welkom en vreemd. Welkom omdat sy minstens al voorheen hier was, vreemd omdat dit so 'n wanordelike en beskeie woonplek is, so anders as haar eie en die meeste van haar vriende se stylvol gerestoureerde kothuise en ruim ontwerpershuise met swembaddens. Dit herinner haar eerder aan die blyplekke wat sy in haar jong dae met platsak studente en sukkelende kunstenaars en dronk daggarokers gedeel het. Voordat die meeste van hulle ordentlik en besadig en welgesteld geword het.

Amado se kamer is egter 'n verrassing. Karig gemeubileer, niks wat onnodig rondlê nie, 'n sober studie in wit en swart. Wit mure, wit deken op die bed, swart tafel en stoel voor 'n venster met wit gordyne wat moontlik voorheen 'n laken was. Amper asketies, soos 'n monnik se sel, buiten die geraamde swart-wit foto's van jazz-musikante bo die bed. Miles

Davis, John Coltrane, Chet Baker. Die enigste teken van wêreldse oordadigheid is 'n propvol boekrak wat een hele muur in beslag neem.

"Lyk dit altyd so? Of moes jy hom met die dood dreig om op te ruim sodat ek hier kan slaap?"

"Hy was van kleins af baie netjieser as ek," sê Ruben in die deur agter haar. "Hierdie kamer is die kalm oog van die storm in ons huis. Die dele waar ek woon, is die storm."

Sy stap nader aan die boekrak. "Ek voel altyd makliker tuis in 'n vertrek met boeke. Enige plek op aarde. Bly om te sien jou seun is 'n leser."

"Die meeste van die boeke behoort eintlik aan my." Hy krap in sy baard, asof hy verskoning wil vra, maar sy kan nie dink waarvoor nie. Omdat 'n taxidrywer nie veronderstel is om 'n oorvol boekrak te hê nie? Baie van die titels is Engels, klassieke Amerikaanse romans van Mark Twain, Faulkner, Hemingway, natuurlik, maar ook meer onverwagse Britse name soos Jane Austen en die Brontës. "Alles boeke wat Amado se ma my laat lees het. Die res van die woonstel is te vol – of te deurmekaar – vir 'n boekrak, so Amado se kamer het die biblioteek geword."

Sy voel ook makliker tuis saam met mans wat lees, maar dit sê sy liewers nie vir hom nie. Haar gewese man se onversadigbare leeslus het hom per slot van rekening nie teen waansin beskerm nie. En haar geleer dat boeke ook nie die antwoord op alles bied nie.

"Jy kan die deur toetrek en rus of lees of wat ook al. Ek moet 'n paar dinge op my rekenaar gaan doen. Daar in die deurmekaar deel van die huis."

"Sal jy kyk of daar 'n boodskap van Aleja is?"

"Die eerste ding wat ek gaan doen. Maar daai rekenaar is so stadig soos 'n slak, so jy hoef nie te wag nie."

"En as daar niks is nie?"

"Dan kontak ek weer vir Clara. As ek haar mooi vra, sal sy miskien 'n goeie woord in haar suster se oor fluister."

"'n Goeie woord oor ons?" Sy ken ons skaars, wil Theresa sê, hoe kan sy iets goeds oor ons sê?

"Ek dink almal wat jou ontmoet, kan sien jy't goeie bedoelings. Jy's hier om te gee, nie om te vat nie."

Hy draai op sy hakke om en stap weg. Die onverwagse kompliment laat haar sprakeloos op die bed neersak, waar sy na haar tas sit en staar. Sy weet sy sal nie kan rus terwyl sy op 'n boodskap wag wat waarskynlik nooit gaan opdaag nie. Beter om die buurt te gaan verken. Moontlik die laaste kans wat sy ooit sal kry om op haar eie deur Havana te dwaal.

Sy drentel 'n ruk lank doelloos deur die strate en drink koffie op die dak van die hotel Ambos Mundos omdat die naam 'n klokkie iewers in haar kop laat lui. Terwyl sy op die dakterras deur haar gidsboek blaai, besef sy dis die hotel waar Ernest Hemingway sewe jaar lank 'n kamer gehuur het. Toe sy lees dat die kamer op die vyfde verdieping onveranderd bewaar is en steeds besigtig kan word, besluit sy op die ingewing van die oomblik om dit te gaan soek. Nie omdat sy 'n vurige bewonderaar van die macho skrywer is nie, bloot omdat sy nou hier is en niks anders het om te doen nie.

Sy kom voor 'n geslote deur in 'n donker hoek van die hotel te staan. Sy verbeel haar sy hoor 'n geskuifel agter die toe deur en klop 'n paar keer, al hoe harder en dringender, tot sy besef dat sy geen kennisgewing gesien het wat wys dat dit inderdaad Hemingway se kamer is nie. Wie sê sy staan nie hier en hamer aan onskuldige toeriste se kamerdeur nie? Wat gaan sy sê as hulle dalk oopmaak? "Hallo, ek wil net weet of julle in Hemingway se bed slaap?" Die blote gedagte laat haar so belaglik voel dat sy omdraai om weg te skarrel. Maar dan gaan die deur agter haar tog oop. 'n Aantreklike jong vrou wat lyk asof sy pas wakker geskrik het, haar lang hare deurmekaar en haar klere gekreukel, vra of sy na die kamer kom kyk het.

"Hemingway se kamer?" vra Theresa verward.

"Ja," sê die jong vrou met 'n onderdrukte gaap terwyl sy knippies in haar hare druk om dit op haar kop te stapel. "Ek is die gids."

Sou die gids op Hemingway se bed aan die slaap geraak het? Dit sou half gepas wees, so 'n lieflike donkerkopvrou op die bed van so 'n beroemde jagter van vroue en diere. Maar die bed is netjies opgemaak met 'n oranje deken en 'n paar ou tydskrifte met artikels oor Hemingway sorgvuldig op die deken uitgestal. Daar is seker 'n aangrensende kamer waar die gids 'n uiltjie kon geknip het. Of dalk het sy 'n opblaasmatras iewers weggesteek?

Die uitsig wat die hoekkamer op die glinsterende blou see bied, is

177

verruklik. Theresa raak skoon aangedaan oor die tafeltjie met die tikma-
sjien en die harde regop stoeltjie waarop Hemingway *For whom the bell
tolls* begin skryf het. So 'n swaar lyf op so 'n fragiele stoeltjie. Maar sy
bly heeltyd bewus van die gapende gids wat haar onder swaar ooglede
dophou. Asof sy nie kan wag dat die lastige toeris padgee sodat sy verder
kan slaap nie.

Toe Theresa groet en vir haar 'n fooitjie los, beloon die gids haar
egter met 'n glimlag wat haar hele gesig ophelder. En terwyl sy wegstap,
onthou sy wat Oreste gesê het oor hoeveel Kubane meer as een werk
het bloot om 'n beter bestaan te kan maak. As die mooi jong vrou saans
iewers anders moet werk, kan jy haar seker nie kwalik neem dat sy bedags
hier in 'n rustige hotelkamer probeer slaap nie. Al is dit nou ook op
Hemingway se bed. Hy sou nie omgegee het nie.

Die toevallige ontmoeting beur haar onverklaarbaar op en vir die
res van die middag kry sy dit amper reg om van die brief in haar hand-
sak te vergeet en haar soos enige ander toeris te gedra.

In die indrukwekkende koloniale gebou van die Museo de la Re-
volución leer sy binne 'n uur meer oor die befaamde revolusie van
sestig jaar gelede as in haar hele lewe tot dusver. Buite die museum kyk
sy lank na die boot waarop die Castro-broers en Guevara in die laat
jare vyftig saam met 'n tagtigtal ander vryheidsvegters van Mexiko na
Kuba gevaar het om die diktator Batista se regering omver te gooi. Op
1 Januarie 1959 is hierdie doel uiteindelik bereik en word die Nuevo
Cuba saam met die nuwe jaar gebore.

Die volgende jaar, in die winter van 1960, is Theresa Marais op 'n
dorp in die Karoo gebore, baie ver van Kuba, in die Unie van Suid-
Afrika. 'n Paar maande ná die Sharpeville-slagting, waarvan haar pa
die geskiedenisonderwyser haar niks vertel het nie, waaroor niemand
in haar familie ooit gepraat het nie. Minder as 'n jaar voordat die Unie
'n Republiek geword het. Haar patriotiese pa en gedienstige ma het
haar en haar ouboet saamgeneem na die Republiekfeesviering op die
dorp. Selfs 'n foto geneem sodat hulle eendag vir haar kon wys dat sy
ook op die blye dag daar was. Dis wat haar pa altyd gesê het. Die blye
dag. Op die swart-wit kiekie sit 'n baba in 'n gebreide wolpakkie in 'n
enorme outydse prêm met 'n landsvlaggie in haar vet babavuis vasge-
klem, skynbaar besig om die stokkie van die vlaggie op te eet.

"Jy het tande gekry," het haar ma altyd gesê, geamuseerd. "Jy't alles in jou mond gedruk. Selfs die land se vlag."

Theresa kan natuurlik niks van die blye dag onthou nie. Al wat iewers in haar onderbewussyn vasgesteek het, is die storie van die simboliese vredesduif wat Eerste Minister Hendrik Verwoerd in die lug moes loslaat, maar te styf in sy hande vasgeklem het en toe val die duif halfdood grond toe pleks van om teen die blou lug weg te vlieg. Waarskynlik haar ma wat dit vir haar vertel het. Theresa het nooit probeer vasstel of so iets werklik gebeur het nie – en indien wel, of dit op dáárdie dag gebeur het – sy het dit bloot aanvaar soos sy tot haar tienerjare alles aanvaar het wat haar ouers of haar onderwysers of die dominee vir haar vertel het. Dit was moontlik fake news, soos dit deesdae genoem word. Soms vermoed sy dat alles wat sy in haar ouerhuis of op skool of in die kerk gehoor het, niks meer as fopnuus was nie.

En sê nou net sy is in Julie 1960 in die Nuwe Kuba pleks van in die Ou Suid-Afrika gebore? Of gestel sy is inderdaad in Suid-Afrika gebore, maar haar pa was 'n swart onderwyser in 'n township, eerder as 'n wit onderwyser wat in God en apartheid geglo het?

Dis altyd 'n onthutsende gedagte dat 'n mens se hele lewensloop deur toeval bepaal word – deur die toevallige dag, maand en jaar wanneer jy op 'n toevallige plek iewers in die wêreld gebore word – maar dit laat haar vandag byna paniekbevange voel.

Sy moet wegkom van hierdie museum wat sulke somber gedagtes loskrap, grillerige goeters op die bodem van 'n dam wat onverwags boontoe dryf. Sy moet liewers 'n mojito gaan drink, iewers in 'n skemer kroeg waar die rook van sigare swaar in die lug hang, soos 'n doodgewone toeris.

Voordat sy aan Ruben se woonsteldeur kan klop, terwyl sy nog hygend wag om haar asem terug te kry omdat sy die trap tot op die derde verdieping te vinnig geklim het, pluk hy die deur gretig oop. "Ons het kontak gemaak," kondig hy aan met sy skaars glimlag.

"Met Aleja?"

"Sy't ingestem om ons vanaand te sien."

Spontaan omhels sy hom, laggend van verligting, net daar op die drumpel. Sy moet op haar tone staan om haar arms om sy nek te gooi, 'n verrassend aangename ervaring vir so 'n lang vrou soos sy. Hy lag ook, terselfdertyd verleë en verheug, sy vingers tikkend teen haar rug.

"Hoe op aarde het jy dit reggekry?"

Voordat sy op die verweerde rusbank kan gaan sit, moet sy eers 'n stapel ou koerante, 'n plastiekbak met skoon wasgoed en 'n paar omslae van vinielplate opsy skuif.

"Ek kan baie sjarmant wees as ek wil." Hy gaan sit oorkant haar op 'n draadstoel wat lyk asof dit eerder buite op die balkonnetjie hoort.

"O, ek betwyfel dit glad nie. Ek het mos gesien hoe jy vir Benita Madrigal Rosabal om jou pinkie draai. Maar vir Aleja moes jy op Facebook verlei."

"Ek het vir Clara gevra om bietjie op haar sus se gevoel te speel." Hy haal sy selfoon uit sy hempsak en soek iets op die skerm terwyl hy vinniger as gewoonlik verder praat. "Haar te vertel dat jy jou laaste spaargeld gebruik het om hierdie reis te bekostig en dat jy skaars drie dae oor het om hulle prima op te spoor. Hulle niggie. En toe stuur Aleja sowaar 'n boodskap." Hy leun vorentoe om die foonskerm vir haar te wys.

Sy het hom nog nooit so opgewonde gesien nie. Dalk het hy ook gedink die soektog het doodgeloop.

"Wat sê sy?"

"Ek kan julle nie help om my niggie te vind nie," vertaal Ruben uit Spaans. "My sus sê ek moet julle nogtans sien want enigiets wat ek julle oor Mercedes kan vertel, sal julle beter laat voel al vind julle haar nooit nie." Ruben laat sak die foon. "Dis waar, is dit nie? Jy wil hierdie Mercedes beter leer ken, al sal jy haar miskien nooit ontmoet nie?"

Theresa knik woordeloos. *Ek kan julle nie help om my niggie te vind nie.* Dis nie wat sy wou gehoor het nie.

"Ek het gebel om te vra of sy ons vanaand nog iewers kan ontmoet. Sy wou eers nie, want sy's vroeg môreoggend weer aan diens by die hospitaal, maar sy woon naby Lazaro se kroeg, so ek het voorgestel dat sy gou vir 'n uur daarheen kom. Net om 'n drankie saam met jou te drink."

"En waar gaan jy wees?" vra sy benoud.

"Ek gaan trompet speel. Dis die kroeg waar ek saam met 'n paar vriende musiek maak. Maar Aleja praat Engels, soos haar suster, so jy't my nie nodig om te tolk nie." Toe sy steeds nie oortuig lyk nie, sê hy: "En Lazaro of Miles of Oreste sal jou ook kan help as jy vashaak."

"Wat soek hulle daar?"

"Wel, Lazaro is altyd daar, dis sy kroeg, en Miles werk daar."

"Natuurlik." Sy lag verleë.

"En Oreste kom jou groet, want as ons môre Viñales toe ry, gaan daar dalk nie weer 'n kans wees om hom te sien nie."

"O." Sy voel 'n beklemming in haar bors.

Hy bekyk haar afwagtend, maar sy draai haar kop na die oop glasdeur wat na die balkonnetjie lei, byt op haar lip en staar na die verwaarloosde gebou oorkant die straat.

"Ek het gedog jy sou baie blyer wees?"

"Ek is bly, natuurlik, dis net ... dis moeilik om te aanvaar dat ek Mercedes waarskynlik nooit gaan vind nie. Dat vanaand se ontmoeting met haar niggie 'n soort troosprys moet wees. Maar ek is dankbaar vir die troosprys," verseker sy hom gou. "Rêrig."

Dit lyk asof hy haar nie glo nie. Ná al sy moeite, stel sy hom waaragtig teleur met so 'n louwarm reaksie.

"So, wat kan ek jou van Mercedes vertel?" vra Aleja 'n paar uur later in Lazaro se lawaaierige kroeg. Dis 'n beknopte skemerdonker ruimte vol drinkende Kubane wat skaars sigbaar is agter digte newels van sigaar-rook. Die geselskap is oorverdowend luid, asof almal wil seker maak dat hulle mekaar kan hoor juis omdat hulle mekaar nie behoorlik kan sien nie. Eenkant in 'n hoek speel Ruben sy trompet tussen 'n groep glimlag-gende musikante. Die enigste kollig in die kroeg skyn op hulle, en hulle geesdriftige lyftaal maak dit duidelik dat hulle die vertoning geniet, maar in hierdie rumoer kan Theresa skaars 'n noot van die musiek hoor.

"Alles!" Theresa sluk gulsig aan haar mojito en leun oor die tafeltjie tussen hulle. "Watse soort kind was sy? Soet en gehoorsaam? Stout en opstandig? Hoe was sy as tiener? Waarvan het sy gehou? Boeke, sport, musiek? Waarvan het sy niks gehou nie? Wat was haar beste eienskap-pe? En haar slegste? Wat was haar—"

"Santo cielo, jy wil rêrig alles weet." Aleja val haar laggend in die rede, skud haar kop – haar krulhare is langer as haar suster s'n, skouerlengte, met heelwat grys in – en steek 'n dun sigaar aan.

Theresa het nie verwag dat sy sou rook nie, seker omdat sy 'n verpleeg-kundige is. Maar hier in Kuba rook selfs honderdjarige oumas blykbaar sigare. Dalk raai dokters en verpleegsters hulle pasiënte selfs aan om ter wille van hulle gesondheid so nou en dan aan 'n sigaar te suig.

"Oor ek rêrig niks van haar weet nie. Enigiets wat jy my vertel, kan my help om haar beter te leer ken. Enigiets."

"Hoekom wil jy haar beter leer ken?" Aleja teug diep aan die sigaar, bestudeer Theresa deur die rooknewels. "As jy haar heel waarskynlik nooit gaan ontmoet nie?"

"Juis daarom."

Theresa kyk weg van die verpleegster se deurdringende blik, terug na die vyf musikante in die hoek. Ruben se bonkige lyf en panamahoed is onmiskenbaar, die trompet voor sy mond byna belaglik klein in sy breë hande, en tog speel hy dit met 'n bedrewenheid wat haar verbaas. Sy swaar vingers het skynbaar gewigloos geword, dartelend bo die toetse van die trompet. Die flarde musiek wat sy bo die geraas hoor, klink meer soos outydse jazz as die tradisionele Kubaanse ritmes. Die res van die orkessie bestaan uit 'n saxofoon, 'n basviool, 'n klavier en 'n stel tromme. Die instrumente, nes die musikante, lyk asof hulle beter dae geken het. Ruben is beslis die jongste lid van hierdie geriatriese kwintet. Maar hulle speel met soveel ooglopende genot, soveel aansteeklike vreugde, dat sy nie anders kan as om te glimlag terwyl sy hulle dophou nie.

Agter die lang kroegtoonbank links van die orkes troon Lazaro op sy ophysstoel op wieletjies, sy glimlag steeds 'n silwer maan in sy donker gesig, en langs hom help Miles om bierbottels oop te maak en drankies te meng. Duskant die toonbank sit Oreste op 'n hoë kroegstoeltjie met sy kort bene en sy klein voetjies wat ver van die vloer af swaai, sy kop knikkend op maat van die musiek. Hy is moontlik die enigste mens in die kroeg wat die musiek kan hoor, aangesien hy vlak voor die orkes sit en sy volle aandag op hulle toegespits het.

Dan draai hy sy kop, asof hy aanvoel dat hy dopgehou word, grinnik vir haar en lig sy bierglas. Sy het nie verwag dat sy so bly sou wees om haar kordate jong gids weer te sien nie. Nog minder dat hy – en Lazaro en Miles! – haar letterlik met oop arms sou verwelkom toe sy vanaand saam met Ruben by die kroeg instap. Asof sy 'n ou vriendin is wat hulle jare lank nie gesien het nie. Dalk is dit bloot die befaamde Latyns-Amerikaanse gulhartigheid, dalk sou hulle enige ander vrou van enige ander land net so vreugdevol vasgedruk het. Maar sy sou graag wou glo dat dit oor háár gaan. Oor waarvandaan sy kom en wat sy hier kom soek het.

Selfs noudat dit lyk asof haar soektog niks gaan oplewer nie.

"Ons was só. Ek, sy en Andres. My broer." Aleja hou haar linkerhand in die lug met die drie middelvingers ineengevleg om te wys hoe heg hulle was, en bring haar regterhand met die sigaar weer na haar mond. "Ons was seker maar soos die meeste ander kinders. Nie stouter of soeter, meer gehoorsaam of minder opstandig nie. Nie wat ek kan onthou nie—"

"Wie was die leier onder julle drie?"

"Andres," antwoord Aleja sonder aarseling. "Seker oor hy die oudste was. Of dalk net oor hy 'n seun was. Dis maar hoe ons grootgeword het. Seuns lei en meisies volg." Sy glimlag meewarig en blaas nog 'n wolk rook uit. "As ek so na die Kubaanse mans om my kyk, wonder ek of dit ooit sal verander."

"Dis maar hoe ek ook grootgeword het. En as ek so na die Suid-Afrikaanse mans om my kyk …"

Aleja se glimlag rek 'n bietjie wyer en haar blik word meer simpatiek.

"Maar sy was beslis die slimste van ons drie. Sy't baie meer geweet as wat 'n kind van haar ouderdom behoort te weet, oor plante en planete en diere en geskiedenis, omtrent enigiets waaraan jy kan dink. Sy't aanmekaar gelees en alles onthou wat sy gelees het."

"Was sy een van daai skaam kinders wat na boeke vlug omdat hulle sukkel om maats te maak?"

Aleja hou haar kop skuins terwyl sy die vraag bepeins, druk 'n donker krul agter haar oor in, suig weer aan die sigaar. "Ek sou nie sê sy't máklik maats gemaak nie … sy was 'n taamlike introvert … maar sy't geleer om haar skaamheid weg te steek. Haar slimgeit ook, teen die tyd dat ons hoërskool toe is. Ek dink haar ma het haar geleer dat slim meisies, jy weet, intimidantes kan wees. Dat seuns meer van sjarmante saggeaarde meisies hou as van slim meisies. Haar ma was baie mooi. Muy bonita."

Theresa dink aan die jong vrou met die wuiwende haarstyl van prinses Diana op die kiekie in haar handsak en knik instemmend. "Het dit gewerk? Het die seuns toe van haar gehou?"

"Ons was nooit in dieselfde skool nie, ons het mekaar net vakansies gesien, maar ek het nooit die indruk gekry dat sy, wel, ongewild was nie. In elk geval nie die soort slimkop wat heeltemal …" Sy soek vir 'n oomblik na die regte woorde. "Sosiaal wanaangepas is nie? Jy weet? Sy't ook aan sport deelgeneem. Atletiek en gimnastiek. Nie juis van spansport gehou nie, dalk oor sy hija única was. Enkelkind? Sy't in 'n stadium ballet ook geneem, weet nie tot watter ouderdom nie." Aleja glimlag nostalgies terwyl sy haar niggie probeer onthou. "Eintlik was sy seker maar soos enige ander tiener. Net slimmer as die res."

"Het sy 'n kêrel gehad? Op skool of universiteit?"

Sy skraap nou rêrig die bodem van die bak leeg, dink Theresa, maar miskien is daar iewers 'n man wat sentimentele herinneringe oor sy eerste liefde koester, moontlik selfs 'n man wat kontak gehou het met só 'n eerste liefde lank nadat hulle volwasse geword het.

Maar Aleja skud haar kop. "Mense het altyd gedink Andres is haar kêrel. As hulle nie geweet het hy's haar primo, haar neef, nie. Hulle was so openlik mal oor mekaar. Altyd hand om die lyf geloop." Aleja staar na die sigaar wat sy in die asbak doodgedruk het, haar uitdrukking somber. "Ek dink dit was maar Andres se manier om weg te steek dat hy homoseksueel is. En haar manier om hom te beskerm."

"O." Theresa kyk verbaas na haar. "Het julle van jongs af geweet dat hy homoseksueel is?"

"Hoe sal ek dit stel?" Aleja staar fronsend voor haar uit, druk dieselfde hinderlike haarkrul weer agter haar oor in. "Ek dink ons het dit al drie geweet sonder om dit ooit aan mekaar te erken. Ons het nooit daaroor gepraat nie. En dis jammer, want ek dink dis een van die grootste redes waarom hy op die ou end na die VSA gevlug het. Ek bedoel, daar was baie dinge hier in Kuba wat hom al hoe meer gepla het – en waaroor hy en Mercedes al hoe meer gestry het, want sy het blindelings patrioties gebly – maar as hy nie gay was nie, sou hy nie só desperaat gewees het om op 'n bootjie oor die see te vlug nie."

"En Mercedes het dit as verraad beskou?"

"Hoogverraad. Alta traición." Aleja drink stadig, ingedagte, aan haar bier. "Die kapitalistiese Noord-Amerika verteenwoordig alles waarteen haar pa baklei het. Daardie oorlog in Angola is mos skelm deur die Amerikaners ondersteun. Haar pa is dood in die oorlog en nou loop haar neef oor na die vyand. Dis hoe sy dit gesien het. Niks wat ek kon sê, sou haar van enigiets anders oortuig nie. Ons het 'n paar nare argumente gehad – en op 'n aand het alles net ontplof, boem, todo explotó! Jy weet, die soort bakleiery waarin jy onvergeetlike en onvergeeflike dinge sê, woorde wat jy nooit weer ongesê kan kry nie."

"Ek weet," sê Theresa, gedagtig aan die laaste jaar wat sy en Theo getroud was.

"Daarna het ons mekaar nooit weer gesien nie. Wel, net een keer, by my ouma se begrafnis. Maar ons het nie eintlik gepraat nie. En abuelita Clara was die enigste een in die familie met wie Mercedes kontak gehou het, so toe sy dood is ..."

Aleja skud haar kop, lig haar bierglas weer, kyk na die groep musikante in die hoek.

Terwyl Theresa wag dat sy verder praat, besef sy dat sy vir die eerste keer die musiek kan hoor. Ruben en sy makkers het dit sowaar reggekry om minstens 'n deel van die mense in die oorvol kroeg te laat swyg, of hulle stemme te laat sak, om na 'n gevoelvolle weergawe van "Round Midnight" te luister. Ruben kan beslis nie met Miles Davis op die trompet meeding nie, en die seningrige gryskopman wat die tenoorsaxofoon speel, is nie 'n skaduwee van John Coltrane nie, maar die sigbare emosie van al vyf musikante vergoed tog op 'n manier vir hulle gebrek aan briljantheid.

"Maar hoe is dit moontlik dat 'n familielid net kan verdwyn?" vra Theresa, versigtig, want sy wil hierdie vrou nie nou ontstig met iets wat soos 'n beskuldiging klink nie.

"O, dis makliker as wat mens dink," antwoord Aleja met 'n vreugdelose laggie. "Ons is nie 'n groot familie nie. Almal aan my ma se kant is dood, dis net ek en Clara en Mercedes wat oorbly. En Andres wat nou in Los Angeles woon."

"Mis jy haar nie soms nie? Julle was so na aan mekaar—"

"Ek mis haar al hoe meer, hoe ouer ek word," erken Aleja, onverwags driftig. "Veral noudat die VSA besig is om vrede te maak met Kuba, ná al die jare, en die hele kapitalisme-kommunisme-argument al hoe ... sinloser raak. Sin sentido. Maar ek het nie 'n benul waar sy is nie, so ek kan nie met haar vrede maak nie."

Sy drink haar bierglas vinnig leeg en steek die sigaar weer aan. Eers nadat sy agter 'n rookwolk kan wegkruip, praat sy verder: "Ek het haar 'n jaar of drie gelede probeer opsoek. Die laaste wat ek gehoor het, was dat sy by 'n mediese kliniek in Viñales werk, en ek het saam met 'n vriendin langs die see gaan vakansie hou, naby Viñales, en toe dog ek, wel, ek ís nou hier … Ek het by die policlínico gaan vra, maar sy was nie meer daar nie. En niemand kon my sê wat van haar geword het nie."

"O."

Een ou lettertjie, dink Theresa toe sy haar eie stem hoor, wat soveel teleurstelling kan uitdruk dat dit soos 'n klaaglied klink. Terwyl die laaste note van "Round Midnight" wegsterf, lei Oreste die applous van sy hoë kroegstoeltjie af.

Aleja en Theresa klap saam hande, maar Theresa sukkel om te glimlag.

"Hulle is nie sleg nie, nè?" sê-vra Aleja.

"Nee," sê Theresa terwyl sy kyk hoe Ruben vir die gehoor grinnik en sy kop vir die applous knik. "Hulle is nie sleg nie."

"Wel, ek is bevrees ek moet loop slaap," sê Aleja agter nog 'n rookwolk. "Ek het jou mos gewaarsku dat ek jou nie kan help nie. Maar ás jy dit op een of ander manier regkry om haar op te spoor, sê tog vir haar Aleja sou graag weer van haar wou hoor."

Sy krap in haar skouersak terwyl sy opstaan, haal haar beursie uit, maar Theresa keer haar gou: "Dis ek wat jou genooi het. Dankie dat jy bereid was om met my te kom gesels."

"Hier's 'n kiekie in my beursie waarvan ek amper vergeet het." Aleja wys vir Theresa 'n verbleikte kleurfoto van drie tieners op 'n tropiese strand. Twee donkerkopmeisies in bikini's weerskante van 'n seun in 'n denimbroek wat bokant die knieë afgeknip is. "Ons drie in die laat tagtigs. Of vroeë negentigs? Ons was seker so vyftien, sestien."

Die twee meisies is skraal en sonbruin met eenderse sorgvrye glimlagte, duidelik familie van mekaar. Aleja sit regs in 'n rooi bikini – Theresa herken die oë en die neus van die veertigjarige vrou wat nou voor haar staan – wat beteken dat Mercedes die een links in die wit bikini moet wees. Haar hare is minder krullerig, haar lyf leniger, haar vel bruiner as die ander twee s'n. Of dalk is dit net die spierwit bikini wat haar bruiner laat lyk. Maar dis die seun in die middel wat enige toevallige kyker se aandag sal trek. Hy glimlag nie, staar net na die kamera met 'n blik wat só smeulend is dat dit sweerlik die ou kiekie aan die brand kan steek, selfs 'n kwarteeu nadat dit geneem is. Die meisies is aantreklik, soos alle jong mense aantreklik is vir mense wat nie meer jonk is nie. Maar Andres is beeldskoon. G'n wonder hy moes vlug nie. Dis die soort skoonheid wat jy nie op 'n afgesonderde eiland kan vaskeer nie.

Sy staar so gefassineerd na die foto dat sy skaars agterkom die orkes het 'n blaaskans gevat. Dis eers toe sy Oreste se vrolike stem langs haar hoor dat sy opkyk en die foto vir Aleja teruggee. Sy druk die verpleegster styf teen haar vas, 'n gebaar wat haar selfs meer as Aleja verras. Dalk is die Kubane se vatterigheid ook aansteeklik. Die Latyns-Amerikaanse gulheid waaroor Nini altyd so aangaan.

Sy kyk Aleja agterna toe sy deur die rooknewels van die kroeg wegstap.

Haar soektog na die soldaat se dogter het weer eens doodgeloop, maar op hierdie oomblik dink sy nie werklik daaraan nie. Wat haar ontroer, meer as wat sy kan verklaar, is dat hierdie vrou al wie weet hoeveel jare lank 'n kiekie in haar beursie dra van twee naaste familielede wat albei vir haar onbereikbaar geword het.

20. 'N VUURWAPEN

Wanneer weet jy dat jy moet moed opgee? Dis waaroor Theresa dié nag in Amado se bed wroeg. Haar kop draai van te veel rum en dalk nog meer van die vet sigaar wat sy teen die einde van die aand met Lazaro gedeel het. Terwyl hulle gedans het, hy in sy rystoel en sy rondom die rystoel soos 'n by om 'n blom, toe die kroeg al toe was en net 'n paar vriende nog oorgebly het.

Dinge het gedreig om handuit te ruk. Sy was in 'n roekelose bui, on-willig om haar nuwe Kubaanse vriende te groet, gretig om soos in haar jonger dae dwarsdeur die nag te kuier. Ruben het haar herinner dat hulle vroeg moet opstaan om Viñales toe te ry. Die stem van redelikheid waarna sy nie lus was om te luister nie. Of dalk was dit juis sy onre-delike hoopvolheid wat sy wou ignoreer. Wat kan sy nou nog hoop om in Viñales te vind – buiten verdere teleurstelling? Kom ons vergeet van Viñales, wou sy vir Ruben sê, kom ons vergeet van hierdie vrou wat ons nooit gaan opspoor nie en van die brief wat ek nooit gaan aflewer nie, kom ons drink eerder nog rum saam met Oreste en Miles en Lazaro.

Maar omdat Ruben nie rum drink nie en hy dus die enigste volkome nugter een onder hulle was, het sy tog na hom geluister. Sy het die res van die geselskap met 'n swaar hart gegroet en soos 'n soet maagd hier in sy seun se bed kom lê en wag om aan die slaap te raak. Maar die slaap bly weg en haar gedagtes dwaal in allerhande rigtings wat sy nie kan beheer nie. Indien Ruben nou aan die deur sou kom klop, indien hy die geringste teken sou toon dat hy in haar belangstel soos hy vroeër in die week in Benita Madrigal Rosabal belanggestel het, sou sy hom sonder enige teenstribbeling in haar bed toelaat. In sy seun se bed.

Maar Ruben Torres Márquez se gedrag teenoor haar was nog altyd onberispelik ordentlik, van die oomblik toe hulle langs sy rooi-en-wit Plymouth Fury 1958 ontmoet het en hy sy panamahoed so galant vir haar gelig het. Soos 'n gentleman uit 'n vervloë era, sou haar oorlede ma

gesug het. Ruben se sosialistiese goddeloosheid sou nie haar ma se goed-
keuring geniet het nie, maar die res van hom sou, daarvan is sy seker.

Hannie Marais het 'n swak plek gehad vir 'n groot, sterk, stil man
met 'n sagte hart. Adriaan Marais was sterk en stil met 'n sagte hart
(wat hy baie hard probeer wegsteek het), maar Hannie se lewenslange
held was die rugbylegende Frik du Preez. "Dis mos nou 'n Man met 'n
hoofletter M!" het sy gereeld geswymel. Hoewel nooit in die teenwoor-
digheid van haar eggenoot nie.

En vóór vanaand het Theresa nie vir 'n enkele oomblik aan Ruben
as 'n moontlike bedmaat gedink nie. Toegegee, op haar ouderdom dink
sy nie eintlik meer aan enige man wat sy ontmoet as 'n toekomstige
bedmaat nie. Daardie soort wensdenkery is 'n skip wat lankal die hawe
verlaat het, jare gelede al oor die horison weggevaar het. Die winde van
wellus waai soms nog oor die hawe, stook 'n paar storms op, maar dan lê
Theresa maar in haar kothuis in Kaapstad en fantaseer oor iemand so
onwaarskynlik soos haar jong buurman met die hipster-baard terwyl
sy haar eie lyf betas. Die volgende oggend bloos sy vuurwarm wanneer
sy die buurman toevallig op sy stoep sien staan voordat sy werk toe gaan,
sy hare en sy baard nog deurmekaar van die slaap en sy gespierde bolyf
kaal.

Dan wonder sy of sulke lieflike jong mans ooit sou kon raai dat die
ordentlike tannies wat langs hulle woon – tannies wat oud genoeg is
om hulle ma's te wees – sulke jagse gedagtes oor hulle jeugdige lywe kan
koester.

Maar vanaand se onverwagse en onwelkome jagse bui is vir haar
heeltemal onverklaarbaar. Sy sou graag die rum en die sigaar die skuld
wou gee. Of dalk is dit die algemene atmosfeer van sensualiteit – waar-
teen Nini haar immers gewaarsku het – wat haar ná skaars 'n week
begin aansteek. Die manier waarop Ruben darem vanaand daardie trom-
pet bespeel het, het iets in haar losgewoel wat lank onderdruk was. Té
lank, waarskynlik.

Te lank het jy gewag, Theresa Marais. Te laat.

Nee, sy het nie na Kuba gekom om in losbandigheid uit te rafel nie.
Sy het gekom om 'n plig te vervul, 'n boete te betaal, haar oorlede man
se skuld af te koop. En noudat daar skaars drie dae oor is om dit reg te
kry, durf sy nie moed opgee nie.

Maar terwyl sy slaaploos in 'n onbekende bed rondrol, onthou sy onwillekeurig die hoogtepunte wat sy en haar gewese man saam in die bed bereik het. As daar één goeie ding in hulle huwelik was, was dit hulle sekslewe. Daar was hopelik ander goeie dinge ook, maar al wat sy vanaand onthou, is die seks. Dit het weliswaar al hoe skaarser geword teen die einde, maar wanneer dit die slag gebeur het, was dit selfs beter, juis omdat dit so skaars geword het. Die laaste jaar of twee voordat hy uit die huis getrek het, was dit eintlik net hulle seldsame seksuele vuurwerke wat haar gekeer het om moed op te gee.

"Wanneer wéét jy dat 'n huwelik onredbaar geword het?" het haar suster gevra kort nadat Theresa en Theo geskei het. Sandra was toe nog met die ongeneeslik ontroue Anton getroud en haar vraag het vir Theresa soos 'n noodkreet geklink.

Theresa het na haar mooi sussie gekyk, so fyn en vroulik en verdraagsaam, so vasberade om haar huwelik teen elke prys te laat werk, en met innige simpatie geantwoord: "Jy sal weet. Glo my, daar kom 'n oomblik wanneer jy wéét."

Theresa onthou haar eie oomblik van openbaring, ontnugtering, moed opgee, wat jy dit ook al wil noem, asof dit gister gebeur het. Nes sy die presiese oomblik onthou, daardie aand in 'n deftige Kaapse restaurant se kleedkamer, toe sy aanvaar het dat sy en Theo nooit ouers sou word nie. Twee jaar later, in die winter van 1995, het sy die eindfluitjie vir haar huwelik hoor blaas. Alles was verby, daar is nie eens meer beseringstyd oor nie. Niemand het die stryd gewen nie, albei kante het verloor. Daar kon nie 'n wenner in hierdie kragmeting wees nie.

Die sportmetafoor is onvermydelik, want dit was die aand ná een van die grootste sporthoogtepunte wat Suid-Afrikaners nog belewe het. Die Springbokke het die Wêreldbeker gewen en Madiba, president van die nuwe demokratiese land, het die mensdom se verbeelding aangegryp toe hy in 'n groen-en-goud rugbytrui met 'n groen-en-goud pet op die kop die beker aan Francois Pienaar oorhandig het.

"Dit was die gelukkigste oomblik van my lewe," het Theresa se pa die volgende dag oor die foon gebieg, sy stem bewoë.

Theresa was so verbyster dat sy nie 'n woord kon uitkry nie. Wat van die geboorte van jou drie kinders? Van jou eersgeborene, jou seun, indien dan nie van die twee dogters ná hom nie? Dis tog veronderstel om 'n hoogtepunt in enige pa se lewe te wees. En hoe kry jy dit reg om so gou te vergeet dat jy 'n vurige ondersteuner was van die vorige regering wat hierdie nuwe president in sy Springbok-rugbytrui drie dekades lank toegesluit het? Hoe de fok dóén jy dit, Pa?

"Ek is bly Pa sê so," is al wat sy uiteindelik vir hom gesê het.

Bewaar eerder die vrede.

Nes haar ma.

Theresa en Theo het die eindstryd saam met vriende op TV gekyk. In die vriende se huis, want hulle eie huis was teen dié tyd 'n oorlogsone, te gevaarlik om onskuldige omstanders daar toe te laat. Theo was 'n tikkende tydbom wat enige oomblik kon ontplof en Theresa het voortdurend snaarstyf gespanne gewag. Hulle het maande laas vriende tuis onthaal en byna nooit meer saam uitgegaan nie. Maar die Wêreldbeker-eindstryd was die soort een-keer-in-'n-leeftyd-uitsondering waarvoor hulle bereid was om hulle wapens neer te lê.

Soos die beroemde skietstilstand op Kersdag tydens die Eerste Wêreld-oorlog – toe soldate aan weerskante uit hulle loopgrawe geklim het om mekaar 'n gelukkige Kersfees toe te wens voordat hulle mekaar 'n paar uur later weer begin afmaai het – dis hoe dit vir Theresa gevoel het terwyl sy en Theo in Karin en Kobus se huis voor die TV sit en saam met die res van Suid-Afrika vir die Springbokke juig. Sy het geweet oor 'n paar uur sou haar en Theo se oorlog weer voortwoed. Sy het net nie geweet dat dit die finale veldslag sou wees nie.

En tog was daar wie weet hoeveel tekens dat die einde in sig is. Sy wou dit net nie raaksien nie. Sy wou, soos haar liewe sussie, glo dat haar ongelukkige huwelik nog nie onredbaar ongelukkig geword het nie.

Buitendien, dit was moeilik om moed op te gee, op persoonlike vlak, terwyl die politieke omwentelinge in die land haar aanmekaar vol hoop gepomp het. Sedert die eerste demokratiese verkiesing in April 1994 het die toekoms van die "Reënboognasie" vir haar belowender gelyk as wat sy ooit gehoop het – terwyl al haar hoop vir die toekoms van haar huwelik besig was om uit te lek.

Theo het in 'n diep en donker depressie verval, al hoe meer gedrink en al hoe minder geslaap, en hoe meer hy gedrink het, hoe aggressie-wer het hy geword. Nooit fisiek aggressief teenoor haar nie, waarvoor sy natuurlik dankbaar was, maar sy verbale aggressie het haar gereeld soos vuishoue in die maag of klappe deur die gesig getref. Haar sprake-loos laat terugsteier asof sy aangerand is. En dikwels in trane laat vlug om haar iewers agter 'n deur toe te sluit. 'n Kamerdeur, 'n toilet-deur, enige deur met 'n sleutel of 'n slot, enigiets om van sy woede weg te kom.

Die woede was nie teen haar persoonlik gerig nie, dit was haar enigste troos, 'n skrale troos. Dit was soos 'n giftige wolk wat uit 'n gat in hom ge-borrel het, 'n gat wat sy nooit sou kon vul nie, 'n wolk wat haar saam met hom laat verstik het, bloot omdat sy saam met hom gelewe het. Collateral damage. Onwillekeurig het sy aan 'n oorlogsterm gedink. Sy was al hoe meer oortuig dat die skade aangerig is deur die oorlog waarin hy twintig jaar vroeër betrokke was.

Sy het in die hospitaal beland weens 'n ondraaglike drukking op haar bors, omdat sy gesukkel het om asem te haal en gedog het sy kry 'n hartaanval of dat daar 'n bloedklont in haar longe is, een of ander iets wat haar lewe bedreig. Dit was toe "net 'n angsaanval", veroorsaak deur stres en uitputting, maar dit het lewensbedreigend gevoel. Haar bors-spiere het in 'n spasma saamgetrek wat dit weke lank pynlik gemaak het om te hoes of te nies of selfs te lag.

Nie dat daar veel meer was waaroor sy nog wou lag nie.

Theo se gedrag het al hoe meer bisar geword. Hy het beweer hul-le telefoonoproepe word afgeluister en soms dae lank geweier om die foon te gebruik. Hy was oortuig daarvan dat vreemde motors hom agtervolg, sodat hy ompaaie gery het om sy agtervolgers af te skud en gereeld laat by afsprake opgedaag het.

"Mens sou sweer jy dink jy's James Bond en jy speel in 'n simpel spy movie!" het Theresa hom beskuldig, heeltemal te ontsteld om dit snaaks te vind.

Op 'n dag het hy by hulle huis uitgestorm en 'n man wat onskuldig oorkant die straat in 'n Volkswagen Golf gesit het, aan die bors gegryp en uit die motor geruk. "Wat de donner doen jy hier?" het hy vir die verskrikte jong man geskreeu. Die man het gestamel dat hy vir sy suster wag wat in die oorkantse huis woon. Daarna het die suster nooit weer vir Theo of Theresa gegroet nie.

Kort voor die eerste wedstryd in die Wêreldbekerreeks gespeel is, het hy een aand aan tafel gesê hy gaan 'n vuurwapen aanskaf om homself te beskerm.

Theresa het haar laaste bietjie geduld soos 'n tak voel breek, met 'n byna hoorbare kraakgeluid, en histeries op hom begin gil: "Ek gaan nie 'n vuurwapen in my huis toelaat nie! Weet jy hoeveel mense word met hulle eie vuurwapens doodgeskiet? Jy's van jou sinne beroof, Theo!"

"Dis my huis ook," het hy ysig kalm geantwoord en verder aan sy biefstuk gekou. "En ek moet jou ook beskerm."

"Teen wie de fok wil jy ons beskerm, Theo? Die enigste beskerming wat jy nodig het, is teen jou eie duiwels wat jou tot drank en raserny dryf!"

"So nou's ek van die duiwel besete." Al kouend, sy stem steeds kalm, sy oë op sy bord kos, maar sy kneukels was wit soos hy die hef van die mes vasgeklem het. "Hoekom bel jy nie my ma en vra dat sy en haar dominee vir my bid nie?"

"Moenie my tart nie. Ek's desperaat genoeg om enigiets te probeer. Selfs jou ma se gebede. Maar ek belowe jou, as jy met 'n rewolwer hier instap, skop ek jou uit."

"Jy kan my nie uitskop nie, Theresa." Hy het opgekyk van sy bord, sy oë so verskriklik blou dat sy wou huil. Die welige swart wimpers wat die blou nog blouer laat lyk. Hierdie oë gaan sy nooit vergeet nie, het sy toe al geweet. "Dis my huis ook."

Teen die winter van 1995 het sy vas geglo dat haar man sielkundige hulp nodig het, maar sy kon hom nie oortuig om hulp te soek nie.

"Alle vroue wat ongelukkig getroud is, dink altyd hulle mans is mal," het hy smalend opgemerk.

'n Belaglike oordrywing, natuurlik, maar met 'n kern van waarheid wat sy nie kon ontken het nie. Elke keer wat haar geskeide vriendinne oor hulle gewese mans se onverklaarbare gedrag kla, het die twyfel soos 'n pit in haar strot kom sit. Sy kon hoes en sy kon proes, maar sy kon nie daarvan ontslae raak nie. Dalk is haar man se gedrag "normaal" vir 'n ongelukkig getroude man. Dalk is sy bloot so selfbejammerend soos al haar vriendinne wat so aanmekaar oor hulle mans se onredelikheid sanik. Hoe kan jy in elk geval "normaal" optree as jy in 'n abnormale situasie vasgevang is? Of was 'n ongelukkige huwelik juis 'n "normale" situasie – omdat dit die norm geword het? Dan sou enigiemand wat uit die norm wou ontsnap, mos gedwing word om "abnormaal" op te tree?

Dit was die soort vrae wat haar laat voel het asof sy saam met haar man tot waansin gedryf word.

Die aand van daardie rugbywedstryd het hy selfs meer as gewoonlik gedrink, maar nie, soos hulle vriende, uit vreugde omdat hy die Springbokke se oorwinning wou vier nie. Theo het homself in 'n beswyming probeer drink omdat dit die enigste manier was waarop hy nog aan die slaap kon raak. Theresa het in die vroeë oggendure wakker geskrik met 'n nadors omdat sy ook te veel gedrink het, omdat sy wou voorgee dat sy so verheug is soos die res van die land oor die uitslag van 'n rugbywedstryd, dalk net omdat sy 'n slag weer normaal wou voel. Soos almal om haar. Sy was nie verbaas om hom nie langs haar in die bed aan te tref nie. Inteendeel, sy sou verbaas gewees het om hom wel in die bed te sien, want hulle het meestal nie meer saam geslaap nie.

Sy moes deur die sitkamer stap om water in die yskas te gaan haal en was ook nie verbaas om hom op die rusbank te sien sit nie. Dis waar hy die meeste nagte sit en drink het tot hy omkap, waar sy hom gereeld soggens gevind het, snorkend en stinkend op die naat van sy rug, sy klere gekreukel en vol rooiwynvlekke. 'n Prentjie waaraan sy so gewoond geraak het dat dit haar nie eens meer gewalg het nie.

Maar dié nag het hy met 'n rewolwer sit en speel.

En binne 'n enkele oomblik het alles verander. Haar kaal voete het teen die koue klipvloer vasgevries. Van kop tot tone was sy bevrore, maar dit was nie die winternag daar buite nie, dit was 'n ysigheid wat van diep binne-in haar eie lyf gekom het.

Hy het haar skuins agter hom na haar asem hoor snak en stadig omgekyk. Die enigste lig in die vertrek was 'n leeslampie langs die rusbank, wat soos 'n kollig op die blink swart wapen in sy hand geskyn het. Sy het geen benul gehad van watter soort rewolwer dit kon wees nie. Sy stel nie in vuurwapens belang nie, sy wil nie weet hoe hulle werk nie, sy sal hulle nooit in haar huis toelaat nie. Dit was nog altyd haar uitgangspunt.

Maar toe rig haar man die rewolwer op haar. Speels, sou sy graag wou glo, net om haar reaksie te toets, met die aakligste grynslag wat sy nog op sy gesig gesien het.

"Theo," fluister sy, haar stem skor van skok. "Wat doen jy?"

Terwyl sy doodstil staan, bevrees dat enige skielike beweging hom kan laat skrik, dat sy vinger per ongeluk die sneller kan trek.

"Ek wonder maar net of jy weet hoe dit voel om 'n wapen op iemand anders te rig." Steeds daardie afskuwelike grynslag. "Naby genoeg om die doodsangs in die ander een se oë te sien. En dan skiet jy ..."

"Nee." Sy haal stadig asem, konsentreer met al haar mag om kalm te bly, dwing haar om in sy oë te kyk eerder as na die wapen in sy hand. Maar sy lieflike blou oë het swart gate geword, onherkenbaar, en die grynslag het verdwyn. Sy lippe is nou verbete saamgepers.

"Gelukkig was ek nog nooit in so 'n situasie nie. Ek weet jy moes dit al doen ..." Oppas, waarsku sy haarself, versigtig, moet liewers nie na die weermag of na diensplig of na enige soort oorlog verwys nie, dit kan hom dalk so ontstel dat sy vinger styf om daardie sneller trek.

"Dan sal jy ook nie weet hoe dit voel om so 'n koue loop teen jou eie kop te druk nie, nè?" So onverwags soos hy die rewolwer op haar gerig het, draai hy sy hand en lig sy arm en laat die wapen teen sy regterslaap rus.

"Theo," smeek sy. "Asseblief."

"Asseblief wát? Skiet jouself en verlos ons albei uit hierdie hel?"

Radeloos skud sy haar kop terwyl sy die sout trane in haar mond proe. Steeds te bang om haar hand te lig en die trane van haar wange af te vee. Daarna sou sy altyd wonder of dit haar trane was wat hom oorreed het om die wapen te laat sak. Want skielik lê sy hand met die rewolwer slap in sy skoot en hy lyk tot die dood toe moeg terwyl hy nikssiende voor hom uitstaar.

Haar bevrore lyf beweeg outomaties. Toe sy weer sien, sit sy langs hom op die rusbank, haar hand op syne, en sy vat die rewolwer ver- skriklik versigtig by hom af. Sy vingers vou willoos oop, sonder enige weerstand.

Sy spring op en gaan staan 'n paar treë weg van hom af, buite sy be- reik, waar sy in afgryse na die ding in haar hand staar. Ongelooflik hoe swaar so 'n klein voorwerpie kan wees, klein genoeg om in haar palm te pas, maar so swaar soos 'n doodskis. En koud, kouer as haar voete op die klipvloer, kouer as die dood. Nou eers begin sy bewe, vertraagde skok wat inskop. Haar hand ruk so onbeheers dat sy bang is die wapen gaan kletterend op die vloer val en per ongeluk afgaan.

"Dis in elk geval nie gelaai nie," sê hy met 'n triestige laggie.

Sy onderdruk 'n wilde drang om die rewolwer op hóm te rig, om sy reaksie te toets, om vas te stel of hy die waarheid praat. Sy sit dit haastig op die boekrak langs haar neer, voordat die versoeking onweerstaanbaar word. Maar steeds naby genoeg om te gryp indien hy 'n dreigende beweging sou maak.

"Ek het jou gewaarsku." Haar stem is hoog en dun, al haar geveinsde kalmte daarmee heen. "As jy 'n vuurwapen huis toe bring, kan ek nie meer saam met jou lewe nie."

"Ons kan in elk geval nie meer saam lewe nie." Hy sê dit so gelate, so sonder enige ontsteltenis, dat sy eensklaps vermoed dat hy hierdie hele konsert met die rewolwer vooraf beplan het. Om haar te dwing om haar woord te hou. Te erken dat alles verby is. "Ek gaan môre uittrek."

Sy staar vir 'n paar oomblikke sprakeloos na hom. "Wanneer het jy dit besluit?"

"So pas."

"Waarheen?"

"Maak nie saak nie."

"Theo … miskien het ons net tyd op ons eie nodig … miskien kan ons oor 'n ruk weer probeer?"

Hy skud sy kop en glimlag skeef. "Ek dink nie so nie. Ek is nie meer lief vir jou nie."

Hoe vreemd dat jy só lank vir so 'n eenvoudige frase kan wag. En dat dit nogtans só seermaak wanneer jy dit oplaas hoor: "Ek is nie meer lief vir jou nie."

"Maar miskien … wie weet … dalk kan jy weer leer om vir my lief te wees? Want ek is nog lief vir jou, Theo. Jy weet dit. Ek kan net nie meer saam met jou lewe nie."

Hy skud sy kop weer, dié keer sonder die glimlag. "Ek weet nie. Volgens my ma se Bybel moet jy jou naaste liefhê soos jouself. Nie dat sy dit ooit toepas op enige naaste wat nie wit is nie. Maar wat maak jy as jy nie meer vir jouself kan lief wees nie?"

Sielsverlore sit hy daar op die rusbank, vooroor gebuig met sy elmboë op sy knieë en sy hande letterlik in sy hare.

Sy moet elke greintjie wilskrag inspan om nie nader te stap en hom te omhels nie. Dit sal hom nie help nie, hy is lankal anderkant die troos van omhelsings. En dit sal alles net nog moeiliker maak vir haar en haar hart wat steeds weier om na haar kop te luister.

"Miskien … kan jy leer … om jouself weer lief te kry?"

Dis die enigste bietjie hoop wat sy hom kan bied, so onvoldoende soos 'n aalmoes wat jy met 'n skuldige gewete in 'n bedelaar se hand druk. Sy verwag een van sy snydend sarkastiese aanmerkings. "Spaar my die Sielkunde 1-lessie. Jissis, Marais, in watter vrouetydskrif het jy dít gelees? Gaan jy nou my ma en haar dominee join en vir my begin bid?"

Maar al wat hy sê, is: "Ek glo nie ek sal dit ooit weer regkry nie." Met sy kop steeds in sy hande.

Dis die beeld wat haar sou bybly, elke keer wat sy dink aan die laaste nag wat sy en haar man saam in hulle huis deurgebring het. Nie die waansinnige grynslag waarmee hy 'n wapen op haar gerig het, of die koelbloedige manier waarop hy die loop teen sy eie kop gedruk het nie.

Net die weerloosheid van 'n man wat sy kop in sy hande hou omdat hy nie wil wys dat hy huil nie.

Tot vandag toe weet sy nie of die vuurwapen gelaai was nie.

Die volgende naweek het sy na haar ouerhuis in Worcester gery – hoofsaaklik om vir 'n paar uur uit haar eie huis te ontsnap, want dit was ondraaglik leeg en oorverdowend stil nadat haar man padgegee het – en haar pa gevra om van die rewolwer ontslae te raak. Sy blou oë was vol vrae, maar hy het net geknik en gesê hy sal dit doen.

Sy het nie vir hom gesê dat haar man haar verlaat het nie.

Eers weke later kon sy genoeg moed bymekaarskraap om teenoor haar ma te bieg dat sy gaan skei. Haar ma het nie geskok gereageer nie, net simpatiek geknik, asof sy dit lankal verwag het. Theresa was eerder die een wat geskok was. As almal kon gesien het hoe sleg dit met haar en Theo se verhouding gaan, is dit geen wonder dat haar pa amper gretig was om die vuurwapen sonder enige vrae by haar oor te neem nie. Sy wou liewers nie dink aan wat hy hom alles verbeel het nie.

Maar sy het nooit met hom daaroor gepraat nie.

Daar is soveel goed waaroor sy nooit met haar pa gepraat het nie, dink Theresa terwyl sy na die plafon van Amado se slaapkamer staar, nie met haar pa of haar broer of haar man nie. En nou is hulle almal buite haar bereik, dood of seniel of in 'n ander land, en sy sleep 'n koffer vol vrae saam met haar deur Kuba.

Toe sy jonger was, het sy gedog antwoorde kom vanself saam met die ouderdom, sonder dat sy daarvoor hoef te soek, soos plooie of grys hare. Nou sit sy met plooie en grys hare, en nou eers leer sy dat elke antwoord wat jy kry wanneer jy ouer word, net nog meer vrae laat ontstaan.

21. ROPA VIEJA

Hoewel Oreste haar gisteraand in die kroeg met sy gewone geesdrif oortuig het dat Viñales in 'n pragtige omgewing geleë is, tussen tabakplantasies en groen landerye en "reusagtige ronde rotse so hoog soos heuwels", verras die reis in die oopdaksportmotor haar nogtans. Die tabaklande is leeg omdat die oestyd reeds vroeg in die jaar verby is – teen die einde van die winter, hoor sy by Ruben, en die volgende seisoen se tabak word eers weer in die herfs geplant – maar die res van die lentelandskap is ruig en diepgroen. Die rotsheuwels se vreemde vorms en sagte kurwes, oorgroei met bosse en bome, lyk van ver af soos troeteldiere wat onder groen komberse wegkruip.

"Mogotes," sê Ruben agter die stuur. "Dis wat dié heuwels genoem word. Kenmerkend van 'n karst-landskap." Hy sien haar frons en voeg geamuseerd by: "Jy het rêrig nie jou huiswerk gedoen nie, nè? As jy daai gidsboekie van jou gelees het, sou jy geweet het wat 'karst' is."

"Waarom sal ek 'n gidsboek lees as ek 'n lewende gids langs my het?"

"Jy weet goed ek's nie 'n regte gids nie, so ek kan jou ongelukkig nie veel meer oor 'n karst-landskap vertel nie. Weet net dit het iets te doen met sagte kalksteen en baie grotte en ondergrondse strome. Oreste sou dit breedvoerig kon verklaar het."

"Breedvoerig, ja." Sy grinnik terwyl sy 'n ry mogotes op die horison bewonder. "No problem."

"Moenie spot nie, hy's my broerskind," sê Ruben met 'n ondeunde vonkeling in sy oë.

"Ek spot nie," verseker sy hom. "Ek hou baie van jou broerskind."

Toe hulle teen laatoggend hulle bestemming bereik en deur die breë hoofstraat van Viñales ry, kyk sy selfs meer verras om haar rond. Sy het reeds gewoond geraak aan die reënboogkleure van huise oral op die eiland, maar hier het elke huis boonop 'n stoep met blou of geel of pienk pilare vlak langs die straat, en op byna elke stoep staan 'n paar wiegstoele. Al die stoele lyk eenders, blykbaar die plaaslike styl met hoë rugleunings van houtsparre wat breër uitwaaier boontoe, maar elke stoep se stoele is 'n ander kleur geverf. Helder oordag, gedurende werksure, is die meeste van die stoele leeg, maar dit lyk vir Theresa soos die soort plattelandse dorp waar mense in die skemeruur op hulle stoepe sal sit en wieg terwyl hulle met bure en verbygaande voetgangers gesels. Die soort dorp wat waarskynlik nie meer in haar geboorteland bestaan nie.

Sy sug, wat Ruben vraend na haar laat kyk, en haar op haar beurt gou anderpad laat kyk. Hoe op aarde verduidelik sy aan 'n sosialistiese Kubaan dat sy nostalgies voel oor die plattelandse dorpe van die jare sewentig in Suid-Afrika? Al wat hy van dié era in daardie land weet, is dat daar 'n immorele regering aan bewind was, en dat sy regering wou help om dié bewind te beëindig. Wat Lazaro vir die res van sy lewe in 'n rystoel laat beland het en baie ander Kubane se dood veroorsaak het.

Sy leer hom al hoe beter ken as 'n man met 'n diep bron van empatie. Sy is so bang sy sê iets wat die empatie laat opdroog.

"Ek het gedog dit sou groter en besiger wees," mymer sy terwyl hulle wag dat 'n perdekar die straat voor hulle oorsteek. Die oompie wat op die kar sit en die leisels van die perd slap vashou, is so bruin en verskrompel soos 'n ou okkerneut. En die perd lyk amper so oud soos die drywer.

"Dit lyk maar so stil bedags," sê Ruben, "maar hier's genoeg toeriste om die naglewe nogal bedrywig te maak."

"Maar sal so 'n plek darem 'n behoorlike hospitaal hê?"

"Dis eintlik 'n policlínico, 'n kliniek, maar die mense noem dit sommer 'n hospitaal. Dis net 'n blok of twee van die plein waar die kerk daar voor staan," beduie hy. "Naby die casa particular waar Oreste vir ons plek bespreek het."

"Wanneer het hy dít gedoen?" vra sy verbaas toe hulle verder ry.

"Vanoggend terwyl ons op pad was hierheen. No problem." Met 'n sweem van 'n glimlag in sy baard.

Sy moet tog onthou om vir Nini behoorlik te bedank vir die bekwame gids wat sy vir haar gereël het. En toe kry sy sommer die klein gids se groot oom op die koop toe.

Hy draai regs in 'n stowwerige systraat langs die plein en parkeer die kar. "Ek stel voor ons gaan soek iets om te eet voor ons by die casa inboek," sê hy. "Ek sal verkies om die kliniek met 'n vol maag aan te durf."

Sy stem dadelik in, dankbaar om die onvermydelike teleurstelling wat sy by die kliniek verwag, nog vir 'n uur of wat langer uit te stel. Sy voel soos 'n pokerspeler, oortuig daarvan dat sy sleg gaan verloor, maar sy durf nie ophou speel terwyl daar selfs net die geringste kans van 'n gelukskoot is nie.

By 'n parador in een van die systrate bestel Theresa 'n bredie van fyn gerafelde beesvleis met tamaties en uie wat ropa vieja genoem word. Dit beteken "ou klere", vertaal Ruben toe 'n tienerjarige kelner die kos bring. Die konsternasie op haar gesig laat die kelner op sy lip byt om nie hardop te lag nie. Hy probeer haar ongemerk dophou, kamtig besig om die sout- en peperpotte op die tafel rond te skuif, terwyl sy versigtig aan die bredie proe. Dis bo verwagting smaaklik, repies beesvleis wat op haar tong smelt, die groente gegeur met knoffel en kruie.

"Hmm," mompel sy met die tweede hap reeds in haar mond. "Die lekkerste ou klere wat ek nog geëet het."

Nou lag die kelner met kinderlike oorgawe en skarrel terug kombuis toe.

Ruben val weg aan 'n bord ajiaco, sy gunstelingbredie, het hy haar reeds meegedeel, 'n kombinasie van vark en hoender en 'n wye verskeidenheid van groente en vrugte. Mielies, maniok, groen piesangs, geel piesangs, patats, pampoen, soetrissie, net waaraan jy kan dink.

"Eintlik kan jy enigiets wat jy byderhand het, in die kastrol gooi," sê hy tussen twee happe en lek sy lippe behaaglik af. "Beesvleis ook, as jy dit in die hande kan kry. Hoe meer soorte vleis saam, hoe lekkerder smaak dit."

Theresa eet gans te vinnig omdat sy soos gewoonlik nie besef het hoe honger sy is nie. Hierdie onvermoë om na die behoeftes van haar eie lyf te luister, is waarskynlik die gevolg van al die jare waarin sy aspris honger gely het om gewig te verloor. Dit sal sy eerder nie erken teenoor iemand soos Ruben wat noodgedwonge moes honger ly in die "spesiale tyd" in die jare negentig nie. Gelukkig eet hy, nes sy vriende saam met wie sy al aan tafel gesit het, ook met die soort haas en gulsigheid wat elders moontlik as slegte maniere beskou sou word. Asof hulle bang is die kos gaan skielik weer verdwyn.

"Hoekom is beesvleis so moeilik bekombaar?" vra sy al kouend. "Ek het nog nêrens biefstuk op 'n spyskaart gesien nie, maar hier is tog orals beeste langs die pad?"

"Jy kry biefstuk op toeristespyskaarte, maar dis verbode in 'n parador." Ruben haal sy skouers op en grinnik verskonend. "Es un enigma. Een van daai Kubaanse enigmas wat moeilik is om aan buitelanders te verduidelik, want ons sukkel self om dit te verstaan. Alle beeste behoort aan die regering. Boere mag hulle koeie melk, maar hulle mag hulle nie slag nie. Elke keer wat 'n kalf gebore word, moet die owerheid in kennis gestel word, dan besluit die owerheid wanneer die dier geslag gaan word en wat met die vleis gaan gebeur. Soms word 'n kalf se geboorte natuurlik weggesteek en dan kan die boer dit self slag en die vleis op die swart mark verkoop. Hay que inventar?"

Sy skud haar kop onbegrypend. "En hierdie reëls geld net vir beeste, nie vir ander plaasdiere nie?"

"Daar's 'n paar ander reëls vir ander produkte," erken hy nadat hy 'n groot hap bredie afgesluk het. Hy onderdruk 'n glimlag, asof haar onbegrip hom amuseer. "Jy kan enigiets plant behalwe aartappels en cannabis. Moenie vra waarom nie."

"Wel, die cannabis kan mens seker verstaan, maar aartappels?"

"Dalk is die regering bang die mense begin aartappels rook en dan kan die tabakboere nie meer 'n bestaan maak nie."

"Maar wat is die doel van so 'n simpel reël? Waarom dóén die regering dit?"

"Omdat hulle kan?" Nou spot hy nie meer nie. Sy donker oë lyk treurig. "Kuba is 'n taamlik opgefokte plek, soos jy seker al agtergekom het. Maar ek is lief vir hierdie plek, glo dit of nie. Ek weet nie of ek in enige ander land gelukkig sal wees nie. Ander lande is weer op ander maniere opgefok."

"Ek weet wat jy bedoel. Ons kies nie waar ons gebore word nie, nè?"

"En noudat ons oor simpel reëls praat," sê hy nadat hy nog 'n paar happe van sy bredie geëet het. "Dis dalk beter as jy die praatwerk by die kliniek heeltemal aan my oorlaat."

"Selfs as daar iemand is wat Engels praat?"

"Ek bedoel, dis dalk beter as ek alleen by die kliniek ingaan." Hy verskuif sy swaar lyf ongemaklik op die plastiekstoel. "Dis nie 'n reël nie, nie sover ek weet nie, maar toeriste is nie altyd welkom in ons hospitale nie."

"En wat doen ek as ek siek word?" vra sy benoud.

"Hulle sal nie noodgevalle wegjaag nie, maar die personeel hou nie daarvan as toeriste in die hospitaal rondloop nie. Hulle kan dink jy's net nuuskierig en jou toegang weier."

"Hoekom?"

"No sé, seker maar iets met patriotisme te doen." Hy skraap 'n laaste hap van die ajiaco met sy vurk bymekaar en kyk teleurgesteld na sy leë bord terwyl hy kou. "Ons is baie trots op ons mediese stelsel. Gratis gesondheidsdiens vir almal, lewenslank, van die beste in die wêreld. Maar omdat ons arm is en omdat daar boikotte is en alles gratis uitgedeel word, lyk ons hospitale nie altyd so skoon en klinies en modern soos dié waaraan toeriste uit die sogenaamde Eerste Wêreld gewoond is nie—"

"Ek kom nie uit die Eerste Wêreld nie," herinner sy hom. "Ek kom uit Afrika."

"Maar jy kan sekerlik private mediese sorg bekostig." Sy stem bly diep en dreunend en gerusstellend, maar sy blik het uitdagend geword. "Jy hoef nie soos die meeste mense in jou land na 'n gratis hospitaal te gaan nie."

"Ek het 'n goeie mediese fonds," erken sy terwyl haar wange warm word. "Maar ek weet die toestande in sommige hospitale in my land is erger as enigiets wat ek hier sal aantref. Ek het geen rede om my neus op te trek vir Kubaanse hospitale nie."

"Ek glo jou, Theresa, maar ons wil nie moeilikheid soek nie, wil ons?"

Sy takseer hom 'n paar oomblikke lank oor die tafel. Die enigste rede waarom dit skielik vir haar so belangrik voel om 'n Kubaanse hospitaal van binne te sien, is omdat sy moontlik belet kan word om dit te doen. Belaglik, berispe sy haarself, asof daar iewers in haar altyd 'n stukkie van 'n opstandige tiener sal agterbly.

"En dit sal nie werk as ek maak of ek jou Kubaanse suster is nie?"

"En as iemand met jou praat, vra jy vir 'n glas wyn? Of het jy intussen geleer om nog iets in Spaans te sê?"

"Nou maar goed," gee sy onwillig toe, "dan maak ons soos jy voorstel."

"Ek sal gaan vra of daar enigiemand is wat al meer as tien jaar daar werk: dokter, verpleegster, skoonmaker, enigiemand wat dalk vir Mercedes sal onthou. As ek 'n naam of twee kan kry, kan ek probeer vasstel wanneer hulle van diens af kom. Dan wag ons vir hulle voor die hospitaal, nooi hulle vir 'n drankie, vertel hulle jou hartseer storie, jy weet, kyk wat gebeur?"

"Ás jy 'n naam of twee kan kry," sê sy skepties. "Vir wie gaan jy vra?"

"Ek sal by die administratiewe kantoor gaan hoor. En as dit nie werk nie, stap ek maar deur die gebou en maak of ek daar hoort en vra al die personeellede wat ek teenkom."

"Kom ons hoop daar's iemand soos Benita Nagtegaal Rosebal Watse-naam wat daar werk, dan kan jy minstens flankeer om 'n bietjie inligting uit haar te trek."

Hy leun agteroor in sy stoel en bekyk haar met daardie seldsame breë oopmond-glimlag wat hom maklik 'n dekade jonger laat lyk. "Daar is 'n verskil tussen flankeer en sjarmeer. Ek gee toe ek het met Benita geflankeer—"

"En ek is baie dankbaar daarvoor," verseker sy hom gou.

"Maar met Aleja moes ek my natuurlike sjarme gebruik. Ek moes haar oor die foon ompraat om jou te ontmoet. Sin lenguaje corporal. Sonder lyftaal of oogkontak of enige ander hulpmiddel."

"Net jy en jou sexy stem."

"Net ek en my sexy stem," knik hy kamtig beskeie.

"Wel, vanmiddag kan jy al die hulpmiddels tot jou beskikking ge-bruik. Flankeer, sjarmeer, vra haar om te trou, ek gee nie om nie, solank jy net inligting uit haar kan kry."

"En as dit 'n hy is?"

"Flankeer, sjarmeer, vra hom om te trou, ek gee nie om nie."

Life on Mars. Sedert haar aankoms 'n week gelede op die lughawe José Marti, voel sy kort-kort asof sy per ongeluk op 'n rolprentstel beland het, vasgevang in 'n fliek oor 'n vervloë era. Dié keer is dit 'n Britse tv-reeks, met dieselfde titel as David Bowie se liedjie "Life on Mars", oor 'n polisie-speurder wat ná 'n traumatiese motorongeluk 'n paar dekades terugreis in tyd tot by die vroeë jare sewentig. Wat sy veral van dié reeks onthou, benewens die fantastiese klankbaan met musiek waarna sy in haar tie-nerjare geluister het, is die dekor. Alles in eindelose skakerings van bruin, van die klere van die speurder en sy kollegas tot die meubels in hulle kantore. Net so hier en daar 'n spatsel dowwe oranje of olyfgroen.

Nou lê sy in 'n slaapkamer in Casa Nina y Nino met lelike bruin meubels en 'n muur wat halfpad olyfgroen geverf is en 'n glansende oranje satyndeken op die bed en oranje sonfiltergordyne voor 'n kleinerige venster. Sy het sweerlik in die sewentigs laas sonfiltergordyne in Suid-Afrika gesien. Sy het nie geweet die materiaal bestáán nog nie. En waarom sou net die helfte van die muur agter die bed olyfgroen wees – asof die verf opgeraak het en die verwer nie nog 'n blik in die hande kon kry nie? Teen dié tyd is sy lank genoeg in Kuba om te vermoed dat so 'n vergesogte rede moontlik die regte rede kan wees. Sy kan mos sien hoe skaars alles is, van tandepasta en sjampoe tot beesvleis en aartappels.

En dis nie net die slaapkamer wat haar terugvoer na haar tienerjare nie. Die eienares van die casa particular wat haarself as Nina voorgestel het, 'n besonder spraaksame vrou met die enorme boesem en welluidende stem van 'n outydse operasangeres, het Theresa en Ruben deur die sitkamer en die kombuis en selfs deur 'n kinderkamer agter die kombuis gelei om by hulle slaapkamers op die stoep uit te kom. Die hele huis buiten die kinderkamer is in skakerings van bruin en oranje en olyfgroen versier. Die kinderkamer het 'n pienk muur en 'n ligblou muur en twee smal kajuitbedjies met bont dekens bedruk met strokiesprentkarakters. Donald Duck, Mickey Mouse, Bugs Bunny. Onmoontlik om die geslag van die kinders te raai, want daar is geen speelgoed wat rondlê nie. Beteken dit dat die kinders besonder netjies is of dat hulle bloot nie genoeg speelgoed het om te laat rondlê nie?

Intussen het Nina eenstryk deur gesels, in Spaans, met Ruben, maar kort-kort ook 'n geradbraakte Engelse sin na Theresa gemik.

Theresa het geknik en geglimlag en gemaak asof sy verstaan.

"Sy sê ons moet môreoggend sommer deur die kinders se kamer stap om te kom ontbyt eet," het Ruben vertaal.

"Maar sal ons nie die kinders pla nie?"

"Sy sê hulle slaap nie hier wanneer daar betalende gaste in die stoepkamers is nie."

Theresa het besluit om liewers nie te vra wáár die kinders weggesteek word wanneer hulle slaapkamer in 'n gang na die gastekamers verander word nie.

Teen dié tyd voel sy egter vaagweg besorg. Dis reeds laatmiddag en sy het nog geen kinderstemme in die huis gehoor nie en begin vermoed dat die kinders dalk na ander mense uitgepos word sodat hulle nie die betalende gaste steur nie. Terselfdertyd weet sy dat sy op die vermiste kinders fikseer omdat sy te bang is om te wonder wat van Ruben geword het. Sy lê op haar rug, wat sweterig teen die sintetiese deken vaskleef, en kyk na die plafon wat om een of ander onverklaarbare rede ook gedeeltelik bruin geverf is. Dit laat die vertrek kleiner lyk en selfs meer bedompig voel. 'n Minuskule elektriese waaiertjie op die bedkassie langs haar blaas 'n bries oor haar gesig. Dit help nie juis om haar af te koel nie, maar dis beter as niks.

Dis die hitte wat haar laat besluit het om hier vir Ruben te wag, eerder as onder 'n boom voor die kliniek soos sy aanvanklik wou. En noudat hy al meer as drie ure by die kliniek is, is sy besonder dankbaar sy staan nie buite onder 'n boom nie.

As dit so mislik warm kan word in die lente, sou sy in die somer seker vergaan het. En dan wil sy nie eens dink aan die tropiese reën en die wilde storms en die verwoestende orkane wat later in die jaar kom nie. En tog glo Ruben dat hy nêrens anders op aarde so gelukkig soos hier sou wees nie, want dis waar hy hoort. Sy onvolmaakte en opgefokte komvandaan.

Soos sy ook steeds, ondanks alles, oor haar geboorteland voel.

Maar wat het van Ruben geword? Dit kan tog nie só lank vat om vas te stel dat niemand by die kliniek meer die jong dokter Perez Amat onthou nie? Dalk het hy moed opgegee en iewers gaan drink. Nee, Ruben is nie 'n drinker nie, dalk het hy net gatvol geword en sonder haar terug na Havana gery ...

Sy moes ondanks die hitte en die klewerige oranje beddeken aan die slaap geraak het, want Ruben se diep stem buite haar kamerdeur klink asof dit van vreeslik ver af kom. 'n Ander planeet. Vervaard skuif sy orent en vryf oor haar oë. Asof sy inderdaad op Mars beland het.

"Kom binne!" Sy besef hoe dors sy is toe sy haar stem hoor kraak.

Ruben se gesig glinster van die sweet onder sy hoed se rand. Sy wit hemp en broek lyk amper so verkreukel soos haar katoenrok, maar sy breë grinnik laat haar dadelik hoop dat hy nie slegte nuus bring nie.

Tensy hy natuurlik grinnik omdat sy so belaglik lyk. Sy stryk oor haar kort hare, voel die spriete wat windskeef geslaap in alle rigtings orent staan. En haar grimering het sekerlik oral gesmeer. Dis net jong mense wat mooi kan lyk die oomblik wat hulle wakker word.

Op haar ouderdom is daar nie eintlik meer iets soos natuurlike skoonheid nie.

"Por dios, só kan jy nie die dokter ontmoet nie," sê Ruben en bevestig haar vermoede. "Hy sal definitief nie met jou wil trou nie."

"Watse dokter?"

"Daar's twee dokters wat saam met Mercedes gewerk het. Een van hulle het ingestem om ons oor 'n halfuur by 'n kafee in die hoofstraat te kry."

"En die ander een?"

"Het nie op ons pleidooie gereageer nie."

"Ons?"

"'n Vrou in die kantoor het my gehelp om met 'n paar personeellede te praat. Party van aangesig tot aangesig, ander oor die foon. Mercedes is omtrent vyf jaar gelede eers daar weg, so daar's 'n hele paar mense wat haar nog onthou. Maar sy't skielik verdwyn, circunstancias misteriosas, volgens een van die verpleegsters."

"Misterieuse omstandighede?"

"Ek kry die indruk dat daar 'n bedekte skandaal is waaroor niemand wil praat nie. Net hierdie een dokter sal dalk weet wat van haar geword het. Dálk," beklemtoon hy toe hy haar verwonderde uitdrukking opmerk.

"Hoe op aarde het jy dit reggekry? Om almal so vinnig aan jou kant te kry?"

Hy loer na sy horlosie en lig sy skouers. "Dit het 'n hele paar uur van flirtasie gekos. En die dokter het my huweliksaansoek van die hand gewys. Maar hy't ingestem om ons te sien toe sê ek jy sal dalk bereid wees om met hom te trou – so jy beter gou jou gesig gaan was en jou lippe verf voor ons hom ontmoet."

"Gee my vyf minute." Sy spring laggend op en stap na die badkamertjie langs die slaapkamer.

"Weet jy, elke keer as ek doodgewoon eerlik vir iemand sê waarom jy hierdie vrou soek, dat dit gaan oor 'n verlore brief van 'n gesneuwelde soldaat aan sy dogter, wel … elke keer is ek verras oor hoe graag almal jou wil help."

Theresa steek in die badkamerdeur vas omdat sy stem onverwags ernstig geword het.

"Ek besef nou eers hoe diep daardie oorlog van lank gelede die meeste van my landgenote geraak het." Hy kyk weg en druk sy vingers onder sy hoed in om sy agterkop te krap. "So moenie dink ek help jou maar net soek omdat ek so 'n gawe ou is nie, hoor. Teen dié tyd is ek amper so gretig soos jy om hierdie brief afgelewer te kry." Hy draai om en stap weg. "Sien jou oor vyf minute."

"Wat jou rede ook al is," sê Theresa toe hy waarskynlik reeds te ver weg is om haar te hoor, "jy bly 'n gawe ou."

"Ek was ook in Angola," sê Oscar Casanova Quintero by 'n tafel op die stoep van die kafee, pas nadat hulle twee biere en 'n vrugtesap bestel het. Asof dit 'n belydenis is wat hy onmiddellik van sy gemoed af moet kry. "In die jare tagtig, as jong dokter. Nie dieselfde tyd as Mercedes se pa nie. Maar dis hoekom ons vriende geword het. Ek is heelwat ouer as sy, seker nader aan haar pa se ouderdom, maar daar was dadelik 'n soort … verbintenis tussen ons. Oor Angola." Hy huiwer voordat hy die woord "verbintenis" uitspreek, kyk na Ruben asof hy bevestiging soek dat dit die regte woord is.

Theresa is verlig dat sy Engels heel skaflik is, hoewel sy moet konsentreer omdat hy met 'n swaar Spaanse aksent praat. Sy skat hom in sy vroeë vyftigerjare, maar vermoed dat hy dalk ouer is as wat hy lyk. 'n Man wat gesteld is op sy voorkoms, moontlik selfs 'n bietjie ydel, met die skraal seningrige lyf van 'n langafstanddrawwer, netjies geknipte grys hare en 'n goed versorgde grys bokbaardjie.

"Het sy jou uitgevra oor Angola?" vra sy.

"Aanmekaar, in die begin, maar sy't gou agtergekom … ek het vertel wat ek kon vertel … maar daar's dinge wat mens nie kan vertel aan iemand wat nie daar was nie."

Hy kug en kyk weg, gryp die koue bier wat die kelnerin voor hom neersit, giet dit haastig in 'n glas en vat 'n lang, dorstige sluk.

"So julle was goeie vriende?" por sy.

"Ek het in 'n stadium gehoop dat dit meer as net vriendskap sou word."

Hy vee 'n skuimsnor van sy bolip af en glimlag skeef. "Ek was pas geskei toe sy hier begin werk het … ek het taamlik alleen gevoel … soos dit seker maar gaan as mens pas geskei is …" Theresa en Ruben vang mekaar se oë en knik albei simpatiek. "Maar dit het by vriendskap gebly."

"Ek kry die idee dat sy nie maklik vriende gemaak het nie?" sê Theresa nadat sy self ook aan haar bier geproe het. "Dis so moeilik om iemand op te spoor wat meer van haar weet—"

"Sy was vriendelik met almal … amable, generosa, bedagsaam … is dit die regte woord? 'n Gewilde dokter." Hy kyk diep in sy bierglas terwyl hy praat. "Maar sy het min mense na aan haar toegelaat. Hier in Viñales was dit moontlik net ek en dokter Morales wat sy as vriende beskou het."

"Dis die ander dokter," sê Ruben vir Theresa, "wat nie met ons wou praat nie."

"Mens kan dit verstaan," mompel Oscar.

Hy lyk meteens so ongemaklik dat Theresa vooroor leun en dringend vra: "Hoekom?"

"Wat ek nou vir julle gaan vertel, is heeltemal … confidencial?" Hy kyk fronsend op van sy bierglas. "Ek doen dit net omdat ek hoop dat julle daardie brief by haar kan kry. Ek dink dit sal haar help om vrede te maak … met baie dinge."

"Het dié dokter Morales iets te doen met die circunstancias misteriosas waarin Mercedes hier weg is?" vra Ruben.

"Wat weet julle daarvan?" Oscar se stem styg verbaas.

"Nee, ons weet niks," sê Ruben. "Dis net 'n frase wat een van die verpleegsters laat glip het. Omdat sy so skielik verdwyn het en niemand weet wat van haar geword het nie."

Oscar vat nog 'n groot teug bier, sy frons nou 'n diep keep tussen sy wenkbroue, voordat hy verder praat. "Daar het 'n verhouding tussen haar en dokter Morales ontwikkel. Meer as net vriendskap. Dokter Morales is getroud, met kinders, so een van die twee moes padgee om 'n skandaal te vermy—"

"En natuurlik sal die arme vrou soos gewoonlik die skuld kry," mompel Theresa met 'n suur mond.

Die Kubaanse dokter kyk verbaas na haar. "Dokter Morales is ook 'n vrou," sê hy. "Miguela Morales Lopez."

"O." Theresa voel hoe haar mond letterlik oopval, asof haar kakebeen nie behoorlik werk nie, terwyl sy hierdie brokkie nuus probeer verteer. Dit gooi 'n ander lig op alles wat sy tot dusver gedink het sy weet van Mercedes Perez Amat.

"Jammer," mompel Ruben, "ek moes jou seker gewaarsku het dat dokter Morales 'n vrou is."

"Nee, dis my eie simpelgeit." Sy kan nie glo hoe wrewelrig haar stem klink nie. "Ek dink aan myself as 'n bevryde vrou, maar as iemand van 'n dokter praat, aanvaar ek dis 'n man! Nes ek eenvoudig aanváár het dat Mercedes heteroseksueel sou wees. G'n wonder daar hang so 'n donnerse sluier van geheimsinnigheid oor haar nie. G'n wonder ons kon nie 'n enkele gewese geliefde opspoor nie … g'n man of kinders nie … as sy heeltyd lesbies was—"

"Nee." Oscar skud sy kop, 'n besliste beweging. "Ek dink nie sy was noodwendig lesbies nie."

"Dis wat mans altyd sê," stry sy ongeduldig, "omdat hulle nie wil glo dat enige aantreklike vrou 'n ander vrou bo hulle kan verkies nie. En sy was tog 'n aantreklike vrou? Jy het self in haar belanggestel?" Haar stem is steeds heeltemal te skerp. "Ek dink ek het nog 'n bier nodig." Sy drink haar glas vinnig leeg.

Ruben wink die kelnerin nader en bestel vir hulle elkeen nog 'n drankie.

"Ek dink regtig die ding tussen Mercedes en Miguela – dokter Morales – was iets wat hulle self ook … verras het." Oscar praat versigtig, asof hy haar probeer paai. Sy klink seker vir hom heeltemal onstabiel. "Hulle het nie aan hulself as lesbies gedink nie. En dokter Morales was nie bereid om haar huwelik prys te gee en ver van haar kinders te gaan woon nie. So, Mercedes was die een wat moes vlug."

"Weet jy waarheen sy gevlug het?" vra Ruben, sy diep stem so rustig soos gewoonlik, nie naastenby so onthuts soos sy oor die nuus wat hulle pas meegedeel is nie. Of miskien het hy net meer beheer oor sy emosies.

"Wel, Afrika toe, natuurlik, so na as moontlik as wat sy aan Angola kon kom. Maar die feit dat julle nou hier is, beteken seker dat sy nie meer dáár is nie?"

"Wat bedoel jy … dat … dat sy nie meer wáár is nie?" stotter Theresa. "In Suid-Afrika?"

"Was sy dáár?"

Nou is dit Oscar se beurt om oopmond na haar verbysterde gesig te staar. "Ek dog julle weet!"

"Wag 'n bietjie," sê Ruben, so kalm soos hy kan, want Theresa is te oorstelp om 'n woord uit te kry. "So, sy het van hier af na Suid-Afrika gegaan? Omtrent vyf jaar gelede?"

"Ek het regtig aanvaar julle weet dit," prewel Oscar. "Dat julle haar spoor dáár verloor het en nou hier kom soek. Selfs gehoop dit beteken dat sy teruggekeer het na Kuba—"

"Wat het sy in Suid-Afrika gaan doen?" wil Ruben weet.

"Gaan werk, natuurlik. Daar's die een of ander ... ooreenkoms tussen ons regerings. Ons stuur dokters om daar te gaan werk en hulle stuur mediese studente om hier te kom studeer."

Theresa bring haar bierglas bewerig na haar mond toe, teug voordat sy haar stem vertrou. "Ek weet daarvan, ja, maar ek het nie geweet ... Wel, ek het nie eens geweet Mercedes is 'n dokter voor ek hierheen gekom het nie. Ek sou nooit in my wildste drome daaraan gedink het om haar in Suid-Afrika te soek nie!" Sy draai na die Kubaanse dokter oorkant haar. "Is daar enige kans dat sy nog daar sal wees? Wanneer laas het jy met haar kontak gehad? Het jy 'n adres of 'n foonnommer wat sy daar gebruik het?" Theresa hoor die smeking in haar stem en besef sy is op die rand van trane toe sy Ruben se hand vertroostend op haar skouer voel rus.

"Sy het my nooit van daar af gekontak nie," sê Oscar. "Sy is van hier af na Havana, om ... aansoek te doen om na jou land gestuur te word." Weer die aarseling, skaars vir 'n breukdeel van 'n sekonde, voor Engelse woorde waarvan hy nie seker is nie. Woorde soos "ooreenkoms" of "aansoek".

Teen dié tyd het haar ore gewoond geraak aan sy swaar Spaanse aksent. Sy sukkel nie meer om sy woorde te verstaan nie, maar elke frase is vir haar meer onverwags, verbasend, skokkend, as die vorige een.

"Kort voor haar vertrek het sy my laat weet dat dit goed gaan. Dat ek nie oor haar ... bekommerd moet wees nie. Maar sy't gevra dat ek vir niemand in Viñales moet sê dat sy in Suid-Afrika gaan werk nie. Ek dink sy wou eintlik net seker maak dat dokter Morales nie weet waar sy is nie. Sy wou alle kontak tussen hulle afsny. Sy het nie haar eie hart vertrou nie." Hy druk sy hand ietwat dramaties teen sy bors, aan die linkerkant, waar sy hart moet wees.

Sy van is immers Casanova, onthou Theresa. En hy ís Latyns-Amerikaans. Dokter Oscar Casanova Quintero sal sulke soort hartsake ernstig opneem.

"Dit was die laaste keer dat ek van haar gehoor het." Sy stem is swaar met onvervulde wense, onuitgesproke verlangens. "Maar ek is oortuig daarvan sy sou weer vir dokter Morales gekontak het."

"Hoekom sê jy so?" fluister Theresa, haar stem in haar keel vasgeknyp. Soveel skokke op een dag – binne 'n enkele uur – ná soveel weke van wonder oor die Kubaanse soldaat en sy dogter. En alles wat sy nou hier hoor, laat haar voel dit is net nog noodsaakliker dat die soldaat se brief by sy dogter moet uitkom.

"Want ek ken haar," antwoord dokter Oscar Casanova Quintero. "Of ek het haar geken. Dit was die eerste groot liefde van haar lewe. Dit was nie die soort … passie wat sommer net sou oorwaai nie."

"Met ander woorde," sê Ruben stadig, ingedagte, asof hy met homself praat, "hierdie dokter Morales is die enigste mens in Viñales – dalk selfs die enigste een in Kuba – wat móóntlik Mercedes se kontakbesonderhede in Suid-Afrika sal hê."

"As sy nog in Suid-Afrika is," voeg Theresa angstig by.

"As sy nie meer daar is nie, het jy haar laaste bekende adres nodig as jy verder wil soek," sê Ruben. "Jy kan tog nie nóú tou opgooi nie."

"Nee," prewel sy. "Seker nie."

"Dokter Morales sou moontlik die adres weggegooi het," waarsku Oscar. "Ek is amper seker sy sou Mercedes nie geantwoord het nie."

"Maar jy is nie dóódseker nie?" vra Ruben terwyl hy oor die tafel nader aan Oscar leun. Sy groot lyf lyk eensklaps byna dreigend, soos 'n polisieman wat 'n beskuldigde kruisondervra.

Oscar deins onwillekeurig terug. "Nee, ek ken haar nie goed genoeg om doodseker te wees nie."

"Dan is daar net een uitweg." Ruben kyk na Theresa met 'n gevaarlike glinstering in sy donker oë. "Jy sal vannag een of ander misterieuse siekte moet kry sodat ons môreoggend dringend vir dokter Morales kan gaan sien. Voor ons terug na Havana ry."

"Aaa," sê Theresa.

Oscar se wenkbroue skiet die hoogte in en vir 'n oomblik lyk dit of hy wil lag, maar dan skud hy sy kop: "Dit sal nie werk nie. Daar's 'n paar dokters aan diens, so daar's geen waarborg dat julle by háár gaan uitkom met julle misterieuse siekte nie."

Ruben leun nog nader aan hom, sameswerend eerder as dreigend, sy stem sag, maar dringend. "Dit sal werk as jy ons help. As jy by die wagkamer instap en ons daar aantref, kan jy ons voor die ander pasiënte indruk omdat jy ons ken – en omdat Theresa 'n toeris is en ons vreeslik graag wil hê toeriste moet geïmponeer wees deur ons mediese dienste, nie waar nie? En dan roep jy vir dokter Morales vir 'n tweede opinie. Ons het net tien minute saam met haar nodig."

"Sy gaan julle waarskynlik wegjaag as sy agterkom julle het 'n siekte versin net om haar te sien," sê hy steeds kopskuddend. "En sy gaan die hel in wees vir my as sy weet ek het julle gehelp."

"Ons is bereid om die kans te waag," sê Theresa dadelik. "Dis ons laaste kans. Oormôre vlieg ek terug huis toe. As ek net kan vasstel of Mercedes nog iewers in Suid-Afrika is, kan ek daar verder na haar gaan soek—"

"Jy't gesê jy wil ons help om hierdie brief by Mercedes te kry," herinner Ruben hom. "Omdat dit háár kan help. As jy ons nie môreoggend help nie, kan ons dit nie doen nie. Por favor, camarada." Hy voeg nog 'n paar sinne in Spaans by, sy stem selfs dieper as gewoonlik.

Oscar antwoord hom in Spaans, maar lyk steeds onseker toe hy opstaan en sy beursie uit sy broeksak haal.

"Nee, ons het jou genooi," sê Theresa. "Ons sal betaal."

Hy grinnik en sit 'n paar note op die tafel neer. "Ek dring daarop aan om minstens vir my eie bier te betaal. Dan kan niemand my beskuldig dat ek omgekoop is as ek julle môreoggend in die wagkamer kom haal en aan dokter Morales voorstel nie."

Theresa kyk hom oorstelp agterna toe hy wegstap.

"Wat het jy vir hom in Spaans gesê?" vra sy vir Ruben.

"Ek het gesê dit lyk nie of jy bereid gaan wees om met hom te trou nie." Vir 'n oomblik glo sy hom amper. Sy het soveel ongelooflike dinge die afgelope halfuur gehoor dat sy nou enigiets sal glo. "Toe sê hy dis ook maar goed so, want hy gaan nooit weer so dom wees om te trou nie."

"Wel, dit maak twee van ons." Theresa lig haar byna leë glas in 'n heildronk.

"Drie," sê Ruben en klink sy glas vrugtesap teen haar bierglas, voordat hy verbouereerd vra: "En nou? Hoekom huil jy nou?"

"Ek huil nie." Sy vee vervaard oor haar wange en kyk weg van hom, na 'n groep jong rugsaktoeriste wat by die tafel langsaan sit en skerts, hulle Amerikaanse stemme vol van die valse bravade van die jeug. "Ek weet nie. Dit raak alles net te veel vir my. Ek kan nie glo dat Mercedes in Suid-Afrika was nie. Dalk nog steeds daar is. Dalk het ek al op straat by haar verbygestap. En hier kom soek ek haar in Kuba. Blaas al my spaargeld, mors my tyd, mors almal se tyd, terwyl ek heeltyd op 'n totale blerrie dwaalspoor is!"

Ruben hou haar vir 'n paar oomblikke stilswyend dop, wag geduldig dat sy haar neus blaas en nog 'n sluk bier vat, voordat hy vra: "Dink jy rêrig jy het jou tyd hier gemors?"

"Seker nie." Sy probeer glimlag, maar voel hoe haar mond skeef trek. "Maar as ek die brief dan nie kan aflewer terwyl ek hier is nie ... as ek minstens huis toe kan vlieg met 'n adres ... 'n bietjie hoop dat ek haar ééndag sal opspoor?"

"Dit sal afhang van dokter Morales môreoggend," sê Ruben. "Het jy enige voorstelle vir 'n misterieuse siekte? Simptome wat jy maklik kan naboots?"

"Ek dink 'n angsaanval kan dalk werk." Sy vryf oor haar klam oë en besef te laat dat sy weer eens besig is om haar maskara af te smeer. Sy dra gewoonlik nie watervaste maskara nie, want sy huil gewoonlik nie maklik nie, maar hier in Kuba werk niks meer soos gewoonlik nie. "Om die waarheid te sê, ek voel nou so angstig dat dit dalk nie eens nodig sal wees om enigiets te fake nie."

22. MUNCH SE SKREEUENDE VROU

Die egskeiding is binne 'n jaar afgehandel. Dit het weliswaar soos tien jaar gevoel terwyl dit aan die gang was, maar elke keer wat Theresa na haar vriendinne se treurmares oor hulle uitgerekte skeisake geluister het, het sy weer eens besef dat tyd, soos Einstein beweer het, altyd relatief is. Die egpaar Marais-Van Velden het minstens saamgestem dat hulle nie langer saam kon lewe nie, daar was nie 'n buite-egtelike verhouding wat onnodige wrewel of wraaklus veroorsaak het nie, en hulle het nie kinders of troeteldiere of selfs veel besittings gehad om oor te baklei nie. 'n Sorgvuldig beplande voorhuwelikse kontrak het verseker dat hulle bates gelykop verdeel sou word in die geval van 'n egskeiding. Hulle belangrikste gesamentlike bate was die huis waarin nie een van hulle alleen wou agterbly nie – albei was gretig om weg te kom van die onaangename herinneringe wat soos spoke om elke hoek en agter elke meubelstuk gehang het – dus het hulle die huis dadelik in die mark gesit, teen 'n goeie prys verkoop en die wins gedeel.

Aangesien Theresa reeds in haar dertigste lewensjaar was toe hulle getrou het – en Theo vier jaar ouer – het hulle die onderneming sonder onnodige romantiese illusies aangepak, soos 'n saketransaksie tussen twee rasionele volwassenes. Dank die hemel daarvoor, het Theresa ses jaar later in die skeihof gedink, want teen dié tyd het Theo beslis nie meer soos 'n rasionele volwassene opgetree nie, altans nie in sy persoonlike lewe nie, en sy bisarre gedrag het haar al hoe meer aan haar eie redelikheid laat twyfel. Maar gedurende die skeisaak, in die oë van die gereg en in die teenwoordigheid van hulle onderskeie prokureurs, was hulle 'n besonder voorbeeldige skeiende paartjie. Indien 'n voorbeeldige skeiende paartjie nie 'n absolute oksimoron is nie, het Theresa as taalredigeerder bespiegel.

Maar hulle voorbeeldigheid en die betreklike spoed waarmee die transaksie ontbind is, het dit nie minder pynlik gemaak nie. "Dis soos om 'n pleister van 'n oop wond af te trek," het sy vir haar suster probeer verduidelik. "Jy kan dit so stadig as moontlik doen en so hard as moontlik kerm terwyl jy dit doen, of jy kan op jou tande byt en dit met een beweging afruk. Dit bly séér."

Sandra het simpatiek geknik – en beter geluister as wat Theresa besef het, want toe sy en Anton 'n paar jaar later skei, het sy die pleister ook vinnig afgeruk, bytend op haar tande en sonder om te kla. Hoewel sy dit selfs sonder haar ousus se raad seker só sou gedoen het. Sandra het mos nooit juis oor enigiets gekla nie.

Ondanks alles het Theresa 'n paar keer probeer om met haar toekomstige – gewese man te praat terwyl hulle aan die skei was. Nie omdat sy nog enige hoop gekoester het dat die huwelik gered kan word nie. Net omdat sy wou verstaan wat in sy kop aangaan.

Teen dié tyd moes sy seker geweet het sy sou nooit weet nie.

"Waarom wil vroumense altyd weet hoe jou kop werk?" het hy gereeld gekla terwyl hulle nog saamgewoon het. "Penny for your thoughts. Jissis, ek háát daai frase. Asof gedagtes soos groente gekoop kan word!"

Nogtans.

'n Paar weke ná hy uit die huis getrek het, het hy haar ewe formeel via sy prokureur in kennis gestel dat hy 'n boks vol boeke wil kom haal. Hy het die laaste Donderdagaand van die maand voorgestel omdat hy geweet het dis haar boekklubaand, die één aand in die maand wanneer sy nooit tuis was nie. Die gedagte dat hy haar wou vermy, dat hy te lafhartig was om haar in die oë te kyk – wat nog te sê van met haar te práát – het haar so onredelik ontstig dat sy dadelik haar boekklubafspraak gekanselleer het en hom in die sitkamer ingewag het. Vanaand is die aand wat sy hom gaan dwing om te praat, het sy haar voorgeneem, al moes sy hom aan die rusbank vasketting en stadig martel.

Dit was toe nie nodig om enige marteltegnieke toe te pas nie. Haar blote teenwoordigheid was blykbaar vir hom 'n marteling.

Hy was sigbaar omgekrap toe hy haar in die sitkamer aantref, maar het bloot kortaf gegroet en sy boeke van die rak langs die kaggel begin afhaal en een vir een in 'n boks gepak wat hy saamgebring het.

Sy het hom staan en dophou met haar arms so styf voor haar bors gevou dat sy skaars kon asemhaal. Sy moes haar arms beheer, anders sou sy hom moontlik te lyf kon gaan, maar miskien was dit net 'n manier om

216

te keer dat haar stukkende hart uit haar borskas val. Dat haar verdriet en haar woede 'n spektakel word.

Terwyl hy die boeke kies wat hy wou wegvat, het die boekrak vir haar al hoe meer soos 'n ou boemelaar se mond begin lyk, vol swart gate en gapings waar tande moes gewees het. Hy het geen romans of digbundels van die rak afgehaal nie, slegs niefiksie. Geskiedenis, politiek, filosofie. Sy dae van romans lees was blykbaar verby, soos so baie ander dinge vir hom verby was. Teen die middel van die jare negentig was Theo niefiksieredakteur by 'n uitgewerytjie wat al hoe meer gesukkel het om met die groot internasionale maatskappye in die boekbedryf mee te ding. Hierdie professionele stres – en die gepaardgaande finansiële onsekerheid – het waarskynlik ook bygedra tot sy wanhopige toestand.

Alles in sy lewe was besig om uitmekaar te val: sy beroep, sy huwelik, sy huislewe, sy geestesgesondheid.

Theresa het na die krom lyn van sy skouers gekyk, soos 'n ou draadhanger wat skeef getrek is deur 'n te swaar jas, en probeer raai of die spierspasma in die omgewing van haar hart deur liefde of deur haat veroorsaak word. Of miskien iets so eenvoudig soos medelye.

In sy veertigste lewensjaar het die spoke van die verlede Theo van Velden ingehaal, hulle ysige asem voortdurend in sy nek geblaas, koud genoeg om alle vreugde te verdryf, enige hoop om ooit weer rustig te slaap, selfs om net weer 'n slag goeie seks te geniet. Die afgelope ruk het sy ewig betroubare geslagsorgaan hom ook in die steek gelaat. Daardie laaste regop staan teen die donker het ook platgeval.

"Kan ek vir ons koffie maak?" vra sy versigtig. As hy selfs net 'n ondertoon van bejammering in haar stem hoor, sal hy weier.

"Ek probeer minder koffie drink," sê hy stug. "Om beter te slaap."

"Wat van rooibostee?" vra sy vir sy rug.

"Van wanneer af drink jy rooibos?"

"Van ons aan die skei is en ek ook sukkel om te slaap."

Hy kyk vlugtig na haar, sy blou oë die ene wantroue, voordat hy die aanbod met 'n skouerophaling aanvaar.

In die kombuis skakel sy die ketel aan en wag dat die water kook. Dis asof al haar onderdrukte emosies saam met die water kookpunt bereik, asof die dun fluitgeluid van die ketel deur 'n hoë gekerm binne-in haar geëggo word. Dis die laaste kans wat sy gaan kry om met hom te praat. Nóú, terwyl hulle tee drink. Wat sê jy vir jou man – wat binnekort jou gewese man gaan wees – as jy weet jy gaan dalk nooit weer iets vir hom kan sê nie?

"Kom ons probeer vriende bly" gaan nie werk nie. Nie vir hulle nie.

"Ek het nie melk of suiker nie," sê sy toe sy die skinkbord met twee bekers tee na die sitkamer dra en op die lae tafel voor die kaggel neersit. "Maar ek het bietjie heuning ingeroer."

"Hoekom?" Sy stem bly skoorsoekerig.

"Hoekom het ek nie melk of suiker nie?" Omdat hier nie meer 'n man in die huis woon vir wie ek melk en suiker hoef te koop nie. En wat de donner het dit met jou te doen wat in my yskas en my koskas is?

"Nee, hoekom het jy heuning in my tee gesit?" Hy het weggedraai van die boekrak, sy volle aandag by die beker tee wat sy na hom uithou.

Iets in sy houding, of in sy oë, maak haar bang.

"Omdat ek ... ek weet nie ... jy hou tog van heuning in jou tee?"

"Gee vir my die ander beker." Dis 'n bevel, nie 'n versoek nie.

"Maar dis jóú beker dié."

Dis 'n beker met 'n prentjie van Munch se skreeuende vrou wat sy jare gelede in die geskenkwinkel van 'n Europese museum vir hom gekoop het. Waaruit hy altyd sy oggendkoffie gedrink het. Háár beker, by dieselfde museum gekoop, het 'n prentjie van Van Gogh se goue sonneblomme op. "Want jy't meer eksistensiële angs as ek," het sy terug by die huis geskerts toe sy die bekers uit haar tas pak. "Ek kan nie elke oggend met 'n Skreeu begin nie. Ek sal eerder na die sonneblomme kyk."

Die sonneblomme het die arme Van Gogh nie van waansin gered nie, het hy haar herinner.

Dis waar, het sy geantwoord, maar sy sal eerder mal raak terwyl sy na sonneblomme kyk as om op enige ander manier mal te raak.

"En myne het ook heuning in, so wat's die verskil?" sê sy ongeduldig en gee 'n tree nader om hom te dwing om die beker by haar aan te vat.

Hy deins terug, sy oë so verwilderd soos dié van 'n vasgekeerde dier, en klap die beker met 'n desperate beweging uit haar hand. Munch se skreeuende vrou trek deur die lug soos op 'n film wat teen vertraagde spoed draai. Sy voel 'n paar druppels van die vuurwarm tee oor haar kaal arm uitspat, hoor hoe die beker die klipvloer tref en aan skerwe breek.

218

Sy staar na die bruin vlekke op haar wit T-hemp, na die vel van haar arm wat onmiddellik rooi word waar die tee haar gebrand het, maar sy is so geskok dat sy die pyn nie eens voel nie.

"Wat de fok gaan áán met jou, Theo?" gil sy. "Het jy nou heeltemal gek geword?"

"Hoe weet ek jy wil my nie vergiftig nie?"

"Met 'n beker rooibostee?" Sy weet nie of sy wil lag of huil nie.

"Ek kan jou nie meer vertrou nie, Theresa. Ek kan niemand meer vertrou nie. Ek weet hulle wil my uitsit en ek weet nie of—"

"Uitsit?"

"Of hulle jou ook in hulle mag het nie, ek weet nie, ek weet net hulle—"

"Wie's húlle?" vra sy dringend.

"Mense met mag daar bo." Hy beduie met sy arm na die plafon terwyl hy ontsteld heen en weer stap. "Mense wat weet ek weet dinge wat ons mense hier onder nie veronderstel is om te weet nie."

"Soos?"

"Ha!" Hy blaflag en hou sy wysvinger in die lug, asof hy vir PW Botha namaak, en gluur na haar. "As ek jou vertel, kan jy vir iemand anders vertel, en dan's ek heeltemal in my moer. Solank ek my mond hou, kan ek onder die radarskerm bly, maar as ek eers begin praat ..."

Onophoudelik stap hy heen en weer tussen die boekrak en die rusbank. Sy oë rol in alle rigtings, verward en beangs.

Is dít hoe waansin lyk?

Theresa sak met lam knieë op die rusbank neer. Sy luister na haar man se onsinnige woorde – sy kry dit nog nie reg om aan hom te dink as haar gewese man nie – sy stem hoër as gewoonlik, sy keel toegeknyp van angs, en sy besef dat waansin in vele vorms voorkom. En een daarvan klink soos haar man nou klink.

"Hierdie dinge wat jy nie veronderstel is om te weet nie ..." Nou moet sy haar woorde verskriklik versigtig kies, anders gaan hy weer toeklap. "Het dit te doen met wat aan die grens gebeur het? In Angola?"

"Aan die grens, in Angola, in Suid-Afrika, orals! Daar's mense wat mal geraak het van maglus, groot kokkedore soos PW Botha en Magnus Malan, maar ook onbekende ouens onder hulle wat altyd sal beweer hulle het maar net bevele gehoorsaam, maar hulle was almal kop in een mus, hulle het ontoelaatbare dinge gedoen, onvergeeflike dinge, en hulle sal énigiets doen om te keer dat die res van die wêreld daarvan hoor!"

"Maar, Theo ... jy's tog nie die enigste een wat van hierdie dinge weet nie ... dink jy rêrig hulle gaan almal van julle ... uitsit?"

"Ek het kontakte, Theresa. Ek was 'n joernalis. Ek werk by 'n uitgewer. Ek kan skryf oor hierdie dinge. Dís waarom hulle my moet stilmaak."

Sy skud haar kop stadig, die brandpyn op haar arm nou heeltemal vergete. "Daar ís mos al daaroor geskryf? Wat van al die grensliteratuur-stories?"

"Stories!" Minagtend. Smalend. "Fiksie! Niemand neem dit ernstig op nie, want dis nie die waarheid nie."

"Ek dink stories kan soms meer waar wees as 'die waarheid'," sê Theresa, maar hy luister nie na haar nie. Hy stap net al hoe vinniger heen en weer, sy stem al hoe hoër, al hoe dringender. Wat weet sy in elk geval van "die waarheid" van daardie oorlog? Dís wat hy dink.

"Maar dis so lank gelede, Theo ... daardie mense het mos nie meer mag nie?"

"Ha!" Weer die blaflag wat haar bloed laat stol. "Dink jy ek sou van jou geskei het en in 'n grillerige losieshuiskamer gaan wegkruip het as ek geglo het hulle het nie meer mag nie?"

"So dis hoekom ons aan die skei is." Sy kan die sarkasme in haar stem nie keer nie. "Omdat jy moet wegkruip vir die mense daar bo." Sy beduie na die plafon, soos hy 'n paar minute vroeër, te moedeloos om verder te stry.

"Verstáán jy nie, Theresa?" Hy staan nou stil voor die rusbank, kyk vir die eerste keer vanaand reguit in haar oë.

Maar sy herken nie meer haar man se oë nie. Dis 'n vreemdeling wat hier voor haar staan, 'n skraal donkerkopman wat die kluts kwyt geraak het, iemand met 'n aantreklike Slawiese gesig wat van sy sinne beroof is, sy varkies verloor het, stapelgek geword het. Vreemd hoeveel sinonieme vir waansin skielik deur haar kop skiet.

"Óf jy is aan my kant, en dan is jy ook in gevaar en ek moet weggaan om jou te beskerm, óf jy is aan hulle kant, en dan is ek in gevaar en ek moet weggaan om myself te beskerm."

"Whatever." Sy staan sugtend op. "Ek kan nie meer nie."

Sy het hom gelos om sy boeke in vrede verder te pak. Sy het na hulle slaapkamer gestap – háár slaapkamer, moes sy haarself telkens herinner – sonder om soos Lot se vrou om te kyk na haar vorige lewe. Daar was niks meer om te sien nie, alles was in ligte laaie.

Toe die voordeur 'n halfuur later agter hom toeklik, het sy die skerwe van die stukkende beker in die sitkamer gaan opvee. Een van sy boeke het op die koffietafel voor die kaggel bly lê. Toe sy die titel van die boek sien – *The concept of anxiety* van Kierkegaard – het sy vir 'n oomblik gewonder of hy dit aspris daar gelos het, of daar nie dalk 'n boodskap vir haar in die boek was nie. Nee, het sy besluit, as sy begin boodskappe soek in boeke wat toevallig op tafels vergeet is, is sy besig om so gek soos haar man te word. Haar man wat binnekort haar gewese man sou wees.

23. 'N STETOSKOOP

"Ek is seker ek gaan gestraf word omdat ek met siekte spot," fluister Theresa vir Ruben in die wagkamer van die policlínico.

Haar regterhand rus heeltyd dramaties op haar bors terwyl sy voorgee dat sy sukkel om asem te haal. Die simpatieke kyke van 'n paar ander wagtende pasiënte laat haar so skuldig voel dat sy binnekort werklik met haar asemhaling gaan sukkel.

"Wie gaan jou straf?" Ruben se mondhoeke lig saam met sy ruie wenkbroue – maar nie te veel nie, want hy vertolk die rol van die besorgde vriend van die buitelandse vrou wat nie kan asemhaal nie.

"Ek weet nie. Dis wat my ma altyd gesê het as ek maak of ek siek is omdat ek nie skool toe wou gegaan het nie."

"Wat jy nou doen, is nie dieselfde as skoolsiek nie. Jy doen dit om iemand anders te help."

Sy onthou om weer 'n slag stadig asem te haal, tot in haar maag, soos in haar jogaklas. Met haar hand steeds op haar bors. Sluit haar oë en loer deur haar wimpers na die tandelose glimlag van 'n blinde tantetjie oorkant haar wat minstens honderd jaar oud lyk.

"Hierdie arme ouma gaan 'n halfuur langer moet wag om die dokter te sien omdat ek maak of ek siek is. En op haar ouderdom kan sy nie meer bekostig om te wag nie." Sy fluister steeds, net ingeval een van die pasiënte dalk Engels verstaan, maar die paniek slaan in haar stem deur.

Ruben drapeer sy arm oor haar skouer, om haar te kalmeer of te bemoedig of te troos of wat ook al, sy weet nie meer nie. Sy wend nog 'n oordrewe poging aan tot 'n diep asemteug om almal om haar te oortuig dat sy dringend 'n dokter moet sien.

Ruben het reeds met een van die verpleegsters gepraat wat hy die vorige dag bevriend het, vir haar vertel dat sy Suid-Afrikaanse vriendin hierdie onverklaarbare drukking op haar bors ontwikkel het, dat hulle dit nie kan waag om terug na Havana te ry voordat sy deur 'n dokter ondersoek is nie. Die verpleegster het belowe sy sal vir dokter Casanova sê hulle is in die wagkamer. Maar dis ook al 'n halfuur gelede. En Theresa weet nie hoe lank sy hierdie konsert nog kan volhou nie. Sy voel soos 'n swak aktrise wat skielik 'n rol moet speel waarvoor sy heeltemal onbevoeg is. Selfs die blinde vrou sonder tande word sweerlik nie deur haar onoortuigende gehyg mislei nie.

Bokant die ouma se kop pryk 'n muurskildery van Che Guevara se ewig jeugdige gesig met die swart baret en baard langs een van sy befaamde gesegdes. Die lewe van 'n enkele mens, het Ruben vir haar vertaal, is meer werd as al die goud van die rykste man op aarde. Hy het voorwaar 'n slag met woorde gehad, hierdie vryheidsvegter. As die skrywers van die tydskrifverhale wat sy op kantoor moet redigeer maar die helfte van sy talent gehad het. Maar dan sou hulle seker nie tydskrifverhale geskryf het nie, hulle sou revolusionêre helde gewees het.

As jy van Che se ikoniese gesig vergeet, lyk die vertrek maar soos enige ander wagkamer in enige ander staatshospitaal. Miskien 'n bietjie armoediger, die generiese plastiekstoele waaraan jou boude in die hitte vaskleef, nog ouer as op ander plekke, die plastiekbedekking op die vloer selfs valer en meer verslete. Maar dis blote bespiegeling. Sy is 'n bevoorregte wit vrou, soos Ruben haar tereg herinner het, wat bitter min ervaring van staatshospitale het.

Dis beslis bedompiger as enige wagkamer waaraan sy gewoond is. Die vensters is klein en sit in 'n ry hoog bo hulle koppe, asof 'n sadistiese argitek besluit het dat die pasiënte nie vars lug nodig sou hê nie. En die plafonwaaier werk nie. Of miskien word dit slegs in die warmste somermaande aangeskakel. Sy kan haar skaars voorstel hoe dit in Julie of Augustus hier moet ruik. Selfs die skerp dampe van ontsmettingmiddel kan nie die sweterige lyfstank van haar medepasiënte verbloem nie. En wie weet, moontlik ruik sy met haar bevoorregte wit meerderwaardigheid teen dié tyd nes hulle.

Dis so 'n nare gedagte dat sy haar wang teen haar regterskouer laat rus en haar neus diskreet teen haar oksel druk om vas te stel of sy vanoggend genoeg reukweerder aangesmeer het.

Ruben kyk haar skeef aan.

Gelukkig verskyn dokter Casanova op hierdie oomblik in die wagkamer en red haar van verdere verleentheid.

Hy dra 'n wit doktersjas, wat hom meer formeel laat lyk as gister toe hulle saam bier gedrink het, en versoek hulle beleef om hom na sy spreekkamer te volg. Jy sou sweer hy het hulle nog nooit voorheen gesien nie. Sy glimlag vir oulaas verskonend vir al die wagtende pasiënte, maar niemand lyk juis vies of verontwaardig omdat die toeris en haar Spaanse tolk voorgetrek word nie.

Dalk is dit al wat 'n ondemokratiese samelewing eintlik beteken, besin Theresa in die wegstap. Dat jy eindelose geduld moet aanleer as jy wil oorleef. Enige teken van frustrasie of opstandigheid kan jou in die moeilikheid laat beland. Soos die slawe van lank gelede nie teen hulle koloniale meesters op hierdie eiland in opstand kon kom nie, so kan die slawe se nageslag steeds nie teen hulle sosialistiese meesters in opstand kom nie. Hoewel enigeen moet toegee dat die slawe se nageslag 'n beter lewe lei as wat die slawe ooit kon gelei het, is dit steeds nie 'n demokratiese lewe nie.

Sou sy hierdie insig vanaand, op haar laaste aand op die eiland, met Ruben kan deel? Sy weet steeds nie of sy hom goed genoeg ken nie. Maar hoe weet 'n mens ooit of jy enigiemand werklik ken?

As daar één les is wat sy uit haar stormagtige verhouding met Theo van Velden geleer het, is dit dat selfs die mense wat die naaste aan jou lewe, weggesteekte kelders vol geheime kan hê. Nie die digterlike geheime tuine wat ons almal toegelaat word, selfs aangemoedig word, om te kweek nie. In Theo se geval was dit 'n ondeurdringbare geheime oerwoud, geen sprake van 'n netjies getemde tuintjie nie.

Sy het gedink sy ken hom toe hulle ná jare van vriendskap getrou het. Teen die tyd dat hulle geskei het, het sy gereken nou ken sy ook sy onderdrukte donker kant wat hy vóór die huwelik nog vir haar kon wegsteek. Eers daarna, toe hy in hegtenis geneem is en in 'n psigiatriese hospitaal beland het, het sy agtergekom hóé donker hierdie kant in werklikheid was.

Gitstikfokkennagdonker.

En tot vandag toe is sy beangs om enige man te na aan haar toe te laat, want die hemel weet sy sien nie kans om ooit weer selfs net 'n glimp van daardie soort donkerte te kry nie. Hou dit liewers oppervlakkig, dit het haar leuse geword. Vriendskap is welkom, seks is meer as welkom (hoewel dit in hierdie stadium van haar lewe soos 'n wonderwerk sou voel), maar te veel intimiteit sou die kalm oppervlak versteur.

En aangesien Ruben so 'n besonder kalm oppervlak het, wil sy werklik nie klippe in daardie dam gooi nie.

In sy Spartaanse spreekkamer gaan sit Oscar Casanova Quintero agter 'n ou staallessenaar vol papiere en lêers – geen spoor van 'n rekenaar of enige ander elektroniese toerusting nie – teen 'n muur wat dieselfde kliniese groen kleur geverf is as die jurke wat mediese personeel in operasiesale dra. Theresa het heimlik gehoop dat die hospitaaldekor so verrassend bont sou wees soos die outydse motors op straat en die fasades van die huise oral op die eiland. Maar 'n hospitaal bly seker maar 'n hospitaal. Selfs in Kuba.

Sy loer na Ruben toe hulle op twee plastiekstoele voor die lessenaar gaan sit, onseker of sy moet voortgaan met die konsert wat sy daar in die wagkamer opgevoer het. Dokter Casanova weet tog sy het nie werklik mediese hulp nodig nie. Maar Ruben se gesig bly doodernstig terwyl hy vir die dokter vertel van die drukking wat sy buitelandse vriendin op haar bors voel. Hy praat Spaans, maar sy lyftaal is so duidelik dat sy die strekking verstaan. Hy slaan met sy palm teen sy bors, herhaal "el pulmón, el pulmón", wat klink of dit iets met longe te doen het. "El corazón", terwyl hy na sy hart wys. "Dolor, dolor", terwyl hy sy gesig pynlik vertrek.

Toe dokter Casanova net so sedig soos Ruben knik en haar vra om op die ondersoekbed te gaan sit, wonder sy vir die eerste keer of hier nie dalk afluisterapparate iewers in die spreekkamer weggesteek is nie. Hoewel die vertrek so karig gemeubileer is dat sy nie kan dink wáár jy so iets sou kon wegsteek nie. Onder die stapels papiere op die lessenaar?

Nee, sy word nou belaglik agterdogtig. Sy stap gedwee na die hoë bed in 'n hoek van die vertrek. Die twee mans moet waarskynlik net seker maak dat niemand hulle kan beskuldig dat hulle die morele kode van die mediese kliniek oortree nie. Ruben omdat hy 'n buitelander onder valse voorwendsels na 'n dokter bring. Oscar omdat hy gewillig saamspeel.

Toe die dokter haar vra om haar katoenhemp agter op te lig sodat hy sy stetoskoop teen haar kaal rug kan druk, word sy deur 'n volgende vlaag van paniek getref. Sê nou hy neem die speletjie so ernstig op dat hy haar vra om haar hemp uit te trek? Dit sal darem net te vernederend

225

wees, nie net vir haar nie, dalk nog meer vir die arme Ruben. Hulle het mekaar nog nooit eens in swemklere gesien nie. Stel jou voor watse skok dit vir hom sou wees om haar in die genadelose buislig van hierdie spreekkamer in haar onderklere te aanskou.

Met haar klere aan lyk sy meestal heel skaflik – vir haar ouderdom, natuurlik – maar onder die klere is dit 'n ander storie. Haar lyf het 'n slagveld geword, onherstelbaar geskend, die ene kraters en slote en onnatuurlike bulte ná 'n lewenslange oorlog teen 'n onoorwinlike vyand. Tyd is die vyand, die dief, die wenner. Altyd.

Ruben hou sy rug diskreet op hulle gedraai terwyl Oscar die stetoskoop oor haar lyf en onder haar hemp rondskuif en haar 'n paar keer beveel om diep asem te haal. Dis dan juis wat ek sukkel om te doen, protesteer sy flou, bloot om die dokter se gewete te troos.

"Dis baie vreemd," mymer hy en vryf oor sy netjiese grys bokbaardjie. "Ek sal my kollega se raad moet vra. Dokter Morales praat Engels," voeg hy by terwyl hy betekenisvol in haar oë kyk. "Wag asseblief hier."

En hy haas hom by die deur uit.

Theresa sit regop op die ondersoekbed en kyk vraend na Ruben. "Waarom tree hy so bisar op? Hy weet tog ek's nie rêrig—"

Ruben hou sy handpalm op, keer haar om enigiets verder te sê.

Nou ja, as dit is hoe hulle hierdie speletjie wil speel, het sy nie 'n keuse nie. Sy sal net eenvoudig moet saamspeel.

Maar dit voel asof hulle vir ure daar sit en wag, Ruben swyend en swetend op die plastiekstoel voor die lessenaar, sy op die hoë bed met swaaiende bene soos 'n verveelde kind. Sy bestudeer haar kaal voete terwyl 'n outydse wekkerhorlosie heeltemal te hard op die lessenaar tik. Sy hou van haar voete, skraal en seningrig en sonder die eelte en liddorings wat soveel middeljarige mense se voete ontsier. Eintlik die enigste deel van haar lyf wat sy deesdae nog kaal verkies.

Toe sy begin voel asof sy gaan omkap van hitte en dors, kom dokter Casanova oplaas weer by die deur ingestap, begelei deur 'n fyn geboude vroutjie wat 'n wit doktersjas met kort moue dra.

"Vertel vir dokter Morales alles wat jy vir my vertel het," sê hy met 'n senuweeagtige glimlag. "Ek gaan gou 'n koppie koffie soek."

Voordat dokter Morales haar mond kan oopmaak, het hy weer op 'n drafstappie verdwyn.

Ondanks haar gebrek aan lengte en haar fyn liggaamsbou, lyk die dokter nie broos of hulpbehoewend nie. Theresa vergelyk haar onwillekeurig met al die Bambi-agtige metgeselle wat Theo destyds so onweerstaanbaar gevind het, maar hierdie ene het nie die oë van 'n onskuldige bokkie nie. Dokter Morales se oë is 'n seldsame groen kleur met bruin vlekkies, haar blik reguit, selfversekerd. Haar skraal arms is gespierd onder die kort moue van die wit jassie, haar kaal bruin kuite atleties in praktiese sportskoene, haar donker hare in 'n stomp seunstyl geknip. Sy dra 'n dun goue trouring, geen ander juweliersware of versierings aan haar lyf nie. Haar vel is bruin met groot swart sproete soos peperkorrels oor die brug van haar neus gestrooi. Nie die soort skoonheid wat jou asem wegslaan nie, maar hoe langer jy na haar kyk, hoe moeiliker word dit om weg te kyk.

Theresa se volgende diep asemteug is eerder om moed te skep as om asem te skep. Dis haar laaste kans dié, sy durf dit nie bederf nie.

Sy kyk stip in Miguela Morales Lopez se rare groenbruin oë. "Ek het 'n baie belangrike brief wat ek by Mercedes Perez Amat moet kry. Haar pa het dit veertig jaar gelede vir haar geskryf, kort voordat hy dood is, in Angola, maar dis nooit gepos nie."

Dokter Morales se gesig bly uitdrukkingloos professioneel terwyl sy na haar luister, maar Theresa verbeel haar dat sy haar oë 'n paar keer te vinnig knip toe sy Mercedes se naam hoor. Sy sê egter niks, vou net haar arms voor haar bors en gee 'n tree agteruit, asof sy haarself by voorbaat wil beskerm teen wat die valse pasiënt op die bed ook al verder gaan kwytraak.

"My oorlede man het in dieselfde oorlog baklei. Aan die vyand se kant. Ek het die brief ná sy dood tussen sy besittings ontdek." Theresa se stem klink al hoe dringender, want sy word al hoe banger dat die dokter eenvoudig op haar hakke gaan omdraai en minagtend gaan wegstap. "Ek is seker dit sal vir Mercedes ontsettend baie beteken as sy dit kan lees."

"Jy's 'n Suid-Afrikaner." Dis nie 'n vraag nie. Dokter Casanova moes reeds haar nasionaliteit aan sy kollega meegedeel het. Dit klink eerder soos 'n beskuldiging.

"Ek is," beaam Theresa. "My man wou nie in daardie oorlog gewees het nie en hy moes dinge gedoen het waarvoor hy homself nooit kon vergewe nie. As ek hierdie brief vir Mercedes kan gee ... dis die enigste manier waarop ek ooit boete kan doen ... namens my man ... vir sy aandeel in die oorlog."

"So jy doen dit eintlik vir jouself, om beter te voel, nie vir Mercedes nie." Dokter Morales se stem is so kil soos die blik in haar gespikkelde oë.

"Nee! Dit gaan nie oor my nie, dit gaan oor Mercedes ... en oor my man ... die oorlog het hom vir altyd geskaad, hy's dood in 'n inrigting vir geestesversteurdes ... ek kon hom nie help terwyl hy nog gelewe het nie ... nou voel dit vir my ek moet hom minstens ná sy dood probeer help ..."

Nou voel sy wérklik 'n verskriklike drukking op haar bors, 'n brandende golf wat binne-in haar opstoot, 'n wal van selfbeskerming wat gaan bars.

'n Flits van besorgdheid in dokter Morales se oë is genoeg om alles te laat ineenstort.

Die volgende oomblik stroom die trane oor haar wange en 'n byna dierlike geluid skeur deur haar bors. Theresa Marais, die vrou wat altyd geluidloos huil, snik vir die eerste keer in haar volwasse lewe soos 'n troostelose kind voor 'n vreemdeling. En Miguela Morales Lopez laat vaar haar professionele afsydigheid vir 'n paar oomblikke om haar snikkende pasiënt moederlik te omhels.

"Natuurlik doen ek dit vir myself ook," bieg Theresa tussen twee snikke teen dokter Morales se skouer. "Vir almal van ons."

Eers toe dokter Morales terugtree, word Theresa weer bewus van Ruben wat so kalm soos altyd langs die lessenaar sit. Dit lyk nie of haar uitbarsting hom in die verleentheid gestel het nie. Inteendeel. Hy lyk byna trots, asof hulle saam iets reggekry het.

Sy blaas haar neus in die papierhanddoek wat die dokter vir haar aangee.

"Ek het gehoop jy kan vir my 'n kontakadres vir Mercedes gee." Theresa kry skaam vir haar smekende toon, maar sy is desperaat genoeg om op haar knieë voor die dokter neer te val as dit haar sal help om by Mercedes uit te kom. "Ek soek haar al meer as 'n week lank oral in Kuba en het gister eers gehoor sy's moontlik in Suid-Afrika. As sy nog daar is, kan ek die brief persoonlik vir haar gaan aflewer. Maar as sy intussen teruggekom het na Kuba ..."

Sy bly stil, want haar stem word weer gevaarlik wankelrig. Haar trane sit steeds vlak in haar keel, maar sy kan waaragtig nie weer begin grens nie. Dokter Casanova gaan binne enkele minute terugkeer na sy spreekkamer; sy moet klaarkry hier, sy kan nie langer die tyd van die twee dokters en al die ware pasiënte in die wagkamer mors nie.

"Asseblief." Nou soebat sy onbeskaam. "Ek vlieg môre terug na Suid-Afrika."

"Sover ek weet, is sy nog altyd daar onder," sê dokter Morales ná 'n lang stilte. "Ek het twee jaar laas van haar gehoor. Ek durf haar nie weer kontak nie. Haar Kubaanse kollegas is almal veronderstel om haar te vermy, hier en in Suid-Afrika. Hoewel hulle hier waarskynlik nog nie weet wat gebeur het nie."

Theresa frons verward. Die vrou druk haar hande diep in die wit jas se sakke, kyk oor haar skouer asof sy wil seker maak dat haar kollega nog nie teruggekeer het nie.

"Jy't ook nog niks gehoor nie?" vra sy vir Theresa.

"Ek weet niks van haar nie," prewel Theresa.

En niks sou haar ooit kon voorberei op die skok van Miguela Morales Lopez se volgende woorde nie.

"Sy't haar land verraai en haar landgenote in die steek gelaat. Dis hoe die Kubaanse owerheid dit beskou. Sy het met 'n Suid-Afrikaner getrou. Sy kan nie terugkom na Kuba toe nie."

"'n Suid-Afrikaner?" herhaal Theresa verdwaas.

"'n Suid-Afrikaner?" eggo Ruben. Vir die eerste keer klink hy net so oorstelp soos sy oor die rigting wat hulle soektog ingeslaan het. Maar hy ruk hom gouer reg.

"So dit beteken sy sal nog daar wees?" Hy staan op en kom nader. Hy troon so hoog bo dokter Morales uit dat sy haar nek moet knak om hom ietwat agterdogtig in die oë te kyk. "Ruben Torres Márquez," stel hy hom voor. "Ek is Theresa Marais se tolk en gids. Ek soek al die hele week saam met haar na Mercedes."

"Hy's my vriend." Theresa se stem is steeds flou van skok. "Ek vertrou hom honderd persent. Sonder hom sou ek lankal moed opgegee het."

Ruben kyk verras na haar, maar sy hou haar oë op die dokter.

"Ek weet nie of sy nog in Suid-Afrika is nie," sê dokter Morales. "Dalk het sy intussen in 'n ander land asiel gesoek."

"Sou sy nie in Suid-Afrika asiel kon kry nie?"

Dokter Morales kry vir die eerste keer 'n effense glimlag om haar mondhoeke, 'n aanduiding van humor in haar oë. "Nee, julle regering is mos nou aan dieselfde kant as ons s'n. Die oorlog is lankal verby."

Theresa probeer ook glimlag, maar haar mond voel dood van skok. "'n Suid-Afrikaanse man." Sy skud haar kop, steeds verslae, onthou die misverstand van die vorige dag en vra: "Of is dit nie 'n man nie?"

Dokter Morales knip haar oë weer 'n bietjie te vinnig, maar kry dit reg om haar stem neutraal te hou. "Natuurlik is dit 'n man. Hulle is getroud."

"In Suid-Afrika kan 'n vrou ook met 'n vrou trou," verduidelik Theresa.

"Nie hier nie," sê dokter Morales met 'n meewarige glimlaggie.

"Jy onthou nie dalk sy van nie? Dit kan my help om verder te soek—"

"Nee. Jammer. Ek onthou dis 'n vreemde van wat ek glad nie kon uitspreek nie ..."

Dis nie verbasend nie, dink Theresa. 'n Kwarteeu ná die dagbreek van demokrasie in haar land sukkel sy en die meeste van haar wit vriende steeds om hulle swart kollegas en kennisse se name reg uit te spreek. Die gees is gewillig, maar die tong struikel aanmekaar.

"En jy't seker nie haar laaste adres nie?" vra Ruben sonder veel hoop.

"Ek het 'n afskrif van die laaste e-pos wat sy vir my gestuur het. By die huis, tussen my persoonlike dokumente."

Dis 'n belydenis, besef Theresa, van hoeveel daardie laaste boodskap vir haar beteken het.

"Ek kan daardie e-posadres vir julle stuur," sê dokter Morales. "En haar man se naam. Dis al wat ek kan doen."

"Dis reeds heelwat," verseker Theresa haar. "Sal jy dit dalk vanaand nog kan doen? Sodat ek minstens nie môre met leë hande hier wegvlieg nie?"

"Ek is vanaand aan diens, so ek kan niks belowe nie." Die dokter lyk skielik haastig om die gesprek te beëindig. Sy haal 'n notaboekie en 'n verweerde plastiekpen uit haar wit jas se borssak en druk dit in Theresa se hande: "Skryf gou jou e-posadres vir my neer, dan kyk ek wat ek kan doen."

Sy moes haar kollega se voetstappe in die gang gehoor het, want enkele oomblikke later verskyn dokter Casanova weer in die deur en kyk afwagtend na hulle.

"Jy was reg," sê Miguela Morales Lopez vir haar kollega in Spaans. "Dit klink soos 'n klassieke angsaanval. Veroorsaak deur stres. Of agotamiento." Teen dié tyd herken Theresa die frase "ataque de ansiedad" omdat Ruben en dokter Casanova dit herhaaldelik gebruik het. "Estrés" moet stres wees. "Agotamiento" verstaan sy nie. Dokter Morales kyk na haar en slaan oor na Engels. "Moegheid. Daar's geen medikasie wat ons kan voorskryf nie, jy moet net sorg dat jy rus kry."

"Ek voel klaar beter." Theresa gee die notaboekie met haar e-posadres terug vir die dokter. "As ek vanaand daardie e-posadres kan kry, sal ek nóg beter voel."

"Voorspoedige reis." Dokter Morales groet, saaklik en professioneel, g'n spoor van die moederlikheid waarmee sy die huilende Theresa 'n paar minute gelede vasgedruk het nie. "My pasiënte wag."

"Baie dankie!" roep Theresa agterna toe die vrou wegstap.

Dokter Morales kyk nie om nie.

"Ek moet sê julle lyk albei sommer baie beter," sê dokter Casanova ná sy kollega uit die vertrek is. En vir die eerste keer laat hy homself toe om sameswerend vir Ruben en Theresa te glimlag.

Buite die kliniek, onder die eerste koelteboom in die straat, gaan staan Theresa stil en kyk oorbluf na Ruben. "Kan jy glo dat Mercedes haar land verlaat het? Dieselfde 'verraad' waarvan sy haar neef beskuldig het?"

"Mens kan onmoontlike dinge ter wille van die liefde doen," sê Ruben.

"Maar om alles prys te gee, jou land, jou familie, jou vriende, alles waarin jy glo, omdat jy lief is vir iemand?" Só 'n liefde het sy nooit geken nie. Dit laat haar amper afgunstig voel. "Ek raak al hoe nuuskieriger oor hierdie Mercedes."

"Sal jy my laat weet as jy haar vind?"

"Natuurlik. Jy't deel geword van die soektog. Ek gaan mos nie sommer van jou vergeet wanneer ek môre hier wegvlieg nie."

"Ek hoop nie so nie." Hy vryf met sy vingers deur sy baard, kyk bo-oor haar kop na die groot groen blare van die boom. "Dankie dat jy daar binne gesê het ek is jou vriend."

"Maar dis waar, Ruben."

Sy sou graag in sy oë wou gekyk het terwyl sy dit sê, maar hy het reeds begin wegstap.

"Kom!" roep hy oor sy skouer. "Ons het nog 'n lang pad om te ry tot in Havana."

24. 'N DREUNENDE REKENAAR

Sy gee nie eens voor om te protesteer toe Ruben sê dat sy weer in sy seun se kamer kan slaap nie. Sy sien eenvoudig nie kans om haar laaste aand in die land alleen in 'n gastehuis deur te bring nie. Sy gaan hierdie saggeaarde reus en sy babbelende broerskind en sy vriende mis. Lazaro in die rystoel en Miles wat ondanks sy naam nooit geleer het om die trompet – of enige ander musiekinstrument – te speel nie. En aangesien hulle nie na ander lande kan reis nie – selfs al sou hulle toegelaat word, het hulle nie genoeg geld daarvoor nie – kan sy hulle nie eens nooi om by haar in Kaapstad te kom kuier nie.

Daarom stem sy ook onmiddellik in toe Ruben voorstel dat hulle almal mekaar vanaand weer langs die Malecón ontmoet, om na musiek te luister en rum te drink en sigare te rook, sommer net bietjie uit te rafel. Vir oulaas, sê hy.

Maar eers vra sy hom om sy stokou rekenaar op die ronde eetkamertafel in die woonstel aan te skakel sodat sy kan kyk of daar 'n boodskap van dokter Morales is. Die lomp masjien dreun soos 'n vragmotor en kom so stadig aan die gang dat sy op haar tande moet kners om nie te vloek nie. Sy onthou hoe geduldig die pasiënte vanoggend by die kliniek sit en wag het, sy onthou veral die blinde vroutjie met die tandelose grynslag, en sy probeer haar ongeduld onderdruk. "Ek sou mal geword het as ek hier gewoon het," mompel sy nogtans.

Ruben, wat na die kombuishoekie gestap het om skottelgoed te was, kyk op met sy hande in skuimwater weggesteek. Sy vang sy oog en kyk vinnig terug na die skerm. Hy was nie veronderstel om haar klagte te hoor nie.

"Geduld is 'n deug." Hy hou 'n glas teen die lig om seker te maak dat dit skoon gewas is. "Dis wat my ma altyd gesê het."

"My ma het 'n soortgelyke gesegde gehad. 'Good things come to those who wait.' Maar ek kon dit nooit rêrig glo nie." Sy hou hom voor die wasbak dop, verwonderd oor die versigtigheid waarmee sy groot hande elke glas hanteer. "Lewe jou ma nog?"

"Sy's in die tagtig en krimp elke jaar nog bietjie kleiner. Haar kop kom nou omtrent tot by my maag. En joune?"

"Al vyftien jaar dood. My pa lewe nog—"

"Maar hy kyk nie meer cowboy-flieks nie?"

Hy het wraggies onthou van haar biegsessie oor haar seniele pa terwyl hulle in die Plymouth gery het.

"En joune?"

"Ook lankal dood."

Waarom het sy tot op haar laaste aand in Kuba gewag voordat sy hom enigiets oor sy familie vra?

Sy wens sy kon die horlosie terugdraai, hierdie hele week van voor af aandurf. Daar is baie dinge wat sy anders sou doen.

Toe sy eindelik haar e-pos kan oopmaak, sien sy net die gewone ge-morspos en 'n rits werkverwante boodskappe van kollegas wat sy beslis gaan ignoreer tot sy terug by die huis is.

"Niks uit Viñales nie." Sy hoop haar stem klink minder mismoedig as wat sy voel.

"Sy't gesê sy werk vanaand," herinner hy haar.

"Sy't ook gesê sy belowe niks," herinner sy hom.

Hy droog sy hande met 'n vadoek af en stap nader. "Kom ons gaan kuier langs die Malecón. Miskien het sy iets gestuur teen die tyd dat ons terugkom."

Hy flits weer sy seldsame wye glimlag vir haar. Dit beur haar op, soos elke keer.

Tydens hierdie laaste aand langs die see, terwyl sy saam met Lazaro en Miles en Oreste rum drink (uit die bottel) en 'n vet handgerolde sigaar rook (waaraan selfs Ruben 'n paar keer versigtig teug), besef sy dat hulle almal dink sy en Ruben het saamgeslaap. Dat Ruben bloot te diskreet is – te veel van 'n gentleman, soos haar ma sou gesê het – om daaroor te spog. Dat sy en hy albei te trots of te verleë is om enige teken van fisieke intimiteit tussen hulle vir die res van die geselskap te wys.

Niemand vra enige reguit vrae nie, maar hulle kan die versoeking nie weerstaan om aanhoudend skertsend te skimp nie.

"Por Dios, Theresa," sê Lazaro terwyl hy haar uit sy rystoel bekyk, sy swart oë ondeund glinsterend, "ek het jou nog nooit so sien bloos en blom soos vanaand nie. Het daar iets met jou gebeur waarvan ek nie weet nie?"

"Kuba het met my gebeur," spot sy saam waar sy gemaklik op die muur sit, tussen Ruben en Oreste. "Die blos wat jy sien, is eintlik maar rooi wange van te veel son in 'n ou kar sonder 'n dak. Aangehelp deur 'n paar slukke te veel rum vanaand."

En net om haar woorde te bevestig, vat sy die bottel rum by Miles aan en drink weer. Hulle getergery herinner haar aan hoe sy en haar broer hulle jongste sussie gemartel het wanneer hulle vermoed het dat sy 'n geheim vir hulle wegsteek. Jacques het haar vasgehou en Theresa het haar gekielie, tot die arme Sandra so hulpeloos gelag het dat sy enig-iets sou erken net om die gekielie te laat ophou. Wat nou hier langs die seemuur van Havana aan die gang is, voel vir Theresa soos 'n meer ge-sofistikeerde vorm van kielie-jou-tot-jy-bieg.

Sy kyk na Oreste se kort beentjies in sy netjiese jeans links van haar, sy voete in spierwit Adidas-sportskoene wat skaars aan die grond raak, en na Ruben se stewige dye in 'n wit katoenbroek regs van haar wat net-net nie aan haar bene raak nie. Sy merk die breë omvang van sy buik onder 'n geblomde hemp op, nie plat en gespierd soos Lazaro se maag nie, maar darem ook nie 'n papsagte kussing nie. Die vertroostende maag van 'n amper sestigjarige man wat hom nie hoef te skaam vir sy lyf nie.

Wat haar eie middeljarige lyf betref, nee wat, vergeet daarvan, vat liewers nog 'n sluk rum. Luister na die onweerstaanbare ritme van die musiek wat 'n ent verder deur 'n jazzerige groepie opgetower word.

Hulle sit weer, soos laas, naby die Rampa, maar vanaand was hul-le te lui om eers 'n lang ent te stap; hulle het sommer dadelik begin drink. Dis 'n bedompige aand sonder die geringste bries om hulle af te koel. Die maan is kleiner as laas en word kort-kort deur vlieswolkies versluier, wat die sterre meer en nader en helderder as die vorige keer laat lyk.

"Aaa," mymer Miles agter 'n wolk van sigaarrook, "wanneer laas het ek 'n vakansieromanse gehad?" Hy bly vir 'n oomblik stil, wag dat Ruben reageer, maar Ruben glimlag net geheimsinnig in sy baard. "Die eintlike vraag is seker wanneer laas het ek 'n vakansie gehad?"

"Ek het vir Ruben 'n paar dae afgegee," sê Lazaro, "om 'n gevalle soldaat se dogter te gaan soek—"

"Dankie, baas," sê Ruben.

"Maar nou lyk dit vir my hy het baie meer gekry as wat hy gesoek het." Die onderste helfte van Lazaro se gesig breek weer oop in 'n breë wit glimlag.

"Ons het al twee meer gekry as wat ons gesoek het." Theresa voel haar wange vlamvat terwyl die mans almal belangstellend na haar draai. Almal behalwe Ruben. "Ek bedoel ons het fantastiese mense ontmoet. En dalk spoor ek op die ou einde nog vir Mercedes Perez Amat in my eie land op. Dít het ek nooit verwag nie."

"Wel, ek dink my bejaarde oom het sy verlore jeug teruggevind." Met sy bofbalpet soos gewoonlik op sy kop en die vet sigaar spoggerig tussen sy tande vasgebyt, lyk Oreste soos 'n skoolseun wat skelm rook. "Hy lyk sowaar vanaand jonger as ek."

"No es posible! Nie eens my buurvrou se baba lyk jonger as jy nie." Lazaro vat die sigaar by Oreste af en suig ernstig daaraan, asof hy die jongeling wil wys hoe om 'n goeie sigaar met respek te behandel. "Maar as hierdie oom van jou sy jeug teruggekry het, beter ons almal oppas. Hy was wild, hoor. Onthou, ek ken hom van voor jou geboorte af."

"Dis hy wat my in elke versoeking in die boek gelei het," sê Ruben vir Oreste. "Jy kan maar sê hy was die Keith Richards teenoor my Mick Jagger."

"No es posible!" Lazaro steek sy hand in die lug, die sigaar steeds tussen sy vingers. "Ek was nog altyd die aantreklikste van ons twee, so enigeen kan sien dat ék Mick Jagger was en hy Keith Richards."

"Nee, ek kan dit eerlikwaar nie sien nie," lag Oreste. "Is jy nie bietjie swart vir 'n Rolling Stone nie?"

"I'm black and I'm proud," sing Lazaro soos James Brown. "Bueno, noem my dan maar Jimi Hendrix."

"Ek dog hulle het al hierdie dekadente Westerse rockmusiek van julle weggehou," sê Theresa, verlig om die gesprek in 'n ander rigting te stuur, weg van haar en Ruben se doen en late die afgelope week.

"O, hulle het probeer!" roep Miles uit. "Maar soos jy kan sien, het dit nie juis gewerk nie."

"Hulle het by ons ook probeer," sê Theresa. "Terwyl ek grootgeword het. Vir ons gewaarsku as ons die plate agterstevoor om speel, gaan ons boodskappe van duiwelaanbidders hoor. Ek was ongelukkig te blond om uit te werk hoe om 'n plaat agterstevoor om te speel, anders was ek dalk nou 'n rasende duiwelaanbidder."

"Julle twee pas só goed bymekaar," prewel Oreste en kyk so trots soos 'n pa na Ruben en Theresa.

"Hoekom? Is hy ook 'n potensiële duiwelaanbidder?" vra Theresa vinnig, voordat sy weer begin "bloos en blom".

Hulle gaan nie ophou nie, hulle gaan aanhou met hierdie spottende marteling tot sy of Ruben iets bely. Maar wat is daar om te bely? As hulle sê dat daar niks tussen hulle gebeur het nie, gaan die ander hulle in elk geval nie glo nie. En sy weet self nie meer of dit waar is nie. Daar het inderdaad niks openlik seksueels tussen haar en Ruben Torres Márquez gebeur nie. Maar daar het ongetwyfeld die laaste paar dae iéts gebeur. 'n Buitengewone intensiteit van meelewing, 'n soort begrip wat verby woorde strek, 'n besondere ervaring wat sy self nie kan verklaar nie. Op hierdie oomblik voel dit selfs sterker as 'n seksuele verbintenis.

Sy besef ook Ruben gaan glad nie reageer op sy vriende se skimpe nie, want hy glo wat ook al tussen hom en haar gebeur het – of nie gebeur het nie – het niks met enigiemand anders te doen nie. Hy gaan bloot rustig langs haar bly sit, sy lyf skaars 'n vingerbreedte van haar lyf, terwyl daardie enigmatiese toemond-glimlag in sy baard sy vriende tot raserny dryf.

"O, hy is die duiwel self," waarsku Lazaro haar, "al lyk hy so onskuldig. 'n Wolf onder skaapwol – of hoe sê julle nou weer?"

"'n Wolf in skaapklere," help sy hom reg. "Maar ek dink darem nie so nie—"

"Wel, as jy hom al sonder klere gesien het, sal jy beter as ons weet."

Sy bars uit van die lag, kopskuddend, gelate. Wat sy ook al verder sê, gaan deur hulle verdraai word. Beter om stil te bly, soos Ruben. Sy loer onderlangs na hom, vang sy geamuseerde blik, begin weer bloos.

Daar is natuurlik steeds 'n moontlikheid dat hulle vanaand saam bed toe kan gaan. Dis haar laaste aand in die land, sy kan seker maar haar middeljarige vrees en verleentheid vir 'n paar uur opsy skuif, wat kan sy nou eintlik verloor? As dit 'n teleurstellende ervaring is, hoef niemand anders daarvan te weet nie.

Hulle gaan mekaar in elk geval nooit weer sien nie.

Wat haar weerhou, is meer as net die vrees om op die ouderdom van vyf-en-vyftig haar klere uit te trek voor 'n man wat sy skaars 'n week gelede ontmoet het. Meer as net die moontlike verleentheid wat dit kan meebring. Dis eerder 'n groeiende oortuiging dat niks beter kan wees as wat hulle reeds het nie.

Waarom sou jy uitsien na 'n vuurwerkvertoning as jy kan sien dit gaan waarskynlik reën? Al wat dit kan oplewer, is 'n paar patetiese vonkies, enkele gedempte geluide, niks wat werklik ontplof nie. En as jy so lanklaas soos sy seks gehad het, soek jy 'n moerse ontploffing.

Anders kan jy mos maar jou klere aanhou en jou waardigheid behou.

Sy sukkel om haar trane te keer toe sy laataand haar nuwe Kubaanse vriende groet. Dit moet die Latyns-Amerikaanse emosionele oorgawe van almal rondom haar wees wat haar in 'n sentimentele tjankende tannie verander. Ook maar goed sy vlieg môre huis toe.

Maar toe sy buk om vir Lazaro te omhels, trek hy haar onverwags op sy skoot neer en stuur sy rystoel 'n entjie weg van die ander. Hy kyk op na die maan, ernstiger as wat sy hom nog ooit gesien het, en sê: "Ek's rêrig bly jy en Ruben het bymekaar uitgekom."

"Daar's nie 'n romanse tussen ons nie, Lazaro," sê sy net so ernstig.

"Dis nie wat ek bedoel nie. Julle het mekaar gehelp."

"Hoekom het hy hulp nodig?"

Lazaro trek sy breë skouers op. "Hoekom het enigeen van ons hulp nodig? Omdat ons almal 'n bietjie opgefok is?" Hy glimlag, nie sy gewone breë grinnik die ene wit tande nie, net 'n melancholiese lig van sy mondhoeke. "Maar dis tog jammer dat julle te bang was om verder te gaan."

Om al die pad te gaan?

"What a waste." Meteens is die erns weg, die wit glimlag terug. Hy tol sy rystoel 'n paar keer in die rondte, wat haar so uitgelate soos 'n kind laat lag terwyl sy aan sy skouers vasklou om nie af te val nie. "As ek my bene nog kon gebruik het, sou ek jou van jou voete af geswiep het."

"Dis presies wat jy gedoen het," verseker sy hom. "Ek kan nie onthou wanneer laas ek op enige man se skoot gesit het nie, Lazaro."

Die spontane lagbui help om haar bewoënheid vir die res van die geselskap weg te steek toe hy sy rystoel terug in hulle rigting stuur.

"Is jy seker ek hoef nie môre saam met jou lughawe toe te gaan nie?" vra Oreste angstig, fronsend onder sy bofbalpet.

"Ek het mos gesê ek sal haar neem," sê Ruben.

Oreste vat haar elmboog en lei haar 'n paar treë weg, tot waar Ruben hulle nie kan hoor nie. Sy vind dit vaagweg amusant dat almal op die laaste oomblik vir haar iets wil sê wat Ruben nie veronderstel is om te hoor nie. Maar Oreste word nie onverwags ernstig soos Lazaro nie. Hy leun nader aan haar en fluister oordrewe benoud: "Ek is bang hy ontvoer jou! Hoe op aarde sal ek dit aan Nini verduidelik?"

"Nini sal dink dis die opwindendste ding wat nog in my vervelige lewe met my gebeur het. Om deur 'n Kubaanse bewonderaar ontvoer te word."

En Nini sou waarskynlik reg wees.

In die motor op pad terug na die woonstel voel die stilte tussen hulle nie so gemaklik soos gewoonlik nie. Asof die hele aand se vrolike skimpe 'n skans tussen hulle opgerig het. Dalk het hulle net bewus geword van 'n heining wat reeds daar was, maar wat hulle tot dusver kon ignoreer. Nou lyk die heining meteens heeltemal te hoog vir hulle om na mekaar uit te reik.

Al wat sy hoef te doen, is om haar hand na hom uit te steek. Haar palm op sy bobeen te laat rus. Of oor sy bebaarde wang te streel. Miskien is hy bloot te bang om die eerste gebaar van toenadering te maak. Die soort man wat dit nie wil waag om verwerp te word nie. Nie op hierdie weerlose ouderdom nie.

Kyk net hoe flink het hy gereageer op Benita Rosebal Watsenaam se flagrante flankeerdery!

Maar Theresa het nooit geleer om die eerste tree op die pad na enige soort seksuele verhouding te gee nie.

Sy kry dit nie reg om haar hand na Ruben uit te steek nie, sy weet nie hoe om 'n man te laat verstaan dat sy hóm gekies het nie, sy kan net verlangend voor haar uitstaar en hoop hy kan haar gedagtes lees.

Dit sou seker snaaks gewees het, op haar ouderdom, as dit nie so treurig was nie.

Terug in die woonstel stap sy reguit na die rekenaar wat steeds op die ronde tafel staan en dreun, dankbaar om nog iets te hê om te doen voordat sy vir Ruben nag sê. Dié keer wag sy geduldig tot sy haar e-pos kan oopmaak, g'n geswets of gekla nie. Sy verwag nie eens meer 'n e-pos nie; eintlik wil sy net hierdie laaste aand saam met Ruben 'n rukkie langer uitrek. Daarom staar sy oorstelp na die skerm toe sy 'n boodskap van Miguela Morales opmerk. Die opskrif is: *Hoop dit help.*

"Ek hoop ook so," mompel Ruben wat agter haar stoel bly staan het. Die e-pos is kort, skaars drie reëltjies.

Buenas tardes, Mercedes se adres is – of was – mercedesnotbenz@ya-hoo.com. Haar man se naam is Egbert Engelbrecht. 'n Afrikaanse dokter wat saam met haar in 'n arm buurt van 'n plek met die naam Tshwane gewerk het. Dis al wat ek weet.

Theresa se kop draai asof sy te veel gedrink het. Sy hét te veel gedrink, sy is nie gewoond aan rum nie, haar brein sukkel om hierdie nuwe inligting te verwerk. "Ek glo dit nie." Haar stem is skor van skok. "Mercedes is met 'n Afrikaanse man getroud. 'n Afrikaanse man van Pretoria?"

"Hoekom is dit so verbasend?" wil Ruben weet.

"Haar pa het teen die Afrikaners baklei – en nou trou sy met een van hulle?"

Mercedes wéét natuurlik nie dat haar pa doodgeskiet is deur 'n Afrikaanse man wat hom in die oë gekyk het terwyl hy die sneller getrek het nie. Tot dusver het Theresa nog skaars gedink aan hoe sy die brief in haar besit aan Mercedes sou verduidelik. Die kans was so skraal dat sy haar sou opspoor, sy het eenvoudig al haar aandag op die soektog toegespits. Nou eers dring dit tot haar deur dat sy sal moet erken dat sy getroud was met die Afrikaanse soldaat wat Mercedes se pa doodgeskiet het.

"Maar jy's tog ook Afrikaans?" Ruben lyk opreg verward. "En ek is Kubaans en ons het vriende geword? Wel, jy't vandag self gesê ons het vriende geword. Die oorlog is mos lankal verby?"

"Is dit?" 'n Retoriese vraag wat halfpad tussen hoop en wanhoop vashaak.

Ruben sê niks, laat rus sy hand net vir 'n oomblik op haar skouer. En dit troos haar, soos elke keer wat hy aan haar raak.

"Dis net … ek het soort van … aanvaar dat sy met 'n swart man sou trou? Die swart mense in my land was in daardie oorlog aan die Kubane se kant. Die meeste van die wit mense was nie. Beslis nie die Afrikaners nie. En toe Miguela vanoggend iets sê oor die man se onuitspreekbare van … Maar natuurlik is Egbert Fokken Engelbrecht toetentaal onmoontlik vir 'n Kubaanse tong!"

"Is Fokken sy pa se van?" vra Ruben met 'n sweem van 'n glimlag. "Sy eerste van soos ons hier in Kuba sê?"

Dit laat haar onverwags lag, 'n skerp kreet van 'n lag wat dadelik weer in haar keel gesmoor word omdat sy nou eers die laaste sin van die e-pos sien. Dis ná 'n lang oop spasie ingelas, amper asof Miguela gehoop het sy sou die boodskap so vinnig lees dat sy die naskriffie reg onder op die skerm nie sou opmerk nie.

PS. *Sê asseblief vir haar ek sal altyd met liefde aan haar dink en ek wens haar die geluk toe wat sy nie hier kon vind nie.*

Theresa staar vir 'n ruk swyend na die rytjie woorde op die skerm. So niksseggend, so betekenisvol.

25. "THE DARK SIDE OF THE MOON"

Selfs ná die egskeiding wou sy steeds nie glo dat Theo se gemoed onher-roeplik versteur was nie. Ondanks al die tekens van irrasionele gedrag, het sy bly hoop dis slegs 'n tydelike verskynsel, 'n emosionele wanbalans wat sou verdwyn as hy net by 'n bekwame sielkundige kon uitkom. As hy net hulp kon kry.

Maar waar sou sy hulp vandaan kom?

Dís die vraag wat haar snags laat wakker lê het, alleen in haar bed in die woonstel waarheen sy getrek het nadat hulle huis verkoop is. Nie dat sy elke nag alleen deurgebring het nie. Soos vele pas geskei-des het sy die eerste jaar of twee taamlik roekeloos rondgeslaap. Om haar ego te streel, om weer 'n slag begeerlik te voel, om haar wellus te bevredig, al die gewone redes, natuurlik, maar bowenal om nie snags alleen in haar bed te lê en oor haar gewese man se geestesgesondheid te wroeg nie.

Dis nie meer háár probleem nie, het sy haarself herhaaldelik verse-ker. Sy kon hom nie help terwyl hulle saam was nie; hy wou haar nie toelaat om hom te help nie, en nou is dit iemand anders se beurt om te probeer. Maar wié sou nog wou?

Hy het nie susters of broers of enige nabye familie behalwe sy ma gehad nie. En Elize van Velden sou haar seun se verwarde toestand een-voudig aan sy egskeiding toeskryf – 'n egskeiding wat Theresa sou kon gekeer het as sy net wou.

"Mans is soos kinders," het sy op 'n dag vir haar skoondogter verdui-delik. "Hulle doen dom dinge sonder om te besef wat hulle doen. Dis 'n getroude vrou se plig om haar man teen homself te beskerm, nes dit 'n ma se plig is om haar kind te beskerm. Ag, wat praat ek, hoe sal jy nou weet van moederlike pligte?" Met 'n beskuldigende laggie, want haar seun se kinderloosheid was sekerlik ook sy vrou se skuld. "Maar glo my maar, ek praat uit ondervinding. Theo se pa het sy foute gehad – soos enige man – maar ek het hom vergewe. Want hy was 'n goeie man. En ek het geweet dis wat 'n goeie vrou behoort te doen."

Dit was 'n verwysing na die verhouding wat Theo se saggeaarde staatsamptenaar-pa omtrent 'n dekade lank met 'n vrolike weduwee gehad het. Sy ma het blykbaar van die begin af daarvan geweet, maar verkies om haar blind te hou, om die huwelik aan die gang te hou.

"Dis wat enige ordentlike vrou sou gedoen het," het sy gesê toe Theo haar ná sy pa se dood daaroor probeer pols het.

Dis al wat sy ooit daaroor sou sê. Daarna het sy selfs flukser as voorheen voortgeborduur aan die prentjie van haar voorbeeldige huwelik. Haar oorlede man se skelm verhouding is eenvoudig toegeborduur asof dit nooit bestaan het nie.

Hierdie borduurwerk het haar lewenstaak geword, en die feit dat haar skoondogter "die skande van 'n egskeiding" verkies het eerder as om haar man in alle omstandighede by te staan, was vir Elize van Velden bloot die finale bewys dat Theresa nie 'n ordentlike vrou is nie. Soos sy van die eerste keer af vermoed het toe Theo die meisiekind huis toe gebring het en saam met haar in dieselfde kamer wou slaap.

Nee, Theo se ma sou hom nie help om homself te red nie.

Waarskynlik ook nie sy vriende of kollegas nie. Baie van hulle het sy onvoorspelbare gedrag bloot toegeskryf aan te veel alkohol en hom op sosiale vlak begin vermy.

Maar Theo het sy stert afgevee aan sy bourgeois vriende se sosiale sensuur, hulle in hulle gesigte uitgelag en meer boheemse vriendskappe gekweek. Sukkelende kunstenaars en daklose bedelaars en sulke soort karakters wat dwarsdeur die nag saam met hom kon sit en drink omdat hulle nie die volgende oggend by die werk hoef te wees nie. Nie een van hulle het belanggestel om hom teen sy eie waansin te beskerm nie. Nie solank hy vir hulle drank gekoop het nie.

En dan was daar die nuwe Bambi-metgeselle wat hy die hemel alleen weet waar gaan uitkrap het. Natuurlik het Theresa van hulle gehoor. Die riemtelegram in Kaapstad het so doeltreffend soos altyd gewerk. Jy sou sweer hy het sy gewese hulpbehoewende minnaresse almal soos opblaaspoppe iewers in 'n kas gebêre gedurende die dekade wat hy saam met Theresa deurgebring het – en die oomblik toe hulle skei, maak hy die kas oop en daar tuimel die poppe weer uit. Heelwat ouer en meer afgeblaas as tien jaar gelede. Maar intussen het hy darem self ook al veertig jaar oud geword. Sy lug het begin uitlek, selfs sy geslagsdeel was nie meer so styf soos voorheen nie, dalk het hy sy metgeselle nou 'n bietjie meer verslete verkies.

Hoewel hy by hulle ook nie hulp kon verwag nie.

Nee, het Theresa alleen in haar bed besef, Theo sal homself moet red, anders weet sy nie wat van hom gaan word nie. Maar nie eens in haar ontstellendste nagmerries kon sy haar voorstel waarheen hy op pad was nie. Dat hy so skouspelagtig in die openbaar uitmekaar sou val nie.

Wat presies daardie Sondag in die Groote Kerk in Kaapstad gebeur het, sou sy nooit vasstel nie. Sy moes maar die storie aanmekaar plak uit enkele koerantberigte en kletspraatjies van vriende wat ook nie self daar was nie. Min van hulle vriende was gereelde kerkgangers. En niemand wat sy geken het – buiten Theo – was daardie dag in daardie kerk nie.

Waarom het hy die Groote Kerk vir sy waansinnige protesaksie gekies? Omdat dit die oudste kerk in die land is, 'n soort simbool van die Nederduits Gereformeerde Nasionalistiese propaganda waarmee hy grootgeword het? Of bloot omdat dit toevallig die naaste kerk aan sy tydelike woonplek was?

Theresa weet nie.

Sy kan slegs raai, bespiegel, haar probeer verbeel, soos met soveel ander episodes uit haar man se lewe, vóór sy hom leer ken het, ná hulle uitmekaar is, terwyl hulle saam onder dieselfde dak gewoon het. Selfs terwyl hulle jare lank 'n bed gedeel het, die naaste wat sy ooit aan enige ander mens sou kom, was daar dele van hom wat vir haar 'n onbekende wildernis sou bly. Terra incognita.

Dit gebeur op 'n doodgewone Sondagoggend teen die einde van die jare negentig. Die erediens in die Groote Kerk word deur 'n besoekende predikant gelei, 'n afgetrede dominee, maar verloop origens nes enige ander Sondagoggend. (Het Theo doelbewus dié Sondag gekies omdat hy geweet het dat hy nie die gemeente se gewone herder hoef aan te durf nie?) Die gerusstellende ritueel van die openingsgebed, geloofsbelydenis, dralende gesange begelei deur 'n reusagtige orrel, die dominee se arms in sy toga oopgesprei soos die vlerke van 'n swart engel, hoog bo die gemeente op die majestueuse preekstoel wat meer as twee eeue gelede deur Anton Anreith ontwerp is. Dis 'n oordadig versierde beeld-houwerk wat lyk asof dit eerder op 'n stadsplein of in 'n museum hoort, heeltemal anders as die sober kansels met die enkele geborduurde *God is liefde*-lappie in die meeste NG-kerkgeboue wat Theo as kind geken het.

Dalk is dít waarom Theo juis dié kerk gekies het: die selftevrede spog-gerigheid van die oudste gebou, die mooiste kansel, die grootste orrel, die beroemdste gemeentelede, die feit dat dit vlak langs die Parlement lê, die setel van mag. Wit manlike mag in die Ou Suid-Afrika. Swart mag, darem met meer veelkleurige elemente en meer vroue as voorheen, in die nuutwordende land. Maar mag bly mag, of dit nou wit, swart of rooi is. En Theo was gatvol vir mag en gesag en die manier waarop "die ouens daar bo" sy lewe kon opfok. Dis die woorde wat Theresa in sy mond gelê het.

Ná die tyd. Hoewel dit weer eens bespiegeling was.

Dit gebeur kort ná die Skriflesing. Die maer gryskopdominee lees met 'n verbasend dawerende stem 'n paar verse uit Job voor. (Die arme Job wie se geloof so onregverdig tot op breekpunt beproef is.) Ná hy klaar gelees het, tuur hy vir 'n paar oomblikke swyend voor hom uit, bo-oor die see van bleek gesigte wat na hom opkyk, byna soos 'n matroos wat hom teen die mas van 'n seilskip opgehys het om 'n spatsel groen land op die horison te soek. Dis mos maar wat dominees doen, hulle soek na iets op die verste einder van die lewe, anderkant die dood, om die moeë pas-sasiers op hierdie aardse skip weer 'n bietjie moed te laat skep.

Maar minstens één passasier is vandag nie hier om moed te skep nie.

Die kerk is nie vol nie, daar is 'n hele paar leë banke, en Theo het agter langs een van die paadjies ingeskuif, 'n strategiese posisie van waar hy die ganse gemeente deeglik kan deurkyk voordat hy tot aksie oorgaan.

Sommige gemeentelede sou later beweer dat hy reeds daar gesit het toe hulle by die kerk instap, op dié spesifieke plek wat hy vooraf gekies het, terwyl ander sou volhou dat hulle hom tot op die laaste oomblik voor die diens begin het, nog buite voor die kerk opgemerk het. 'n Skraal donkerkopman wat niemand gegroet het nie, geen oogkontak gemaak het nie, net rusteloos heen en weer gestap het terwyl hy aanmekaar rook. Rare gedrag, het hulle gedink, maar nou ja, niemand was werklik agter-dogtig nie. Jy verwag mos nie moeilikheid as jy kerk toe gaan nie.

Die brokkie oor die rokery was vir Theresa amper so onverklaarbaar soos wat daarna gebeur het. Sy was onder die indruk dat Theo jare laas gerook het. Dalk het hy dié dag weer begin, soos iemand wat ter dood veroordeel is en 'n laaste sigaret versoek, al het hy lank gelede opgehou. Hulle was al 'n paar jaar uitmekaar, sy het gehoor hy het Johannesburg toe getrek, sy was nie eens bewus daarvan dat hy terug Kaap toe gekom het nie.

"Dit kan bitter moeilik wees om nie moedeloos te word wanneer dit voel of die golwe van die lewe ons aanhoudend plat slaan nie," sê die dominee, sy stem nou sag en simpatiek, nadat hy lank genoeg in die verte getuur het.

En op hierdie oomblik spring Theo van Velden agter in die kerk op, met 'n kreet wat soos die gebulk van 'n sterwende bul klink, en storm in die paadjie af, reguit na die preekstoel toe, terwyl hy 'n rewolwer wild rondswaai.

'n Paar kerkgangers gil paniekbevange, party spring verskrik op om te vlug, ander val plat op die vloer om tussen die banke te probeer wegkruip, maar die meeste bly versteen van skok sit.

"Almal terug op julle plekke of ek skiet!" bulder Theo. "Met julle hande in die lug! Ek wil almal se hande sien!"

En toe party mense nie dadelik gehoorsaam nie, skiet hy 'n skoot in die lug af, net om almal te oortuig dat die vuurwapen gelaai is en dat hy gevaarlik ernstig is. Nou heers daar 'n doodse stilte in die kerk, net iewers in die middelste banke 'n meisietjie met boksterte wat begin huil en deur 'n angsbevange ma op haar skoot getel word.

"Hande in die lug!" beveel Theo die ma en haar kind.

Die ma lig die huilende kind se arms met haar eie arms op, haar oë wawyd oopgesper van vrees.

Teen dié tyd is Theo by die preekstoel. Hy hardloop by die trappies aan die agterkant op, druk die verdwaasde dominee plat op die stoel agter hom, kyk uit oor die gemeente terwyl die rewolwer in sy regterhand stadig heen en weer beweeg. As dit lyk of iemand sy arms wil laat sak, rig hy die rewolwer reguit op dié persoon, dan vlieg die arms onmiddellik weer boontoe.

"So ja," sê hy, sy stem nou kil en kalm. Hy hoef nie meer te skreeu nie, die akoestiek is goed genoeg dat almal hom kan hoor, en op hierdie hoë troon kan almal hom ook sien. "As almal van julle net bly sit en na my luister, sal niemand seerkry nie. Ek het 'n baie belangrike boodskap om oor te dra, belangriker as enigiets wat julle ooit by enige dominee gaan hoor, en dis ongelukkig die enigste manier waarop ek dit kan doen."

Hy dra nie 'n pak of 'n das nie, net 'n gekreukelde swart broek en 'n hemelblou hemp wat die kleur van sy oë beklemtoon. Die mense in die voorste rye sou almal later na sy besondere blou oë verwys. Sommige sou ook van die maniese glinstering in sy oë praat, sy skrikwekkende grynslag, die drie dae se stoppels om sy mond, die bos deurmekaar swart hare wat lyk asof dit ook minstens drie dae laas gekam is. Al wat die mense agtertoe in die kerk kan sien, is die breë trekke van sy gesig, die boonste deel van die blou hemp en bowenal sy bewegende regterhand met die rewolwer waarna almal staar asof hulle gehipnotiseer is.

"Ek weet ek het nie baie tyd nie," sê Theo. "Ek weet ek gaan gearresteer word en dan kan almal van julle hopelik veilig huis toe gaan, maar al wat ek vra, is dat julle vir 'n paar minute na my luister. Ons is almal bedrieg. Dis 'n bedrogspul wat begin het die oomblik toe ons gebore is en dit sal aanhou tot die dag dat ons doodgaan. Ons is bedrieg deur die dominees wat ons gedoop het en die onderwysers wat vir ons skoolgehou het en – die ergste van alles! – deur ons eie ouers wat vir ons moes sorg." Theo se stem word nou weer harder en dringender, sy asem begin jaag asof hy hardloop, 'n desperate langafstandatleet wat, ongeag die prys, die eindstreep wil bereik. "Maar dis nie hulle skuld nie, hulle is ook bedrieg, want die bedrog kom van heel bo af, van die regering wat ons 'beskerm' het teen die Swart Gevaar en die Rooi Gevaar en enige fokken gevaar wat hulle kon uitdink om ons bang en gehoorsaam te hou!"

'n Hoë ongelowige en onvrolike laggie bars by sy keel uit. "Ek vloek van 'n preekstoel af. Druk die kinders se ore toe. Nee, moenie, hou julle hande in die lug!" Hy swaai die rewolwer weer dreigend voor hom rond. "Nou's dit verby met my, ek gaan reguit hel toe, maar dit maak nie saak nie, ek glo nie meer in daai hel van julle nie, ek was klaar in die hel, en dis ons eie regering wat my daarheen gestuur het. Nie die nuwe swart regering nie, hoewel hulle seker ook nog 'n spul mense hel toe gaan stuur, dis nou maar eenmaal wat regerings doen. Mag maak hulle mal en dan fok hulle alles op. Maar ek praat nou spesifiek van die vorige regering wat my en my—"

Niemand sou weet wat Theo verder wou gesê het nie, want op hierdie oomblik verskyn 'n stewig geboude middeljarige man in die agterste deur, arms in die lug om te wys hy het nie 'n wapen nie, en versoek Theo met 'n rustige gesaghebbende stem om sy wapen te laat sak voordat iemand onnodig seerkry. 'n Hoëkop in die polisie, sou dit later blyk, nie op hierdie Sondagoggend in uniform nie, 'n kolonel met ervaring in gyselaarsituasies wat bloot Theo se aandag vir 'n oomblik wou aflei.

Want terselfdertyd bars 'n kordon polisiemanne met koeëlvaste baadjies en gesigmaskers by die deur agter die preekstoel in en omsingel Theo, almal se wapens nou op hom gerig.

'n Enkele eindeloos uitgerekte oomblik staan Theo net daar, 'n hulpelose dier vasgevang in die kolligte van sy jagters, met 'n hartverskeurende glimlaggie. Nie werklik verbaas nie, net spyt. Hy het geweet die veiligheidsmagte sou gou op die toneel wees, hy het net nie gedink dit sou só blitsig wees nie. Hy sou so bitter graag net 'n minuut of wat langer wou gehad het om sy boodskap oor te dra. Nou weet hy dat hy nooit weer die kans sal kry nie. Dis alles verby.

Dit was blykbaar die vroue in die babakamer agter die preekstoel wat die polisie onmiddellik gebel het toe hulle "die mal man" oor die luidsprekers hoor skreeu het. En aangesien die polisiekantoor in Buitekantstraat baie naby die kerk is, en die Parlement se eie veiligheidspan net langsaan die kerk, kon hulle verbasend vinnig tot aksie oorgaan, baie gouer as wat Theo gereken het. Hy het moontlik nie eens van die babakamer geweet nie. Waarom sou 'n kinderlose man wat nie 'n kerkganger is nie, iemand wat jare laas vir 'n troue of 'n begrafnis in enige kerk was, nou aan 'n babakamer gedink het?

Die kolonel sonder uniform het binne oomblikke in die babakamer afgelei dat "die mal man" op die preekstoel nie 'n bloedbad wou hê nie, net 'n gehoor wat na hom luister. Hy kon hom egter nie toelaat om langer te praat nie, uit vrees dat een van die kerkgangers iets sou doen wat die man kon dwing om tot geweld oor te gaan. Buitendien, het die kolonel daarna vir die polisiewoordvoerder gesê, die ou het onsinnige stront gepraat. Die polisiewoordvoerder het hierdie boodskap, ietwat meer diplomaties gestel, aan die media oorgedra.

Intussen staan Theo steeds, vir die eerste en laaste keer in sy lewe, op 'n preekstoel. Hy wéét hierdie wanhopige daad gaan sy lewe vir altyd verander. Hy het die groot swart gat van chaos in homself aan die

248

buitewêreld gewys en dis die soort gebaar waarvoor 'n mens nie vergewe word nie. Hy wil net 'n sekonde langer vasklou aan die illusie dat dit die moeite werd was.

Dan sit hy die rewolwer voor hom op die kansel neer, vou sy hande agter sy kop, stap stadig by die trappie af.

Die oomblik toe hy onder kom, gryp twee gespierde polisiemanne hom en dwing hom so hardhandig vloer toe dat sy neus begin bloei. 'n Paar mense snak na hulle asem, verlig omdat hulle weer veilig voel of ingenome omdat die polisie so aggressief optree, enkeles moontlik geskok omdat hulle die man op die preekstoel begin jammer kry het, omdat hy klaarblyklik die kluts kwyt is en hulle goeie Christene is wat dink dat hy dalk nie hierdie ruwe behandeling verdien nie.

En Theo dink klaarblyklik ook so, want sy hele lyf ruk nou soos hy spartel, maar hy word net al hoe stywer op die vloer vasgepen. Sy geskreeu word gedemp deur die bloed wat by sy neus uitstroom. Sy gesig word in 'n plas van sy eie bloed gedruk. Intussen begelei die polisie die kerkgangers so vinnig en ordelik as moontlik uit die kerk, tot buite in die straat waar vangwaens en ambulanse en die fotograaf van 'n koerant reeds wag.

Die foto wat Theresa die volgende oggend in die koerant sien, is geneem net voordat haar gewese man agter in 'n vangwa verdwyn het. Hy het so verbete baklei, met sulke byna bonatuurlike krag in sy skraal lyf, dat vier sterk polisiemanne nodig was om hom by die wa in te dwing. Sy gesig is die ene bloed, selfs sy hare is vol bloed, sy oë is oopgesper in afgryse en sy skreeuende mond lyk soos 'n swart grot.

Munch se Skreeu. Die koffiebeker wat in skerwe gespat het op die klipvloer van hulle sitkamer.

Waarom kon sy hierdie uiteinde nie voorspel het nie?

Want dit was inderdaad die einde van Theo van Velden. Die einde van al die gedaantes waarin sy hom geken het, haar slim medestudent, haar betroubare vriend, haar skerpsinnige kollega, haar bedrewe minnaar, haar beangste man, haar vlugtende eksman.

Hy is reguit van die polisiestasie af na die naaste staatshospitaal vir psigiatriese pasiënte vervoer. Daar het hy vir die tweede keer in sy lewe in die hel beland. Dis hoe hy dit later sou beskryf, in die joernaal wat Theresa eers ná sy dood tydens haar vlug na Kuba sou lees. Dit was 'n ander soort hel as die oorlog waarin hy as tiener vasgevang was. Sy makkers het nie hulle ledemate voor sy oë verloor nie. Hy moes nie stukkies van hulle lyke bymekaarskraap nadat hulle deur landmyne opgeblaas is nie. Die enigste bloedvergieting is deur selfskade veroorsaak. Medepasiënte met beskadigde siele wat hulle lywe ook wou beskadig. Of, as alles ondraaglik raak, hulself heeltemal probeer uitwis, lyf en siel, sodat die lyding einde kan kry.

En dié keer kon hy nie wegkom uit die hel nie. Hy was amper 'n kwarteeu ouer en moeër en moedeloser as toe hy 'n onwillige soldaat was. Hy het nie meer die krag gehad om aan te hou baklei nie. Vir die res van sy lewe sou sy bipolêre toestand net vererger, die laagtepunte al hoe langer en dieper en donkerder, die hoogtepunte al hoe meer manies, psigoties, skisofrenies.

Die volgende byna twee dekades, totdat hy in 'n inrigting in Pretoria dood is, was hy vir Theresa soos 'n skaduwee teen 'n muur. Die vae buitelyne van onvervulde beloftes. 'n Afwesige teenwoordigheid wat altyd by haar bly spook het.

Eers nadat sy haar gewese man se oorlogsdagboekie ontdek het, nadat sy oplaas sy joernaal van waansin in 'n vliegtuig kon lees, het hy weer vir haar driedimensioneel begin word. Maar toe was dit heeltemal te laat. Wat maak jy met 'n driedimensionele dooie man?

26. 'N GROEN NOTABOEKIE

Sy lê in die bed, op haar laaste nag in Kuba, so vol berou soos 'n aktrise wat haar cue gemis het. Haar oomblik op die verhoog is verby, sy het die hele opvoering bederf, sy gaan nie nog 'n kans kry nie.

Maar die toneel bly in haar kop draai, oor en oor, onkeerbaar. As sy net anders opgetree het. As sy net jonger was, as sy net dapperder was, as, as, as.

Sy sien haarself en Ruben weer in die woonkamer staan, nadat hulle die dreunende rekenaar met Miguela Morales se boodskap afgeskakel het en die vertrek onnatuurlik stil geword het, die verkeer in die straat meteens heeltemal te hard.

Hulle is steeds onwillig om nag te sê, maar hulle weet ook nie wat anders om nog vir mekaar te sê nie.

"Wil jy koffie hê?" vra Ruben.

"Nee dankie." Sy weet klaar sy gaan sukkel om te slaap, sy het nie nog koffie ook nodig om haar wakker te hou nie.

"'n Glas water vir die nag?"

Sy skud haar kop weer.

"Enigiets anders wat jy nog wil hê?"

'n Oomblik, net vir 'n oomblik, kyk sy reguit in sy oë. *Ek wil vir jou hê. Net vir vannag.* As sy net dít kan sê. Maar sy lek bloot haar droë lippe en skud weer haar kop.

Sy wag steeds dat hy vir haar een of ander teken gee.

Maar hy staan net daar.

Sy tree nader aan hom, vang hom onkant, omhels hom op 'n lomp manier, soos jy 'n broer of 'n neef sou omhels. Sommige dinge word nie makliker as jy ouer word nie, dink sy terwyl sy haar wang skaars vir 'n sekonde teen sy breë borskas laat rus. Sommige dinge word net nog moeiliker.

Want jy is banger en jy is broser, en alles breek makliker, jou bene en jou hart, en as enigiets breek, is daar nie meer vreeslik baie tyd oor om te wag tot dit eendag weer heel word nie.

"Dankie, Ruben." Sy breek weg uit die omhelsing net toe hy sy arms om haar vou. "Vir alles wat jy vir my gedoen het."

"Ek wens ek kon meer gedoen het. Buenas noches, Theresa."

"Buenas noches, Ruben."

Ek wens ek kon meer gedoen het. Dis tog die teken waarvoor sy gewag het? *Wel, noudat jy dit noem, daar ís nog iets wat jy vir my kan doen.* Is dit nie wat sy moes gesê het nie?

Dit maak nie saak nie, dis nou te laat, sy het haar kans verspeel. Sy het vir hom nag gesê, in Spaans, en na sy seun se kamer gevlug. Haar klere uitgetrek, alles, selfs haar onderklere, en onder 'n dun laken kom lê. Deur die venster oorkant die boekrak, vol van sy oorlede vrou se Engelse boeke, kan sy die driekwartmaan dophou. Sy staar nou al so lank na die maan dat dit van die boonste vensterraam na die onderste raam gesak het.

Die eerste uur of wat het sy gespanne lê en luister na die geluide in die res van die woonstel. Solank sy hom nog kon hoor, het sy nie moed opgegee nie. Solank hy nog wakker is, is daar nog 'n kans dat iets sou gebeur. Maar sodra sy haar dié "iets" probeer voorstel, het haar verbeelding haar in die steek gelaat.

Hy sou tog nie senuweeagtig aan haar kamerdeur kom klop – soos 'n stout skoolseun aan 'n prinsipaal se kantoordeur! – in die wete dat hy moontlik verneder kon word nie. Nee, vergeet daarvan, hy sou niks doen nie, hy sou aan die slaap raak.

En wat kon sy doen? Die laken om haar kaal lyf drapeer en soos 'n spook na sy kamer sweef en langs sy slapende lyf in sy bed gaan inkruip? Goeie genade, dink net hoe verleë hulle albei sou wees as dit glad nie is wat hy wou gehad het nie!

Nee. Sy het liewers net hier bly lê. Van haar sweterige kaal lyf probeer vergeet en aan Mercedes Perez Amat gedink. Aan alles wat sy die afgelope paar dae oor die Kubaanse soldaat se dogter geleer het. Onvermydelik ook aan alles wat sy nooit van haar sou weet nie. En oplaas moes sy tog ingesluimer het.

Want kort voor dagbreek skrik sy helder wakker. Die maan het verdwyn, die lug kleef nie meer soos 'n lanferlap teen die venster nie, daar is reeds 'n pastelkleurige skynsel. Sagte voetstappe in die gang. Dalk het hy gekug, een of ander geluid gemaak wat haar uit die slaap geruk het. Hy beweeg van die badkamer se kant af terug na sy kamer, maar vlak voor die deur van sy seun se kamer raak sy voetstappe stil. 'n Paar oneindige oomblikke lank hou sy op met asemhaal terwyl sy in die donker na die buitelyne van die deur staar. Sal sy ook saggies kug om hom te laat weet sy is wakker? Dan skuifel hy verder. Sy kamer-deur klik saggies oop en weer toe. Sy bed kraak toe sy swaar lyf daarin neersak. Daarna word alles weer stil.

Uit die straat ver onder die venster word die eerste vroegoggendgeluide van motors en mense hoorbaar.

Sy blaas haar asem uit. Dit klink soos die laaste bietjie lug wat uit 'n ballon ontsnap, haar longe voel heeltemal leeg. Eintlik voel alles in haar leeg, afgeblaas, platgeval.

Dis verby, sy sal nooit saam met Ruben Torres Márquez slaap nie.

Sy sal dalk nooit weer saam met enige man slaap nie. Moenie oordramatiseer nie, vermaan sy haarself, hierdie storie is hartseer genoeg.

Maar hierdie taxibestuurder en trompetspeler en kroegman van Havana sal altyd 'n onvervulde moontlikheid bly, 'n verspeelde kans, 'n smagtende sê-nou-net. Sê nou net sy was nie so bang nie, sê nou net hy was voorbariger, sê nou net.

Dié keer is sy doodseker sy sal nie weer aan die slaap raak nie, daarom skakel sy die bedlampie aan en gaan krap in haar bagasie wat reeds gepak is vir haar terugvlug later vandag. Heel onder in haar kajuittassie, onder die Moleskine-boek vol waansinnige gedagtes wat Theo se ma op haar afgedwing het, haal sy die tienerjarige troep Theo van Velden se verweerde groen grens-notaboekie uit.

Waarom het sy dit nou weer ingepak?

Dalk was sy bang die vliegtuig val of sy kom iets in Kuba oor. Sy sou nie wou hê haar arme sus – wie se plig dit sekerlik sou wees om van die oorledene se besittings in haar Kaapse kothuis ontslae te raak – moet op dié boekie afkom nie.

Op die bed draai sy die laken styf om haar kaal lyf en stut haar rug teen die muur met die foto's van ontslape Amerikaanse jazz-musikante. Buite die venster word die oggendlug bo Havana geleidelik rosiger. Miskien wou sy haar onskuldige suster teen Theo se oorlogservarings beskerm. Miskien wou sy bloot Theo se laaste bietjie privaatheid respekteer.

Sy het nie werklik daaroor gedink nie, sy het die boekie net instinktief in die tas geprop. Nes sy dit nie kon waag om te veel oor haar reis na Kuba te peins nie, want dan sou sy ongetwyfeld 'n verskoning gevind het om dit nie aan te pak nie. Shakespeare se "pale cast of thought" wat al ons onverskrokke besluite sieklik kan laat lyk.

En hier in Kuba het sy skaars genoeg tyd gekry om haar gidsboek te lees. Vir die verflenterde oorlogsboekie op die bodem van haar tas het sy hoegenaamd nie kans gesien nie; sy was te bang sy begin van voor af wroeg oor alles wat sy daarin vind. Soms is dit belangriker om te lewe as om te lees, dis mos wat Nini haar alewig probeer wysmaak.

Maar noudat daar nog net enkele ure oorbly voordat Theresa huis toe vlieg, druk sy haar leesbril op haar neus en blaai versigtig deur die boekie op haar skoot. 'n Manier om haar laaste slaaplose ure in Havana om te kry, sê sy vir haarself.

Op 'n bladsy wat bruin gevlek is deur iets soos koffie (hopelik nie bloed nie, nee, bloed vlek 'n ander skakering van bruin; dit het sy mos op die brief in haar handsak gesien), steek sy vas by rye en rye syfers met name tussen hakies. Datums, het sy afgelei toe sy die boekie vroeër vanjaar op kantoor en by die huis bestudeer het, maar sy weet steeds nie wat die verband tussen die datums en die name is nie.

21/10 (Spook) 24/10 (Sparks) 25/10 (Piet Poephol) 27/10 (Hilton Hotels) 28/10 (Shortie) 29/10 (Janneman) 1/11 (Spikkels) 4/11 (Kak Kobus) 5/11 (Noddefok) …

Ensovoorts, ry ná ry, alles ewe onverstaanbaar. Vermoedelik byname van ouens wat saam met Theo in Angola was. *Hilton Hotels* laat haar twyfel, maar sy is oortuig daarvan dat troep Theo van Velden nie op 27 Oktober 1975 naby enige Hilton Hotel was nie. *Noddefok.* Hy was diep, diep in die bos. Die datums kan nie verjaardae wees nie, het sy lankal besluit, want daar is te veel name te dig op mekaar. Die eerste in Oktober en die laaste in Januarie. Almal kan tog nie tussen Oktober en Januarie verjaar nie. Datums waarop soldate gewond of dood is? 'n Skrikwekkende gedagte wat sy dadelik opsy geskuif het. Te veel name, te dig opmekaar.

Nou herken sy Spikkels se naam – die kettingroker wat eers dekades later aan longkanker dood is – wat beteken dit kan beslis nie 'n lys van oorlogslagoffers wees nie. Daar moet 'n ander verklaring wees, 'n rede wat sy nooit sal vind nie, net nog iets wat sy nooit sal weet nie.

Ingedagte blaai sy verder, haak vas by 'n stukkie wat troep Van Velden op 11 November 1975 geskryf het:

Vandag word hierdie onnoembare land waarin ons oorlog maak sonder dat iemand mag weet ons maak hier oorlog amptelik onafhanklik. Wat 'n fokken farce. Dis die elfde dag van die elfde maand dieselfde dag wat 'n Groot Oorlog lank gelede tot 'n einde gekom het maar hier in die land wat nie genoem mag word nie begin die eintlike oorlog miskien nou eers. My pa kan altyd so aangedaan raak oor die fields of Flanders en die rooi papawers. Veral as hy 'n paar doppe in het. Wonder wat hy sou sê oor hierdie oorlog as hy geweet het dat sy seun daaraan deelneem.

Sparks is die slimste ou wat saam met my in hierdie kakspul beland het. Nie dat dit veel vat om slimmer as die meeste van ons dom dose te wees nie maar hy's darem al 'n paar jaar ouer hy't al 'n graad of twee gevang en hy sit heeltyd met sy lang bebrilde neus in 'n boek. En hy skiem hierdie land wat nie genoem mag word nie is soos Pole in 'n play met die naam Ubu Roi wat ek definitief sal lees as ek eendag weer in die States kom.

Ons is in Pole, sê Sparks, in 'n oorlog wat nie genoem mag word nie in 'n land wat nie bestaan nie wat beteken ons is nêrens. En my million dollar question is of óns nog kan bestaan as ons nêrens is nie. I wonder, soos Rodriguez sing, maar ek wonder nie eintlik meer oor seks nie. Meeste van die tyd wonder ek maar net of ek nie dalk doodgegaan het sonder om dit te weet nie.

'n Paar bladsye verder is nog 'n inskrywing wat aanvanklik vir haar onbegryplik was, veral omdat Theo se skrif hier byna onleesbaar klein in die beperkte ruimte ingedruk is. Maar toe sy op kantoor in Kaapstad die skrif eers begin ontsyfer het, kon sy die titels van 'n paar liedjies uit die jare sewentig herken. Sy het afgelei dat dit 'n soort lys van musieknommers is, musiek waarna Theo en sy makkers aan die grens geluister het, of dalk graag sou wou geluister het. Maar noudat sy weer na die titels kyk, en die volgorde waarin hulle neergeskryf is, lyk dit vir haar soos 'n gedig. Asof Theo 'n boodskap wou oordra:

Walk this way/ For what it's worth/ Wish you were here/ Old man/ Welcome to the machine/ Behind blue eyes/ On the road again/ Born to run/ Why can't we be friends/ Eighteen with a bullet/ Knocking on heaven's door

Of is sy besig om so stapelgek soos haar gewese man te word? Om "boodskappe" in 'n string toevallige titels van rock-musiek te soek!

Sy blaai vinniger verder, tot sy weer by 'n datumlose inskrywing stuit:

Die landskap verander aanmekaar soos ons al dieper in die onnoembare land infok. Al meer bosserig modderig tropies. Wat nie verander nie is die verlate gehuggies en leë plaasgeboue soos iets uit 'n disaster movie g'n mense meer oor nie almal het alles net so gelos en gefokkof. Party van die geboue is vol graffiti gewoonlik Kommunistiese slogans in rooi verf maar laas week het ons afgekom op 'n muur met obsene tekeninge van piele en poese in die middel van nêrens waaraan ons spul jagse troepe ons vergaap het.

Fokkit, sê Spook, as jy so lanklaas 'n naaibare vrou van naby gesien het.

Ek sê liewers niks, hulle hoef nie te weet ek het nog nooit genaai nie. Ek dink Spook bluf ook maar meeste van die tyd.

Nou die dag toe een van die tiffies 'n landmyn aftrap het ek besef ek's nie die enigste ou wat dink dit sal darem donners onregverdig wees as ek moet doodgaan voor ek vir die eerste keer seks gehad het nie. Die outjie se een been is moer toe geskiet daar was niks oor onder die knie nie en terwyl hy daar in sy eie bloed lê en al hoe bleker word en iemand 'n bomverband probeer draai om wat oorbly van sy been prewel hy heeltyd oor en oor: "Nee, jissis, ek kan nie nou doodgaan nie, ek's dan nog 'n virgin!" Ek weet nie of hy dit gemaak het nie.

Hulle het hom na 1 Mil gevlieg daar's glo 'n geheime hospitaalsaal daar waarvan niemand mag weet nie want dis vol gewondes uit hierdie oorlog waarvan niemand mag weet nie. Maar ek hoop met my hele hart daai tiffie het dit gemaak al het hy nou ook sy been verloor. Ek hoop hy sal nog dosyne meisies kan naai vir die res van sy eenbeen-lewe.

Buite het die lug poeierblou geword. Daar is al hoe meer motors en busse in die strate van die stad wat stadig ontwaak. Nog 'n paar bladsye verder kom sy af op 'n klomp rolprenttitels uit die jare sewentig. Dié raaisel het sy al in Kaapstad opgelos, met behulp van Google, want sy het nie dadelik al die titels herken nie. En weer eens kan sy nie anders as om 'n versteekte boodskap te soek nie.

Love and Death, Deep Red, Death Wish, Night Moves, Bite the Bullet, Endless Night, Deliverance, Bad Company, Cries and Whispers, Black Christmas.

Op die Swart Kersdag van 1975 skryf troep Theo van Velden 'n kamma-brief aan sy pa, die soort brief wat jy natuurlik nooit kan pos nie, wat Theresa op haar laaste oggend in Havana wanhopig hartseer laat voel.

Liewe Pa
Dis die kakste Krismis van my lewe dankie. Baie moeilik om aan "Hark the herald angels sing" en vrede op aarde te dink as jy besig is om oorlog te maak. Pa was nooit self in 'n oorlog nie dis dié dat Pa so sentimen-teel kan raak oor die fields of Flanders en die fokken rooi papawers. En Churchill se fokken toesprake. We shall fight them on the beaches we shall fight them in the hills we shall never surrender. Maklik om senti-menteel te raak oor sulke woorde as jy nie weet wat oorlog rêrig is nie. Kill or be killed. Ek het in 'n koelbloedige moordenaar verander, Pa.
Ek hoop jy en Ma is trots op my.
My Kersmaal gaan battery acid en brake shoes en shrapnel wees. Dis nie so erg soos dit klink nie dis armytaal vir aanmaakkoeldrank en Provita en gemengde groente uit 'n blik. Wel, eintlik is dit fokken erg as jy daaraan dink as Krismiskos.
Ek hoop ek sien vir Pa en Ma een van die dae weer. Ek hoop julle sal

nooit die bloed aan my hande en die vrees in my oë sien nie. Fokkit ek
hoop ek kan leer om minder te vloek as ek terug in die States is. Verder
hoop ek vir vrede op aarde maar dit lyk nie of dit ooit gaan gebeur nie nè.
*   Gelukkige Kersfees van julle verlangende seun iewers in die bos waar*
Krismis nie bestaan nie.

Maar oor die Spaanse brief, wat teen dié tyd reeds in sy besit moes gewees het, rep hy nie 'n dooie woord nie. Nêrens in die groen notaboekie verwys hy na die gewonde Kubaanse soldaat of hoe hy die vyand se brief in die hande gekry het nie. Asof so 'n verskriklike geheim nie eens in die privaatheid van 'n versteekte dagboek ontbloot kan word nie.

Eers dekades later, toe hy al lank in 'n inrigting vir sielsiekes was, kon hy iets daaroor skryf in die Moleskine-boek wat Theresa in die vliegtuig gelees het. 'n Verskonende terugblik op wat daardie dag in Angola tussen die negentienjarige Theo van Velden en die twintigjarige Angel Perez Gonzalez gebeur het. En wie sê dis die waarheid? Was die Kubaan werklik so erg gewond dat hy in elk geval sou gesterf het as Theo hom nie geskiet het nie?

Was hy hoegenaamd gewond?

Sy trek die laken stywer om haar lyf en drapeer die dun deken oor haar skouers, want sy kry skielik koud, haar arms die ene hoendervleis.

Sy sal nooit weet wat "die waarheid" is nie. Die enigste twee betrokkenes is albei dood. Al wat van hulle oorbly, is woorde op papier. Theo se Afrikaanse woorde in sy oorlogsdagboekie en sy joernaal van waansin, Angel se Spaanse woorde in 'n onafgelewerde brief aan sy dogter.

Al wat sy weet, is dat Theo die Spaanse brief terug na Suid-Afrika gesmokkel het, waar dit so onkeerbaar soos 'n tydbom bly tik-tik-tik het. Sy patetiese pogings om Spaans te leer was 'n manier om die bom te ontlont, maar dit het nie geslaag nie. Toe hy die brief eers kon lees, het die bom net harder as ooit tevore getik, vinniger as voorheen, tiktiktiktiktik.

Tot dit een Sondag in 'n kerk in Kaapstad ontplof het.

Ná die fiasko in die Groote Kerk het Theo nooit weer "herstel" nie. Hy het maande op 'n slag in inrigtings deurgebring, eers Valkenberg en Stikland naby Kaapstad en daarna, op aandrang van sy ma – as naaste familielid van die versteurde pasiënt, kon sy namens hom sulke besluite neem – Weskoppies in Pretoria. Nader aan haar. Verder van Theresa, vir wie haar gewese skoonma altyd sou blameer vir die ineenstorting van Theo se lewe.

Theresa was eindeloos verlig toe hy Pretoria toe gestuur is. In Kaapstad het hy haar soms gekontak wanneer hy homself uit die inrigting ontslaan het, wanneer hy in 'n maniese toestand sy medikasie gestaak het omdat hy "baie beter voel", en elkeen van hierdie ontmoetings was 'n marteling. Sy kon sien hy was steeds versteurd, sy lieflike blou oë glinsterend van gekheid, maar sy kon hom nie oorreed om weer sy pille te sluk of met sy psigiater te gaan praat nie. En ná elke maniese brander wat hy so jubelend gery het, was die trog waarin hy teruggeval het selfs dieper as voorheen.

Die eerste jaar of wat ná sy "breakdown" – soos almal in hulle vriendekring dit genoem het, Theresa ook, asof hy 'n ou kar was wat met 'n bietjie meganiese hulp weer aan die gang gestoot kon word – het sy nog taamlik gereeld by gemeenskaplike vriende of toevallige kennisse brokkies nuus gehoor. "Hy's weer op vrye voete." "Wees gewaarsku. Hier kom kak." Iemand het vertel dat hy in die middel van die nag aan 'n gewese kollega se voordeur gaan hamer het, en toe die kollega hom nie wou inlaat nie omdat hy dronk en luidrugtig was en sy nie haar kleuterseuntjie wou wakker maak nie, het hy net daar op haar stoep geslaap. Die volgende oggend op pad werk toe het sy oor hom gestruikel. Volgens iemand anders het hy dwarsdeur Karin en Kobus se tuinmuur gery, in 'n motor wat hulle vir hom geleen het, en saam met hulle motor in hulle swembad geëindig.

"Gelukkig het hy nie verdrink nie. Ai, die arme Theo."

Binne 'n jaar het hierdie staaltjies soos urban legends begin klink. Theresa het nie meer geweet wat om te glo nie, maar sy het vermoed dat die werklikheid erger is as wat enige van Theo se vriende sou geraai het. Of gewese vriende, want kort voor lank het hy nie meer vriende gehad nie.

Nadat die laaste van sy Bambi-metgeselle hom uit haar woonstel geskop het, het hy nie eens meer 'n vaste adres gehad nie. Wanneer hy nie in Stikland was nie, het hy by vriende uit sy vorige lewe slaapplek gebedel, maar selfs die lankmoedigste en behulpsaamste vriende het uiteindelik geduld verloor en hom weggejaag. Omdat hy almal in die huis nag ná nag uit die slaap hou terwyl hy onophoudelik heen en weer stap en dawerend gesels, met hulle of met hulle kinders of met die hond of die kat of selfs met die potplante. Omdat hy al die skilderye in hulle gastekamer verpand het om geld in die hande te kry om 'n kar te huur vir 'n landwye road trip wat hy wou aanpak en waaroor hy 'n boek wou skryf wat 'n blitsverkoper sou word. Omdat hy sonder toestemming 'n skootrekenaar en 'n kamera by hulle "geleen" het, vir die beplande road trip en die blitsverkoperboek, en die rekenaar én die kamera toe ongelukkig iewers in 'n kroeg verloor het.

Die road trip het nooit gebeur nie.

En nog 'n jaar of wat later het niemand meer geweet waar hy 'n heenkome vind nie. Sy geestelike agteruitgang het fisiek sigbaar geword. Sy hare was te lank en olierig, sy baard te onversorg, sy lyf te maer, sy klere vuil en verkreukel, sy eens aantreklike gesig met die hoë Slawiese wangbene skrikwekkend uitgehol. Theresa het byna nie die verwese man herken wat sy een oggend toevallig in Langstraat raakgeloop het nie.

Sy het nie geweet dis die laaste keer wat sy hom sou sien nie.

Sy het haar foonnommer laat verander nadat hy haar een nag twintig keer ná mekaar gebel het. "Theo," het sy gesoebat, "besef jy nie dat normale mense snags slaap nodig het nie?"

"Fok normale mense," het Theo geantwoord. "Fok slaap."

"Aag, fok jou ook, Theo." Sy het die foonprop uit die muur getrek.

Daarna het hy haar nog 'n ruk lank gebombardeer met e-posboodskappe, dikwels met aanhegsels van tot honderd bladsye op 'n slag waarin hy gal braak oor die toestand van die wêreld in die algemeen en Suid-Afrika in die besonder. As hy maar eerder al hierdie maniese energie kon inspan om oor sy eie onderdrukte emosies te skryf, het Theresa keer op keer gewens. Maar uiteindelik het sy ook haar e-posadres verander.

Theo se laaste Kaapse "eskapade", soos sy gewese vriende steeds vaagweg geamuseerd na sy wandade en misdade verwys het (solank hulle nie die slagoffer van die jongste "eskapade" was nie), het hom weer eens in die tronk laat beland.

"Wat het hy dié keer aangevang?" het Theresa gefluister toe die polisie haar by die werk bel, haar stem skoon weggeskrik. Sy het gereeld gedroom van die laaste aand in hulle huis toe hy 'n vuurwapen op haar gerig het, maar in haar droom het hy altyd die sneller getrek. Hy het haar meestal in die maag geskiet, en terwyl sy in 'n dam bloed op die vloer lê en verdwaas kyk hoe haar lewe uit haar vloei, het hy die wapen teen die kant van sy kop gedruk. Sy het altyd wakker geskrik voordat hy die sneller die tweede keer kon trek.

Volgens die vriendelike polisievrou het meneer Van Velden 'n week lank in 'n deftige gastehuis naby die Waterfront gebly, soos 'n koning geëet en gedrink, alles op rekening, en toe hy die rekening moet betaal, het hy sjarmant geglimlag en sy skouers opgehaal en gesê hy kan ongelukkig nie betaal nie, want hy is nie toerekeningsvatbaar nie. Nadat die polisie hom in hegtenis geneem het, het hy voorgestel dat hulle sy vrou bel sodat sy sy borggeld kan betaal.

"Hy het gesê mevrou sal 'n plan maak," het die polisievrou hoopvol bygevoeg.

"Ek is nie meer sy vrou nie," het Theresa gesê. "Ek kan nie meer planne maak nie. Sê vir hom mevrou is klaar met hom."

Die polisie het vermoedelik sy ma gebel, wat vermoedelik 'n plan gemaak het, want kort hierna is hy na die staatsinrigting in Pretoria gestuur, waar hy al hoe langer tydperke deurgebring het. Waar hy jare later gesterf het. Vermoedelik aan hartversaking. Vermoedelik veroorsaak deur byna twee dekades van gedwonge medikasie, gekombineer met hopeloos te veel alkohol en nikotien.

Alles wat in die laaste hoofstuk van Theo se lewe gebeur het, is vir Theresa slegs 'n vermoede. Die afgelope paar jaar het sy soms nog gehoor van iemand wat hom iewers in die noorde van die land gesien het. Op die Johannesburgse stasie. Saam met 'n wit bedelaar op Kerkplein in Pretoria. Saam met 'n swart man wat motors oppas voor 'n inkopiesentrum aan die Oos-Rand. Gerugte wat haar herinner het aan Lou Reed se liedjie oor die laaste groot Amerikaanse walvis: Sommige mense sê hulle het hom by die Great Lakes gesien, sommige mense sê hulle het hom langs die kus van Florida gesien, my ma sê sy het hom in Chinatown gesien. *But you can't always trust your mother.*

Theresa hoor Ruben in die woonstel beweeg. Dis tyd om op te staan en afskeid te neem. Van Ruben, van Kuba, van Theo. Veral van Theo. Sy maak die boekie op haar skoot toe.

Sy weet nie eens presies wanneer haar gewese man dood is nie. Haar gewese skoonma het haar nie probeer kontak om die nuus mee te deel nie. Sy het eers 'n week of twee later toevallig daarvan gehoor, tydens 'n foongesprek met 'n kollega van Gauteng wat haar voormalige skoonma se prokureur ken. Daar was geen roudiens nie, het sy gehoor. Wie sou dit wou bywoon? Miskien tog een of twee van sy verpleegsters of versorgers, het Theresa gehoop, want dit was 'n ondraaglike gedagte dat 'n sestigjarige man se lewe soos 'n kersvlam doodgeblaas kan word sonder dat iemand behalwe sy ma oor hom treur. Hy is veras, volgens die prokureur, en die boksie met die as sou by sy pa se graf in Pretoria ingemessel word. Langs die graf waar sy ma ook eendag sou rus. Veilig terug tussen sy ouers.

Hy sou dit geháát het as hy dit moes geweet het.

Sy wens sy kon hom vertel het hoe sy oor hom gehuil het toe die nuus eindelik by haar uitgekom het. "Fokkit, Van Velden, weet jy hoeveel trane ek al gestort het vandat ek gehoor het jy's dood?" sou sy graag vir hom wou gesê het. "Asof daar 'n kraan iewers in my oopgedraai is wat ek net nie weer toegedraai kan kry nie. Jy sal seker dink dis snaaks. Ek wat altyd so 'n tawwe koekie wou wees. En nou kan ek net nie ophou grens nie. Oor jou en oor my en oor die Kubaanse soldaat en oor alles wat anders kon gewees het. Ag, liewe hel, here I go again."

Sy haal haar bril af, vryf oor haar oë, begin hulpeloos lag terwyl sy huil. Want sy sien hom weer soos hy dekades gelede gelyk het, in die koerantkantoor, toe hulle nog net vriende was, toe alles moontlik nog anders kon uitgedraai het.

"Ja, Marais, dis maar kakkerig om dood te wees," sê hy met 'n skewe glimlag terwyl hy 'n sigaret aansteek. "Hier's nie sigarette of drank of seks of enigiets lekker aan dié kant nie. Maar as ek nie doodgegaan het nie, sou ek nooit geweet het hoe jy my mis nie, nè?"

Sy verbeel haar selfs sy hoor hom saam met haar lag.

27. MI QUERIDA HIJA

Tien dae later sit sy twee van die meerminasbakkies wat sy in Kuba ge-koop het op 'n Kaapse restauranttafel neer.

Sandra se netjiese wenkbroue lig hoog terwyl sy van die asbakkies na Theresa en weer na die asbakkies kyk, onseker hoe om op hierdie onwel-kome geskenk te reageer.

Nini bars spontaan uit van die lag: "A, nog 'n kaggelkakkie vir my groeiende versameling. Kan ek die een met die oranje hare kry?"

"Ek het haar spesiaal vir jou uitgesoek."

"Omdat sy jou aan my herinner het? How sweet." Nini vee met geveinsde ydelheid oor haar gekleurde rooi kuif, soos 'n model in 'n sjampoe-advertensie.

"En die een met die swart hare en die spierwit gesiggie is vir my Sneeuwitjie-sussie."

"Sy lyk meer soos Morticia Addams as soos Sneeuwitjie," sê Nini.

Sandra lag nou saam met hulle, verlig dat sy die geskenk nie ernstig hoef op te neem nie. Sy het nog altyd gesukkel om ironie of sarkasme te snap, sy is eenvoudig te onskuldig.

"Ek het ook 'n blonde meermin gekoop wat ek vir myself hou. Ek gaan 'n asbak nodig hê wanneer ek die sigare rook wat ek teruggebring het."

"Moenie vir my sê jy't weer begin rook nie." Sandra frons besorg.

"Nee wat, ek het net 'n paar keer aan sigare gesuig."

"Maar is jy nie bang jy gaan weer lus raak vir sigarette nie?"

"Ek sal seker lewenslank lus wees vir sigarette," sê Theresa gelate en lig haar glas mojito vir haar twee tafelgenote. "Maar as ek één les in Kuba geleer het, dan is dit om nie so bang vir alles te wees nie."

"Ek sal daarop drink." Nini vat 'n sluk van haar daiquiri.

Theresa kyk weg van hulle nuuskierige oë, na die plakkate van Che teen die mure. Dit was haar idee dat hulle mekaar in hierdie Kubaanse kuierplek in Kaapstad ontmoet. Nie heeltemal so lekker soos om in

Havana te wees nie, het Nini gesê, maar nie 'n slegte troosprys nie. Nini het onmiddellik ingestem, gretig om die sappige besonderhede van Theresa se Kubaanse romanse uit haar te trek. "Ek gaan jou mojito's voer tot jy alles verklap!" het sy oor die foon uitgeroep. En glad nie geluister toe Theresa teenstribbel dat daar niks is om te verklap nie.

Sandra het meer oorreding geverg. Sy is net so gretig soos Nini om meer te hoor van die misterieuse taxidrywer en trompetspeler na wie Theresa 'n paar keer verwys het. Waarskynlik 'n paar keer te veel, vermoed Theresa nou. Maar Sandra gaan selde saans uit omdat sy hulle pa nie alleen by die huis kan los nie.

Theresa het Hanna gebel – Sandra se volwasse dogter wat steeds in 'n granny flat in haar tuin woon – om haar te vra of sy haar oupa die aand sal oppas.

Natuurlik, het Hanna gesê. No problem.

Theresa het 'n onverwagse steek van verlange na Oreste gevoel.

Dit sal cool wees as haar ma bietjie uitgaan, het Hanna bygevoeg. "Ek suspect sy gebruik Oupa as 'n verskoning om heeltyd by die huis te bly. Sy hou mos daarvan om 'n victim te wees." Hanna het dit sonder wrewel gesê, bloot geamuseerd, op 'n liefderyke manier.

Wanneer het haar susterskind so slim geword? Die voorbarige dogtertjie wie se verjaardagpartytjies Theresa jaar ná jaar moes bywoon, later die verlore tiener met 'n helse dwelmprobleem, nou blykbaar 'n verstandige jong vrou wat wil hê haar ma moet weer 'n lewe hê.

Die gevolg van hierdie telefoniese gekonkel is dat Sandra vanaand by Theresa oorslaap sodat sy nie laatnag alleen op die N2 terug na Somerset-Wes hoef te ry nie. Nog 'n verskoning wat Sandra gereeld soos 'n klip in die pad van al Theresa se voorstelle rol. En sekerlik 'n geldige verskoning, want die N2 kan snags gevaarlik word, met veel meer as klippe wat 'n alleenvrou in 'n kar kan tref.

Maar nou lyk Sandra so opgewonde soos 'n skoolmeisie wat uit 'n streng koshuis ontsnap het, haar wange gloeiend van genot terwyl sy in die raserige restaurant rondkyk, haar oë glinsterend bo die bamboesstrooitjie waardeur sy haar pina colada suig.

Dis nog vroeg op 'n Vrydagaand, maar die restaurant is reeds vol en vrolike Kubaanse musiek kan bo die gedruis van stemme gehoor word. Die jong kelner wat hulle bedien, het smeulende swart oë en 'n verleidelike glimlag. Nini glimlag goedkeurend toe hy wegstap, haar oë op sy agterwêreld in besonder stywe swart jeans.

"Is ons nie bietjie oud vir hierdie plek nie?" wil Sandra weet.

"Ek weet nie van jou nie," sê Theresa, "maar ek het lanklaas so jonk gevoel."

"Vandat sy met daardie taxidrywer geflirt het, ruk sy heeltemal handuit," waarsku Nini vir Sandra en kyk afwagtend na Theresa.

Theresa probeer so enigmaties soos Ruben lyk en sluk weer aan haar mojito. Die breë trekke van haar Kubaanse reis het sy klaar met hulle gedeel. Hulle was net so verras soos sy om te hoor dat die gevalle soldaat se dogter met 'n Suid-Afrikaner afgehaak het en dat Theresa nou in Suid-Afrika verder na haar moet soek. En hoewel hulle beslis meer belangstel in haar verhouding met Ruben as in haar soektog na Mercedes, dwing sy die gesprek terug na die soektog.

"Pos daai foto'tjie van haar op Facebook en Instagram," stel Nini voor, "en vra almal wat jy op sosiale media ken om dit te deel. Dis deesdae die beste manier om enigiemand op te spoor."

Theresa herinner haar dat sy steeds net twee mense op sosiale media ken – en hulle sit albei vanaand saam met haar aan tafel.

"Vra jou vriende in Pretoria om jou te help," stel Sandra voor.

"Watse vriende in Pretoria?"

"Ek weet nie, jy't mos baie vriende orals."

"Behalwe op sosiale media," sê Nini afkeurend.

"Ek begin agterkom dat ek nie eintlik so baie vriende het nie." Sy verwag dat hulle gaan protesteer, haar laggend sal verseker dat sy baie meer vriende as hulle het. Maar hulle kyk net simpatiek na haar, asof hulle lankal vermoed dat al haar praatjies oor haar vriende 'n skans is waaragter sy haar alleenheid wegsteek. Dit verbaas haar so dat sy die res van haar mojito in een teug drink. "En ek ken niemand in Pretoria goed genoeg om hulp te vra met so iets nie."

"Wat van Theo se ma se prokureur?" vra Nini.

"Wat van hom?"

"Jy't mos gesê een van jou Gauteng-kollegas ken hom, dis hoe jy gehoor het dat Theo dood is? As hy die ma se sake behartig, moet hy dalk Theo se boedel ook behartig, dan sal hy—"

"Ek weet nie of daar 'n boedel is om te behartig nie."

"Jy weet tog wat ek bedoel, iemand wat die nadoodse admin kan afhandel. Hoekom kontak jy hom nie? Sê hom jy't sy professionele dienste nodig, jy't hierdie brief wat Theo agtergelaat het, dalk kan hy vasstel of Mercedes nog in Pretoria woon?"

"Hmm." Theresa knik ingedagte.

"Onthou net, prokureurs is duur," waarsku Sandra.

"Dit het ek deeglik besef toe ek geskei het," sê Theresa met 'n suur glimlag.

"En jy sal dalk vir 'n speurder ook moet betaal." Sandra klink al hoe angstiger. "Kan jy dit bekostig? Is jy seker dis die moeite werd?"

"Nee, ek kan dit nie bekostig nie, veral nie nadat ek al my spaargeld op 'n reis na Kuba geblaas het nie. En ek is nie meer seker van énigiets nie. Maar ek kan mos nie nóú tou opgooi nie?"

Die sexy kelner kom sit die empanadas wat hulle bestel het op die tafel neer en flits sy mooiste glimlag vir hulle.

Nini glimlag terug en bestel nog 'n ronde cocktails vir almal en bewonder sy boude weer toe hy wegstap. Dan leun sy oor die tafel en skyn haar oë soos kolligte op Theresa: "Oukei, genoeg oor prokureurs en speurders en sulke boring beroepe. Kom ons praat liewers oor taxibestuurders."

Sy bly so betekenisvol stil dat Theresa lag.

"Of trompetspelers," sê Sandra.

Hulle herinner haar aan vroue by 'n troue wat wag dat die bruid haar ruiker oor haar skouer gooi. Borrelend opgewonde, gereed om hoog te spring en mekaar uit die pad te stamp om die gesogte ruiker te vang. Maar wat kan sy vanaand vir hulle gooi wat hulle gelukkig sal maak? Dit gaan nie help om te sê dat daar niks tussen haar en Ruben gebeur het nie. Nes dit die laaste aand langs die Malecón nie gehelp het om dit vir Oreste en Lazaro en Miles te sê nie. Hulle gaan glo wat hulle wil glo.

En sy weet self nie meer wat sy glo nie.

Die laaste oggend in Havana het Ruben 'n "regte ontbyt" saam met haar geëet. Of in elk geval die naaste aan wat haar begrip van 'n behoorlike ontbyt was voordat sy in Kuba beland het. Hy het vir hulle vars vrugteslaai gemaak en dit saam met roosterbrood en sy ma se tuisgemaakte tamatiekonfyt voorgesit, asook mangosap en natuurlik die gewone giftige sterk swart koffie. Die feit dat sy die koffie heelwat makliker gedrink het as 'n week gelede, het haar nie opgeruimder laat voel nie. Inteendeel.

Hulle het in stilte geëet, die gekraak van die roosterbrood tussen hulle tande die enigste geluid in die vertrek. Sy kon nie aan iets dink wat sy vir hom kon sê nie. Sy wou so graag glo dat hulle mekaar weer sou sien, maar daardie geveerde ding wat hoop genoem word, het dié oggend verseg om te vlieg. Sy was vaagweg bewus van 'n gefladder in haar ribbekas, soos 'n te groot voël wat agter die tralies van 'n te klein kou vasgekeer is, maar sy kon dit nie waag om die kou oop te maak nie.

Hoop is een ding, het sy vir haarself gesê, selfbedrog is heeltemal iets anders. Ruben is nie in staat om haar land te besoek nie; sy kan dit waarskynlik nie bekostig om weer na sy land te reis nie. Of na enige ander land, as die Suid-Afrikaanse rand nie drasties verbeter nie.

"Hmm, die vrugteslaai is—"

"Het jy 'n goeie nag—"

Hulle het gelyk begin praat, bly albei nou gelyk stil, wag vir die ander een om voort te gaan.

"Dis lekker," sê Theresa met warm wange en vat nog 'n gulsige hap van die slaai om te wys dat sy dit bedoel.

"Het jy goed geslaap?" vra Ruben.

"Nie rêrig nie." Die erkentenis glip uit voordat sy dink wat sy sê. "En jy?"

"Ook nie. Maar ek was nog nooit 'n goeie slaper nie, so …" Hy frons terwyl hy vir hulle nog koffie skink. "Jammer, ek moes jou seker gewaarsku het, Amado se matras is nie juis die nuutste model nie."

"Nee, dit het niks met die matras te doen nie. My eksman het altyd gesê ek kan in die mik van 'n boom aan die slaap raak. Hy was ook 'n slegte slaper." Sy vermy sy oë en sluk haar koffie, babbel senuweeagtig verder: "Dit moet seker aaklig wees om nag ná nag wakker te lê langs iemand wat so moeiteloos slaap."

"Ek weet nie. Ek het dit nogal geniet om te kyk hoe Carlota slaap." Hy glimlag ingedagte bo-oor sy koffiekoppie. "Sy het dit ook reggekry om die slaap van die onskuldiges te slaap."

"Ek weet nie of ek so danig onskuldig is nie." Voordat hy kan reageer, sê-vra sy gou: "So jou vrou se naam was Carlota?"

Hy knik.

Hoe is dit moontlik dat sy dit nóú eers vir hom vra?

"My eks se naam was Theo." Meteens voel dit vir haar lewensbelangrik dat hulle minstens dít van mekaar moet weet voordat hulle paaie oor 'n paar uur skei. Die name van die mense met wie hulle getroud was. Asof dit kan vergoed vir al die ander dinge wat hulle nooit sal weet nie. "Theo van Velden."

Hulle kyk woordeloos na mekaar.

"So hoekom het jy sleg geslaap?"

"Ag, ek weet nie." Sy kan tog nie erken dat sy ure lank lê en hoop het dat hy aan haar kamerdeur sou kom klop nie. "Ek raak maar altyd bietjie angstig voor ek vlieg. En dit raak net erger soos mens ouer raak, nè?"

"Ek sal nie weet nie," sê hy. "Eintlik vlieg ek nooit iewers heen nie."

Natuurlik nie. Theresa gryp nog 'n sny roosterbrood en beplak dit met sy ma se tamatiekonfyt, eintlik net omdat sy iets soek om met haar hande en haar oë te doen. Oor haar verraderlike mond het sy blykbaar geen beheer meer nie.

"Ek het aan my man lê en dink," sê sy versigtig. "Aan Theo. Op die ou end weer sy dagboek gelees. So 'n boekie wat hy in die oorlog by hom gehou het."

"Ek het 'n paar ou briewe van Carlota." Hy hou sy oë stip op haar hande wat aanhou om konfyt te smeer. "Ek lees ook soms stukke daaruit. Darem minder as voorheen." Sy oë volg haar regterhand wat die roosterbrood na haar mond toe bring. Nou spits hy al sy aandag toe op haar kouende mond, wat haar hele gesig aan die brand laat slaan. "Maar daar was nagte wanneer daardie ou briewe sweerlik al was wat my gekeer het om weer te begin drink. Iets waaraan ek kon vasklou tot dit weer lig word. Woorde op papier van iemand wat lankal dood is."

Sy sluk die brood af en trek haar handsak op die stoel langs haar nader. Haal 'n plastieksakkie uit en lig 'n gekreukelde koevert met 'n bloedkol in die boonste hoek uit die plastieksakkie. Haal 'n paar velletjies vergeelde papier uit die koevert. Dit het sy nie beplan nie, dit gebeur vanself, elke beweging versigtig, maar nie huiwerig nie, soos 'n film wat teen vertraagde spoed draai.

"Sal jy dit asseblief vir my lees?" Sy hou die soldaat se brief bo-oor die roosterbrood na hom uit. "Hardop lees, bedoel ek?"

"In Spaans?"

"'n Vriendin het dit vir my vertaal. Ek het die vertaling al soveel keer gelees dat ek dit omtrent uit my kop kan opsê. Maar ek wil hoor hoe dit in Spaans klink. Met 'n Kubaanse aksent. Verstaan jy?"

Hy knik oorbluf en vat die brief by haar.

"Buitendien, ná al jou moeite om my te help om dit af te lewer, verdien jy minstens om te weet wat daarin staan."

Hy haal 'n klein ronderaambrilletjie uit sy wit katoenhemp se borssak, vryf die lense met 'n punt van die hemp skoon, druk dit op sy neus.

"Ek het nie geweet jy dra bril nie." Nóg iets wat sy nie geweet het nie.

"Jy't my nog nooit gevra om iets vir jou te lees nie," sê hy met 'n verskonende skouerophaling.

"Het ek nie?" Sy dink terug aan die afgelope week. "In die begraaf-plaas?"

"Ek kon ver genoeg van die grafstene staan om die name te lees. En op my selfoon kan ek kul om my ydelheid te beskerm. Die letters op die skerm kan mos oumensgrootte gestel word."

"Dis nie nodig om te kul nie." Sy glimlag vir hom. "Ek hou van die bril. Laat jou lyk soos Rooikappie se wolf wat die ouma se ronde brilletjie dra."

"Is dit veronderstel om 'n kompliment te wees?" Hy snork veront-waardig voordat hy op die brief begin konsentreer.

"*Mi Querida Hija*," lees hy hardop.

My lieflingdogter. Sy basvioolstem het nog nooit vir haar so mooi geklink nie. Sy verkyk haar aan sy mond, die vlesige lippe bo die swart-grys baard, die punt van sy tong wat tussen sy tande flits, die hele sensuele prentjie. Haar oë gly laer oor sy lyf, die donker borshare wat by die kraag van sy oopknoophemp uitsteek, die hare op sy kaal voorarms. G'n wonder hy herinner haar aan 'n wolf nie. Sy kyk na sy breë hande wat die brief so versigtig hanteer. En sy sê vir haarself dat daardie hande nooit haar lyf sal liefkoos nie.

Dan maak sy haar oë toe om beter na sy stem te luister.

Sy maak haar oë weer oop – sy het hulle net vir 'n sekonde gesluit om die twee afwagtende gesigte weerskante van haar te ignoreer – en sê: "Dit voel of hierdie trip in Kuba iets in my oopgehark het. Soos 'n tuin wat deur 'n dik laag dooie blare bedek was en nou is die blare weggehark. Asof ek vir die eerste keer in 'n lang ruk weer die vrugbare grond onder die blare kan sien."

"So jy voel soos 'n oopgeharkte tuin," sê Sandra opgewonde.

"'n *Vrugbare* oopgeharkte tuin," grynslag Nini. "Sjoe."

Theresa klap haar tong ongeduldig. "Ek bedoel eintlik net ... ek het besef ... miskien kan iets tog nog in hierdie tuin groei?"

Dit lyk nie of hulle begryp wat sy bedoel nie.

'n Week nadat sy saam met Sandra en Nini in die Kubaanse eetplek gekuier het, skraap sy genoeg moed bymekaar om Elize van Velden se prokureur te bel. Sy naam is Ernst Taljaard, het sy intussen vasgestel, en volgens haar Gautengse kollega is hy "'n moerse nice ou". Wat dit ook al deesdae beteken.

Sy wag tot sy een oggend van die huis af werk, want dis nie 'n gesprek wat sy in haar oopplankantoor wil voer waar enigiemand haar kan hoor nie.

Die oomblik toe sy haar as Elize se gewese skoondogter voorstel, nog voordat sy hom kan vertel waarom sy hom kontak, sê hy: "A! So jy was Theo se vrou?"

Die gretigheid in sy stem laat haar verbouereerd stilbly.

"Het jy hom goed geken?" vra sy terwyl sy deur die diefwering voor haar venster na die hoë muur voor haar kothuis kyk. Sy het dit met rankplante probeer versier, maar 'n muur bly 'n muur. En sedert sy teruggekeer het van haar reis, laat die sukkelende ligpers bougainvillea haar heeltyd na Kuba verlang.

"Ons was saam in die army. Dis hoe ek sy ma se prokureur geword het. Ná sy pa se dood het hy my gevra of ek haar sake kon behartig. Ek dink hy wou haar maar net weghou van hom af."

"Was julle saam in Angola?" Haar stem styg hoog en verras.

"Ja. Operasie Savannah." Met 'n treurige kuglaggie.

"Ek kan nie onthou dat hy ooit jou naam genoem het nie," sê sy nadat sy vir 'n oomblik nagedink het. "Maar hy't nooit eintlik enige name genoem nie. Hy't nie eintlik oor daai hoofstuk in sy lewe gepraat nie."

"Soos die meeste van ons wat daar was." Nog 'n onvrolike laggie.

"Hy't my as Spook geken. Oor my hare so spierwit was. Nou se dae is ek 'n ou kaalkopspook."

"A." Die rye name in Theo se groen notaboekie. *Spikkels. Spook. Hilton Hotels.* "Was daar 'n ou saam met julle wat Hilton Hotels genoem is?"

"Hilton le Roux." Dié keer klink sy laggie ietwat warmer. "So 'n slap-gat uit 'n baie ryk familie. Suikerboere van Natal. Ons het hom Hilton Hotels genoem omdat hy altyd daar in die bos lê en tan het asof hy op die dek van 'n hotel langs 'n swembad lê—"

"En Noddefok? Was dit ook 'n bynaam?"

"Ek kan glad nie sy regte naam onthou nie. Hy was seker wat ons in daai dae 'n 'armblanke' sou genoem het. Die skeefste tande wat ek in my lewe gesien het. Nie juis 'n spraaksame kêrel nie. Al wat hy ooit gesê het, wat jy hom ook al vra, was 'Noddefok'. Hou jy van die army? 'Noddefok'. Het jy 'n meisie? 'Noddefok'. Verlang jy huis toe? 'Nodde-fok'. Maar in Angola het hy sy kant gebring. Op 'n keer Hilton Hotels se lewe gered ..." Hy bly 'n oomblik lank stil, asof hy aangedaan raak. "Weet jy wanneer laas ek dié name gehoor het? Die laaste paar jaar toe Theo hier ... in die inrigting was ... ons het nooit meer daaroor gepraat nie."

"So jy't vir hom gaan kuier?" Sy sluk swaar. "Terwyl hy daar was?"

"So nou en dan. Op versoek van sy ma. Sy't vir hom bietjie geld in 'n rekening belê. Ek moes daarna kyk. Ek het dit seker maar for old times' sake gedoen." Hy praat al hoe stadiger, die stiltes tussen sy sinne al hoe langer. "Teen die einde, die laaste maande, was hy katatonies. Nie gepraat nie, nie gereageer nie, net 'n maer lyf wat op 'n bed lê en suffer. Niks meer oor van die slim en snaakse Veldkak wat ek in die army leer ken het nie."

"Veldkak?"

"Sy bynaam. Van Velden."

"Ek het nie geweet nie," prewel Theresa, oorstelp van berou.

28. SOETPATATS

Tussen Theresa en Ernst Taljaard vind hulle sonder veel moeite 'n dokter Egbert Engelbrecht wat in Tshwane woon en as narkotiseur by die Steve Biko Akademiese Hospitaal werk. Dit kos Ernst slegs drie foonoproepe na kennisse in die mediese wêreld voor hy vasstel dat hierdie dokter Engelbrecht inderdaad 'n Kubaanse vrou het wie se naam "soos 'n kar klink". Volgens 'n verpleegsuster by dieselfde hospitaal. "Polo? Paula? Mégane?"

"Mercedes?" het Ernst hoopvol voorgestel.

"Mercedes!" het sy dadelik bevestig. "Natuurlik. Sy's 'n luxury car, daai ene, nie sommer enige ou tjor nie."

Ernst kon nie agterkom of dit as 'n kompliment of 'n belediging bedoel is nie.

Maar nou weet hulle minstens hulle het die regte dokter Engelbrecht beet, sê Theresa toe hy haar met dié nuus bel.

Hoe vreemd dat sy soveel maande byna sonder hoop na Mercedes Perez Amat gesoek het – en nou voel sy so verdwaas soos Robinson Crusoe op sy eiland. Vlak voor haar lê 'n duidelike voetspoor in die sand. Al wat sy hoef te doen, is om dit te volg.

Sy is nogtans verlig dat sy Mercedes se man eerder as Mercedes self kan kontak. Hy kan as middelman optree, as skokbreker, dis hoe sy onwillekeurig aan hom dink. Want dit moet tog 'n enorme skok wees om 'n brief te ontvang van 'n geliefde wat al veertig jaar dood is. Selfs al is dit 'n aangename skok. Maar selfs daarvan kan Theresa nie seker wees nie. Die bloedbevlekte brief is 'n stem uit die dode – en wie sê Mercedes wil in dié stadium van haar lewe na stemme uit die doderyk luister?

Sy is ook bly sy kan vir Egbert in Afrikaans skryf, want so 'n moeilike e-pos behoort mos makliker te wees in haar eie taal.

Of dis wat sy dink. Sy wil hom net kortliks vertel hoe sy die brief ontdek het, sonder die grusame besonderhede. Die bloedvlek op die papier. Die feit dat haar gewese man Mercedes se pa waarskynlik doodgeskiet het. Hy sal sy eie afleidings kan maak.

Sy wil eintlik net sê dat sy wyd en syd na Mercedes gesoek het, selfs in Kuba, en dat sy haar graag wil ontmoet om die brief persoonlik te oorhandig. Dis al.

Maar sy wroeg dae lank oor die regte woorde en skrap dosyne weergawes van haar e-pos, tot sy oplaas wonder of dit nie tog maar makliker in 'n tweede taal sou gewees het nie. Dan sou sy minstens nie haar eie sinne so genadeloos kon redigeer nie. Nee, dis te laat, sy kan nie van nuuts af in 'n ander taal begin wroeg nie, dan gaan sy hierdie saak nooit afhandel nie.

Sy dwing haarself om die *Send*-knoppie te druk – en voel asof sy vir die eerste keer in dae weer behoorlik kan asemhaal.

Binne 'n week sukkel sy weer met haar asemhaling, want dokter Engelbrecht beantwoord nie die e-pos nie. Die volgende week sleep so stadig soos 'n maand verby, terwyl die milde Kaapse herfs in 'n koue winter verander. Koud en droog, want die gewone winterreën wil nie vanjaar val nie. Teen die derde week begin haar gemoed soos die weer voel, al hoe kouer en droër. Dalk het Egbert bloot nie haar e-pos ontvang nie, soms verdwyn sulke goed mos in die kuberruim, sy sal nog 'n keer moet probeer.

Maar sê nou hy wíl nie antwoord nie?

Dalk wil hy nie eens vir Mercedes van haar pa se brief vertel nie, om sy vrou te beskerm, omdat hy bang is die nuus ontstel haar te veel. Of bloot omdat hy 'n baasspelerige doos is wat namens sy vrou besluite neem.

Ná nog 'n ysige week van wag, waag sy dit tog om weer 'n e-pos te skryf. Dié keer selfs korter, en veiligheidshalwe in Engels. Miskien wil Egbert nie meer Afrikaans wees nie, heel waarskynlik haat hy en sy Kubaanse vrou alle Afrikaners, so waarom sou hy reageer op 'n Afrikaanse boodskap van 'n vreemdeling wie se man moontlik sy vrou se pa vermoor het?

As sy só daaraan dink, het sy nie veel hoop dat sy ooit van hom gaan hoor nie.

Hoop is mos maar altyd uitgestelde teleurstelling, sê Theresa oplaas vir haarself. Sy sal 'n ander manier moet vind om by Mercedes uit te kom.

Vir die eerste keer in jare herleef sy weer die absolute wanhoop waarin sy haar toegevou het nadat haar ma dood is. Dit was ook winter, 'n ou-tydse nat Kaapse winter, 'n paar jaar ná Theo se openbare ineenstorting, toe sy nog gereken het sy kan ouderdom en eensaamheid en alles wat onaangenaam is op 'n veilige afstand hou deur 'n frenetiese sosiale lewe te handhaaf. Sy het aanmekaar uitgegaan, elke uitnodiging na 'n par-tytjie of 'n boekbekendstelling of 'n kunstentoonstelling aanvaar, nuwe vriende gekweek en verlore oues weer opgesoek. Enigiets om nie alleen by die huis te sit en krities na haar eie lewe te kyk nie.

Die nuus van haar ma se breingewas het haar tot stilstand geruk.

Die diagnose was gans te laat, toe dit reeds onmoontlik was om die gewas uit te sny sonder om die brein te beskadig. Theresa het vermoed dat haar ma lankal die ergste vermoed het, dat sy aspris nie dokter toe gegaan het nie omdat sy soos altyd die vrede wou bewaar, die minste wou wees, haar man en kinders nie met sulke verpletterende nuus wou ontstel nie. Maar daar was nie eens tyd om vir haar ma kwaad te wees nie, haar toestand het so vinnig agteruitgegaan dat Theresa nie deur die gewone stadiums van rou kon werk nie, sy moes onmiddellik begin afskeid neem. En selfs daarvoor was daar nie werklik tyd nie, want binne drie weke was Hannie Marais in 'n koma waaruit sy nooit weer wakker geword het nie, en twee maande later het sy gesterf.

Die oggend ná haar ma se dood het Theresa voor haar badkamer-spieël gestaan, wanhopig van hartseer, en na haarself gekyk. Almal sê altyd sy lyk na haar ma, maar sy kon dit nog nooit sien nie. Of sy wou dit nooit sien nie. Dié oggend het sy haarself glad nie in die spieël her-ken nie. Dit was nie Theresa Marais nie, dit was Hannie Marais wat hier voor haar staan, met haar hangskouers en haar uitgewaste oë en diep kepe om haar mooi mond.

Wanneer het sy so óúd geword?

Theresa was vroeg in die veertig, haar lang hare nog nie grys nie, haar gesig nog nie te beplooi nie, maar haar jeug was ongetwyfeld agter haar. Die vrou in die spieël was moeg en middeljarig en ontroosbaar treurig. Haar ma was dood, sy was die volgende een in die ry, dis hoe dit werk. Sy sou haarself moes begin oppas, want daar was niemand anders oor wat haar sou oppas nie.

Haar wanhoop het 'n paar weke geduur totdat sy op 'n dag haar praktiese ma se stem in haar kar gehoor het, helder, asof sy langs haar op die passasiersitplek sit. "Kom nou, Sussie, die lewe gaan aan." Haar ma het begin sing, 'n bietjie vals, soos altyd: "Smile though your heart is breaking ..."

Theresa het na haar ma geluister, sy het geglimlag en verder gelewe. Maar nie meer so roekeloos soos voorheen nie. Sy het ophou rook, minder gedrink en gekuier, gesonder begin eet. Minder rondgeslaap ook, hoewel dit nie 'n doelbewuste besluit was nie, bloot 'n gevolg van haar ouderdom en 'n versigtiger leefwyse en 'n gebrek aan geleenthede.

Dis hoe haar sekslewe tot 'n einde gekom het. Nie skielik en dramaties soos 'n meteoriet wat die aarde tref en alles uitwis nie, meer soos insekte wat uitsterf. Geleidelik, sonder dat iemand 'n bohaai daaroor maak, amper sonder dat jy dit agterkom. Op 'n dag het Theresa besef dat sy jare laas 'n regte lewende seksuele ervaring met enigiemand gehad het. En dat sy dit nou ook nie só mis dat sy haar nood op haar bors wil uitspel nie. Stel jou voor, 'n T-hemp met 'n slagspreuk, soos in haar ECC-dae: *Vrou soek seks.*

Nee wat, daar is darem nog iets soos selfbevrediging, het sy haarself getroos.

Maar dis waarom Kuba en alles wat daar gebeur het – of juis nié gebeur het nie – haar so oorweldig het. Waarom sy weke ná haar terugkeer steeds verlangend na die bougainvillea teen haar tuinmuur staar en wonder hoe dit met Ruben gaan. Kuba was vir haar 'n sensuele herontwaking.

Sy is toe al die tyd nie so verskriklik oud soos sy gedog het nie.

Trouens, op die oggend van haar ses-en-vyftigste verjaardag voel sy jonger as wat sy in jare gevoel het. Dis 'n doodgewone Dinsdagoggend op kantoor, maar sy maak haar e-pos 'n bietjie gretiger as gewoonlik oop omdat daar darem altyd op haar verjaardag 'n paar boodskappe met gelukwense is. Deesdae is sy eerliker met haarself, sy wil nie meer dosyne vriende hê nie, sy sal tevrede met net 'n paar wees. Solank hulle haar verjaardag onthou.

Dan sien sy 'n e-pos van Egbert Engelbrecht.

Liewe Theresa

Jammer dat ons nou eers antwoord, maar die laaste paar weke was 'n nagmerrie. Ek en Mercedes het vir die eerste keer ouers geword, maar ons seuntjie is heeltemal te vroeg gebore en daar was allerhande mediese komplikasies en ons het nie geweet of hy dit gaan maak nie. Ons was omtrent dag en nag by hom in die hospitaal. Ons was 'n paar keer op die punt om op te gee, maar hy is 'n ongelooflike bakleiertjie, hy het ons elke keer verstom, en nou voel ons soos die gelukkigste ouers op aarde, want ons kon hom 'n paar dae gelede uiteindelik huis toe bring.

Hy is steeds bitter klein, maar gesond en normaal en vir ons na-tuurlik die mooiste baba wat nog ooit gebore is. Ons het besluit om hom Angel te noem, soos sy Kubaanse oupa. Angel Engelbrecht Perez. As jy in Kuba was, sal jy verstaan van die pa se van en die ma se van, maar hier in Suid-Afrika sal Perez seker maar as sy tweede naam ge-bruik word.

Mercedes is heeltemal oorstelp deur die nuus dat jy 'n brief van haar pa het. Noudat sy self ook 'n kind het, beteken dit nog meer vir haar. As dit nie vir Angel was nie, sou sy dadelik op 'n vliegtuig gespring het om die brief by jou in Kaapstad te kom haal. Nou hoop ons maar jy sal binne-kort kans kry om Tshwane toe te kom. Baie dankie, intussen, vir al jou moeite om ons op te spoor.

"En as jy nou soos die Cheshire Cat sit en smile?" vra 'n kollega wat toevallig by haar lessenaar verbystap.

Theresa besef dat sy seker al minute lank met 'n idiotiese grynslag na haar rekenaarskerm staar, salig onbewus van telefone wat lui en mense wat gesels en al die lawaaierige bedrywighede rondom haar.

"Ek het 'n onverwagse verjaardagpresent gekry." Sy rek haar gryns-lag nog breër.

Later die oggend bel Sandra om haar geluk te wens. "Kom eet Sondag-middag by ons. Ek gaan boerekos maak. Spesiaal vir jou verjaardag," sê sy voordat Theresa 'n verskoning kan vind. "Soos Ma dit gemaak het."

"Hoenderpastei met sago?" vra Theresa hoopvol.

"En soetpatats en soetwortels en malvapoeding. Alles waarvan jy hou."

276

"Snaaks, toe Ma nog gelewe het, was ek nie só mal oor haar kos nie."

"Oor jy alewig op 'n blerrie diet was," terg Sandra.

"Maar nou mis ek haar hoenderpastei amper meer as wat ek vir háár mis."

"Ek vermoed dis wat my kinders eendag oor my gaan sê as ek nie meer daar is nie," sê Sandra met 'n gelate laggie.

Gelukkig was haar voorbeeldige jonger sus nog altyd 'n beter kok as sy, dink Theresa toe sy aflui, anders sou sy nooit meer haar ma se kos kon proe nie.

Maar voordat hulle kan eet, moet sy haar suster eers help om hulle pa te voer. Of te probeer voer, tevergeefs, want hy weier om sy mond oop te maak vir die lepel vol soetpatats wat hulle om die beurt voor sy lippe hou. Sit net roerloos in die rystoel en staar met dowwe verbouereerde oë na die twee onbekende vroue voor hom.

Iewers agter daardie ligblou oë, iewers in hierdie uitgeteerde lyf, kruip die ware Adriaan Marais weg. So sê Theresa vir haarself terwyl trane van frustrasie oor haar wange rol.

Sandra is minder emosioneel, want sy is meer gewoond aan hierdie martelende proses. "Kom ons roep vir Hanna," stel sy voor. "Sy kry dit gewoonlik reg om hom iets te laat eet."

En sowaar, toe Hanna op 'n lae stoeltjie voor haar oupa kom sit en met 'n lieftallige glimlag die lepel na sy lippe bring, maak hy sy mond gedwee oop, soos 'n soet baba. Iets in sy waterige blou oë verander terwyl hy na Hanna kyk. Dit kan nie herkenning of herinnering wees nie, want Hanna se hare is helderpers gekleur en sy dra 'n neusring wat haar soos Ferdinand die sagmoedige bul laat lyk. Niemand in Adriaan Marais se verre verlede het ooit só gelyk nie, daarvan is Theresa doodseker.

"Hy hou van haar pers hare," sê Sandra trots.

Theresa weet nie of sy trots is op haar dogter se uitspattige haarkleur of op haar pa se verdraagsaamheid nie. "Hy sou die aapstuipe gekry het as ek of jy ons hare pers gedye het," sê sy.

Sy sit langs haar suster op die hoë hospitaalbed waarin haar pa deesdae slaap, in 'n sonnige kamer vol geraamde foto's van sy oorlede vrou en sy kinders en familie en vriende, almal mense wat hy nie meer herken nie. Sandra glo dat die foto's hom tuis laat voel. Theresa wonder of jy nog tuis kan voel as jy nie meer weet waar jy jou bevind nie.

"Ek lyk seker vir hom soos 'n clown," sê Hanna terwyl sy nog 'n lepel soetpatats versigtig op haar oupa se tong plaas. "Dalk het hy baie van clowns gehou toe hy klein was. Nè, Oupa?"

Adriaan se mond vertrek in wat vir Theresa soos 'n grynslag van pyn lyk, maar dalk, wie weet, 'n poging tot 'n glimlag kan wees.

"Jy't 'n slag met hom," sê sy vir Hanna.

"I'm a simple-minded creature, so honde en babas en ou mense hou gewoonlik van my. Die downside is dat ek nie eintlik 'n love life het nie, want normale ouens skrik vir my."

"Ag, toe maar, ek het ook nie eintlik 'n love life nie," troos Theresa, "en ek kan nie eens sê dat honde of babas van my hou nie."

"Van babas gepraat," sê Sandra, "vertel ons nou eers van hierdie Kubaanse babatjie wat Engel genoem word!"

"Angel," sê Theresa. "Hy's nie Kubaans nie, hy's Afro-Cuban. Of Afrikaans-Kubaans, as daar so 'n spesie bestaan."

"Anders is hy die begin van 'n nuwe spesie," sê Hanna terwyl sy weer geduldig wag dat Adriaan nog 'n hap soetpatats eet. "How cool is that."

"So wanneer gaan jy die brief aflewer?" wil Sandra weet.

"Sodra ek 'n verskoning kry om in Pretoria uit te kom. Ek kan ongelukkig nie sommer net op 'n vliegtuig spring nie. My bankrekening het nog nie herstel ná Kuba nie."

Sandra kyk na haar hande wat in haar skoot gevou is, haar vel selfs witter as gewoonlik omdat dit winter is, haar naels so glansend pastelkleurig en goed versorg soos altyd. "Jy weet, toe jy my vertel dat jy Kuba toe wou gaan om hierdie vrou te gaan soek, het ek gedog dis 'n simpel idee—"

"Ek weet," sê Theresa. "Jy't my dit duidelik laat verstaan."

"Maar nou dink ek dis fantasties dat jy dit gedoen het."

Theresa kyk verras na haar suster.

"Ek ook," sê Hanna met haar rug op hulle gedraai, haar volle aandag by die laaste lepel kos wat sy in haar oupa se mond wil kry: "Jy's my heroine."

"Hou op," lag Theresa. "Ek het niks spesiaals gedoen nie, ek het net 'n brief in 'n boks ontdek. Ek kon mos nie net die deksel toedruk en daarvan vergeet nie."

"Dit laat my dink aan daardie versie van Mary Oliver oor a box of darkness," sê Sandra ingedagte. "Iemand gee vir jou 'n doos vol donkerte en eers baie later kom jy agter dit was eintlik 'n geskenk."

"'n Boks vol donkerte." Theresa proe die frase op haar tong. Dalk is dit inderdaad wat Theo vir haar gegee het.

"Is jy seker jy wil nie meer eet nie, Oupa?" vra Hanna.

Hy maak sy mond oop asof hy iets wil sê en hulle kyk al drie gretig na hom. "Tété," sê hy, sy stem so onherkenbaar soos die res van sy lyf.

Theresa se hart ruk in haar bors. Sy wéét hy praat nie van haar nie, sy weet hy het lankal vergeet dit was haar troetelnaampie, maar nogtans. Elke keer wat hy "Tété" sê, voel dit vir haar asof hy haar groet.

Elke keer dink sy dis die laaste keer wat sy hom gaan sien.

Sy staan van die bed af op om hom saggies op sy voorkop te soen, soos hy haar altyd kleintyd gesoen het. Sy vel voel soos 'n droë herfsblaar teen haar lippe. Selfs sy reuk het verdwyn. Vroeër het hy altyd na koffie en kersietabak en pepermente geruik. Nou ruik hy net na ouderdom.

En toe is dit nie haar pa wat dieselfde maand nog sterf nie, maar haar gewese skoonma.

Ernst bel om haar mee te deel dat Elize van Velden oorlede is – onverwags, in haar slaap, nie vermoor deur die kriminele elemente wat sy so gevrees het nie – en Theresa verstom haarself deur sonder aarseling te vra of sy die begrafnis kan bywoon.

"Daar gaan nie veel mense wees nie," waarsku hy. "Sy was mos nie juis wat jy 'n geliefde vrou sou noem nie."

"Dis juis waarom ek daar behoort te wees. Ek het nie van haar gehou nie, maar sy wás my familie. Skoonfamilie. En ek weet nie of sy enige ander familie oor het nie."

"Dis 'n mooi gebaar."

Sy kyk by haar kantoorvenster op die tiende verdieping uit, na Tafelberg wat deur 'n kombers van wit wolke bedek is, en sien hoe die voetgangers onder op straat sukkel om staande te bly in die tierende suidoostewind. "Ek weet nie. Dalk wil ek maar net wegkom uit die aaklige Kaapse weer. Ek hoor die son skyn daar by julle."

"Theo sou dit gewaardeer het."

"Ek's nie so seker daarvan nie," mompel sy, wat hom laat lag. "Maar kom ons sê maar ek doen dit vir hom. Ek weet nie of mens compassionate leave kan vra vir 'n gewese skoonma se begrafnis nie, seker nie, maar ek kan probeer. Anders vat ek twee dae onbetaalde verlof."

"Het jy nie meer betaalde vakansie oor nie?"

"Nee," sê Theresa, "ek het alles opgebruik op my wild-goose chase in Kuba. Maar ek soek mos al weke lank 'n verskoning om Jo'burg toe te vlieg en daai brief te gaan aflewer. 'n Laaste guns wat ek my eks skuld."

Teen dié tyd weet sy lankal dat sy dit eerder vir haarself as vir Theo wil doen. Sy wil die Kubaanse dokter en haar Afrikaanse man en hulle Kubaans-Afrikaanse baba ontmoet, om haar nuuskierigheid te bevredig, om uiteindelik klaar te kry met hierdie soektog, om voort te gaan met haar lewe.

Om klaar te kry met Theo.

Maar 'n week later, langs 'n oop graf in 'n verwaarloosde begraafplaas in Pretoria-Oos, begin sy vermoed dat sy dalk nooit gaan klaarkry met Theo van Velden nie.

Nie eens die warm weer en die wolklose blou lug kan hierdie triestige affêre minder pateties laat voel nie. Daar was skaars twintig mense by die roudiens in die NG kerk, 'n verbeeldinglose baksteengebou uit die jare sestig, en daar is heelwat minder by die graf. Saam met haar en Ernst en die dominee wat horingoud en hardhorend is, tel sy net drie onbekende ou tannies. En vier mans in goedkoop pakke wat blykbaar deur die begrafnisondernemer bymekaargeskraap is om die kis uit die kerk te help dra en die indruk te skep dat die oorledene darem nie heeltemal so ongelief was nie.

As daar nie eens genoeg mense by jou begrafnis opdaag om jou kis te dra nie, moet jy seker weet jy het iewers langs die pad iets verkeerds gedoen.

Dit sou ongetwyfeld praktieser gewees het as Elize veras kon word, maar sy het aangedring op hierdie swaar blinkswart kis. Sy wou langs haar man neergelê word, soos in 'n huweliksbed.

Theresa staan langs Ernst en kyk hoe die kis stadig in die groot gat afsak. Sy het die prokureur vandag vir die eerste keer in lewende lywe ontmoet. Tot dusver was hy slegs 'n aangename stem oor 'n foon of op die internet, soos 'n radiopersoonlikheid wat jy onvermydelik anders voorstel as wat hy in werklikheid lyk. En soos dikwels gebeur wanneer jy 'n bewonderenswaardige radiopersoonlikheid ontmoet, is Ernst Taljaard se voorkoms ook vir haar 'n teleurstelling eerder as 'n verrassing.

Hy is nie noodwendig leliker as wat sy gedog het hy sou wees nie, hy het nie 'n groter maag of swakker kleresmaak of wat ook al nie. Hy is bloot valer, moeër, ouer. Inderdaad 'n ou kaalkopspook, soos hy homself spottend genoem het, 'n vaal man met 'n moeë gesig en 'n welige grys snor. Die snor herinner haar aan Bernoldus Niemand se liedjie oor Pretoria. Aan hoe Theo altyd gelag het wanneer hy na "Snor City" luister. Lank, lank gelede.

Maar dis veral Ernst se ouderdom wat haar geskok het.

Natuurlik het sy geweet hy moet rondom sestig wees, hy is immers Theo se tydgenoot, maar hy lyk soveel meer bejáárd as wat sy ooit vir Theo sou kon voorstel.

Dit het haar van voor af verlig laat voel dat sy nie vir Theo in sy laaste jare gesien het nie. Dat sy hom kon onthou soos hy was, skraal en seningrig met lieflike bene en deurmekaar swart hare en helderblou oë en welige wimpers en hoë wangbene in 'n sonbruin gesig. Nie 'n krom ou oom met tranerige oë en 'n woordelose mond, soos hy teen die einde geword het nie. Niks oor van die slim en snaakse troep, student, koerantman of uitgewer nie, net 'n leë dop. Niks oor van die man wat sy liefgehad het nie.

Wat sy steeds liefhet, besef sy met bodemlose verdriet terwyl sy na sy naam op 'n grafsteen van swart marmer kyk. Theo Wilhelm van Velden, gebore in 1956, oorlede in 2016. Dieselfde grafsteen as sy pa, die een waarop sy ma se naam binnekort ook gaan pryk. Hier is sy as gebêre, tussen sy ouers, in hierdie treurige begraafplaas in Snor City.

Ernst kyk besorg na haar, want die trane rol onkeerbaar oor haar wange terwyl sy na Elize se kis onder in die graf kyk en die bulderende stem van die hardhorende dominee probeer ignoreer. Sy huil nie oor Elize nie, wil sy vir Ernst sê, sy huil oor haar ma en oor al die ander geliefdes wat te vroeg uit haar lewe verdwyn het. Sommer ook oor haar pa, by voorbaat. En oor Theo, natuurlik.

Dis asof sy naam op daardie grafsteen dit vir die eerste keer wérklik tot haar laat deurdring dat hy dood is. Asof sy tot dusver gedink het sy gaan hom weer iewers sien, eendag, toevallig op straat of op die roltrappe van 'n winkelsentrum. Terwyl sy boontoe vervoer word, sal hy op pad wees ondertoe en sal hulle by mekaar verbygly en mekaar vir 'n oomblik in die oë kyk. Mekaar met 'n kopknik vergewe vir alles wat hulle aan mekaar gedoen het.

Nou wéét sy hy is dood. Morsdood, klipdood, so dood soos 'n mossie. Niks van hom oor nie, buiten haar herinneringe, waarvan sy nooit gaan wegkom nie. Tensy sy eendag so seniel raak soos haar pa, wat darem 'n baie hoë prys is om te betaal net om nie die man te onthou met wie sy getroud was nie.

Sy sal vir Theo onthou, besef sy terwyl die letters van sy naam op die swart marmersteen voor haar oë swem, sy sal hom probeer onthou soos hy was toe sy hom liefgekry het.

Daar was genoeg in daardie man wat sy altyd sal liefhê.

29. 'N LAASTE AANDENKING VIR DIE ARMY-BOKS

"Hier is dit." Die vrou se stem is laag en hees, haar Engelse aksent steeds swaar belas met Spaanse klanke. Haar vingerpunte streel oor die letters, donkergrys teen 'n liggrys agtergrond. "*Perez G, Angel.*"

Theresa kyk dankbaar na haar. Daar is meer as tweeduisend name van gestorwe Kubane op hierdie muur, nie alfabeties gerangskik nie, sonder geboortedatum of sterfdatum, net die eenvoudige grys letters. Soms albei Spaanse vanne en die volle voornaam, soms net 'n enkele van en voorletters. Op haar eie sou sy nooit Angel Perez Gonzalez se naam gevind het nie.

Maar dis natuurlik nie Mercedes se eerste besoek aan hierdie park buite die stad van Tshwane nie. Sy het Theresa sonder aarseling deur die gedenktuin gelei, na die deel wat *S'khumbuto* genoem word, met die amfiteater en die Ewige Vlam in 'n kalm waterpoel en 'n beeldhouwerk van simboliese staalriete wat van ver af soos vlagpale sonder vlae lyk, tot by die indrukwekkende kronkelende muur met sowat tagtigduisend name van helde uit die Suid-Afrikaanse geskiedenis, vegters teen slawerny en kolonialisme, stryders van die Anglo-Boereoorloë en albei Wêreldoorloë en die meer onlangse Bevrydingstryd teen apartheid. By die deel wat afgestaan is aan Kubane wat in die grensoorlog gesterf het, het sy reguit na haar pa se naam gestap, 'n beskeie rytjie letters wat borshoogte tussen 'n magdom ander name aangebring is, en haar wysvinger op *Angel* gedruk.

Voordat haar ander vingers die res van die letters begin liefkoos het, soos 'n blinde wat braille lees.

Theresa is intens bewus van die ironie van die noodlot wat haar vandag voor hierdie muur laat beland het. Haar gewese man se dood was die begin van haar soektog na 'n Kubaanse soldaat se dogter. En haar gewese skoonma se dood bring hierdie soektog oplaas tot 'n einde.

Drie maande ná haar terugkeer uit Kuba kan sy vir Mercedes Perez Amat van aangesig tot aangesig ontmoet, in 'n gedenktuin wat Elize van Velden nooit in haar lewe sou besoek het nie, al het sy net 'n paar kilometers van Salvokop af gewoon, omdat haar begrip van vryheid nie ooreengestem het met die Vryheid wat hier gehuldig word nie.

En noudat Theresa in die gedenktuin staan, tussen al die duisende name van gesneuweldes, voel dit tog vir haar jammer dat die soldate van die Ou Suid-Afrika wat in die grensoorlog gesterf het, nie ook 'n plek op die muur gegun is nie. Veral die dienspligtiges wat te jonk was om te weet wat hulle doen, die gebreinspoelde kanonvoer wat deur die regering en die generaals misbruik is om wit mag aan die suidpunt van Afrika te behou. Al daardie seuns wat deur ouers en onderwysers en dominees aangespoor is om hulle patriotiese plig te vervul. *Ons vir jou, Suid-Afrika.* Sy sou graag hulle name ook hier wou sien. Sy wat in haar jonger jare die End Conscription Campaign ondersteun het. Seker weer eens ironies. Maar nadat sy Theo van Velden se oorlogsdagboekie en Angel Perez Gonzalez se brief gelees het, kan sy nie meer sonder simpatie aan enige gevalle soldaat dink nie. Almal wat onnosele, morsige, bloedige, onnodige dode gesterf het. Soos Angel in sy brief beweer het.

Al beteken dit dat die naam van 'n domonnosel boelie en rassis soos Lynette se broer, die beroepsoldaat Waldie Raubenheimer, ook op so 'n muur sou pryk? Dis die vraag wat sy nie kan antwoord nie. Waldie se dood weens dronkbestuur in 'n weermagvoertuig was beslis nie held-haftig nie, maar net so onnosel en onnodig soos al die ander. Want daar is tog duiwels soos Waldie Raubenheimer aan albei kante van enige oorlog? En engele ook. Of minstens soldate met name wat aan engele herinner.

"Ek raak elke keer bewoë wat ek hier kom," prewel Mercedes langs haar.

Haar oë is agter 'n donkerbril weggesteek. Haar bruinswart hare hang glad tot op haar skouers. Theresa onthou die krulkoptiener in 'n bikini op Aleja se foto en wonder hoe sy van al haar krulle ontslae geraak het. Sekerlik nie deur snags 'n pantyhose om haar kop te draai soos Lynette daardie vakansie op Stilbaai nie.

Sy het haar mooi ma se glimlag geërf, dit het Theresa met die eer-ste oogopslag gesien, toe sy 'n kwartier gelede vir Mercedes en Egbert en hulle baba by die ingang van Freedom Park ontmoet het. Daarna het Egbert en die baba by *Uitspanplek* agtergebly, die enigste deel van die veeltalige vryheidspark wat 'n Afrikaanse naam gekry het. Dit het Theresa ook laat glimlag, so 'n outydse Afrikaanse woord wat ossewaens en die Groot Trek oproep, hier tussen die *Isivivane* en die *Lesaka* en die *Lekgotla* en al die ander inheemse name.

Dit sou selfs haar gewese skoonma behaag het.

Nou glimlag Mercedes nie meer nie, want sy wag dat Theresa haar pa se brief aan haar oorhandig. Haar gesig het gespanne geword, en Theresa kan sien dat haar gelaatstrekke minder fyn en vroulik as dié van haar ma is, 'n langer neus, 'n vierkantiger ken. Sy is eerder haar pa se kind as haar ma se kind. Theresa weet oplaas ook hoe Angel Perez Gonzalez gelyk het. Mercedes het gister twee vergeelde kleurkiekies uit die vroeë jare sewentig na haar selfoon gestuur. *Sodat jy my sal herken,* was die boodskap saam met die foto's.

Op die eerste een staan Angel in sy kakiekleurige soldaatuniform met die kenmerkende pet wat Fidel Castro altyd gedra het. Breë glimlag, blink opgewonde oë, nie veel van sy swart hare te sien onder die te groot pet nie. Jonk en paraat, gereed om sy patriotiese plig in 'n verre land op 'n ander kontinent te gaan vervul. Dit was natuurlik voordat hy geweet het wat dié plig alles behels.

Op die ander foto sit hy saam met 'n hoogswanger Luisá op 'n muur met die see skitterend agter hulle. Theresa het Havana se Malecón dadelik herken. Snaaks, sy het gedog nostalgie is iets wat lánk vat om uit te broei. Nou kom sy agter die ding het reeds uit die dop gekruip. Net 'n paar maande nadat sy in Havana was, onthou sy die plek met hunkerende nostalgie, soos derduisende uitgewekenes wat nie kan terugkeer nie.

Sy kán terugkeer, sê sy vir haarself, dis nie onmóóntlik dat sy eendag weer 'n sigaar langs die Malecón sal rook nie. Onwaarskynlik, maar nie onmoontlik nie.

Op die tweede foto dra Angel 'n T-hemp en 'n kortbroek, Luisá 'n bont somerrok wat styf oor haar bultende maag span en die diep gleuf tussen haar borste beklemtoon. Angel se arm hang besitlik oor haar kaal skouers. Sy hou haar maag met albei hande vas, soos 'n fortuinverteller wat 'n kristalbal hanteer, maar sy kyk nie na die bal om die toekoms te probeer voorspel nie. Die twee verliefde tieners kyk in mekaar se oë, glimlag vir mekaar, so vol stralende vertroue oor die toekoms soos jy net kan wees as jy verskriklik jonk is.

Die enigste beeld van ons drie saam, het Mercedes onder die foto getik, *al is ek nog in my ma se maag weggesteek.*

"Ek is so senuweeagtig soos voor 'n skooleksamen," het Theresa vanoggend in haar AirBnB-buitekamer in 'n boomryke tuin naby die middestad van Pretoria/Tshwane vir Ruben laat weet.

Sy het vir hom 'n WhatsApp-stemboodskap gestuur, want haar emosies was te ingewikkeld om skriftelik vas te vang. Hou dit lig en oppervlakkig, het sy haar voorgeneem. Tot dusver het hulle meestal per e-pos kontak gehou omdat foonoproepe te duur is en selfs internetoproepe te ingewikkeld vanweë die tydsverskil tussen Kuba en Suid-Afrika. En selfs die e-posse was taamlik skaars, eintlik net verslae van hoe haar soektog vorder, niks te persoonlik of te intiem nie. Wat sou dit hulle help om nóú intiem te wil raak?

"Ek gaan ons Mercedes uiteindelik in lewende lywe ontmoet," het sy hom ingelig.

Die "ons" wat so onverwags by haar mond uitgeglip het, het haar vlugtig laat wonder of dit nie beter sou gewees het om tog maar 'n e-pos te stuur nie. Dan sou sy minstens sulke tongflaters kon vermy, haar vingerfoute kon geskrap het, haar woorde versigtiger kon gekies het.

"Ja, ek dink aan haar as 'ons Mercedes', want as jy my nie gehelp het nie, het ek seker nou nog na haar gesoek. Oreste ook, natuurlik," het sy gou bygevoeg. "Sê tog vir hom groete. En vir al die ander. Ek mis julle …"

Voordat sy haar in die verleentheid kon stel met allerhande emosionele verklarings, het sy hom vertel dat Mercedes voorgestel het dat hulle mekaar in Freedom Park ontmoet, en dat dit haar eerste besoek aan die park sal wees.

"Dis waar al die dooie helde van die Bevrydingstryd gedenk word. Nie die weermagsoldate en dienspligtiges soos my eksman nie. Wel, hy's natuurlik nie in die oorlog dood nie, maar hy't tog op 'n manier daar al begin doodgaan." Sy moes vir 'n sekonde of wat stilbly om 'n warboel van gedagtes te probeer orden. "Jy weet, ek wonder al hoe meer oor die onsigbare wonde, soos Miles sê, waarmee soldate sit lank ná enige

286

oorlog verby is. En ek wonder of die letsels nie nog erger is as jy aan die 'verkeerde' kant gebaklei het nie. Al die ouens wat deur die geskiedenisboeke vertel word hulle het aan die duiwel se kant baklei ... Duitse soldate ná albei Wêreldoorloë ... Amerikaanse soldate ná Viëtnam ... Suid-Afrikaanse soldate ná die grensoorlog ..."

Sy het haar vinger van haar selfoonskerm gelig en per ongeluk die boodskap weggestuur voordat sy dit kon uitwis. En dadelik nog 'n boodskap opgeneem, dié keer byna paniekbevange: "Askies, ek wou nie dat jy dit hoor nie, ek kan nie glo ek sit hier en sanik oor 'n oorlog wat lankal verby is nie! Dit maak mos nie meer saak wie gewen en wie verloor het nie, jou mense was aan die 'regte' kant en myne aan die 'verkeerde' kant, maar ons het nogtans vriende geword, dis al wat saak maak, is dit nie?"

Skaars 'n paar sekondes later het sy getikte boodskap op haar skerm verskyn. Dalk het hy nie sy stem vertrou nie. *Ons kon meer as vriende geword het.*

So 'n vinnige reaksie het sy nie verwag nie. Dit was nog nag in Kuba, sy het gedog hy sou slaap en eers oor 'n paar uur wanneer hy wakker word, na haar boodskap luister. Sy het sy woorde oor en oor gelees, verheug, want die sinnetjie bevestig haar eie gevoel, verbaas dat hy dit eindelik erken, verslae want dit was te laat.

Ons kon, het sy getik, *maar ons was te bang. En vriendskap is nie 'n slegte Plan b vir middeljarige bangbroeke soos ons nie.*

Sy antwoord was 'n emotikon, 'n glimlaggende geel gesiggie, asof hy nie eens meer woorde vertrou het nie.

As sy aan Ruben dink, en aan Lazaro en Miles en al die ander Kubane wat sy ontmoet het, kan sy nie anders as om bly te wees dat die Kubaanse soldate wat so ver van die huis af gesterf het, op hierdie muur gedenk word nie. Hulle was waarskynlik net so gebreinspoel soos die Suid-Afrikaanse dienspligtiges. Die vraag is net of die wonde van 'n burgeroorlog ooit werklik kan genees terwyl die voormalige vyande selfs ná hulle dood van mekaar geskei word. Meer as veertig jaar ná hierdie oorlog begin het – 'n kwarteeu ná dit geëindig het – is die Kubaanse soldate en die vryheidsvegters wat deur die vorige regering as terroriste gebrandmerk is en die Suid-Afrikaanse soldate wat deur die vryheidsvegters as rassiste beskou is, tog almal ewe dood.

Op 'n oorkantse koppie troon die vierkantige massa van die Voortrekkermonument teen die lug wat steeds so blou is soos die vorige dag toe sy langs Elize van Velden se graf staan en huil het. Daar is blykbaar 'n voetpaadjie aangelê van Freedom Park tot by daardie monument uit die Ou Suid-Afrika wat die Slag van Bloedrivier gedenk. Dit word die Versoeningspad genoem. Maar vanoggend voel dit vir Theresa of sy en haar landgenote nog 'n bitter lang pad moet stap om by ware versoening uit te kom.

'n Kwarteeu gelede het sy en Theo en miljoene van hulle landgenote die pad vol moed en hoop aangedurf. Intussen is Theo dood, en haar moed word al hoe minder, haar hoop lek al hoe vinniger uit. Soms voel dit asof die pad 'n lydensweg geword het. Die onverdraagsaamheid tussen rasse en klasse is meer blatant as ooit tevore, die korrupsie van politieke leiers en die geldgierigheid van gewetenlose sakelui het alles besmet, die gewelddadige misdaad en die minagting van menselewens maak haar gereeld moedeloos. Al wat sy dan kan doen, is om daardie stukkende kruik van haar maar weer vol goeie voornemens te giet – en te hoop dat alles nie sal uitlek terwyl sy hierdie lydensweg saam met haar landgenote aflê nie.

Maar sy begin vrees dat dit inderdaad onmoontlik is om al die pad te stap.

Elke keer wat sy terugkyk, soos vanoggend in hierdie gedenktuin, sien sy hoe kort die entjie pad is wat tot dusver afgelê is.

Sy haal die deurskynende plastiekkoevert met Angel se brief uit haar handsak.

"Hier is dit," sê sy, nes Mercedes 'n paar minute gelede met haar vingers op haar pa se naam gesê het. "Veilig in jou hande."

Mercedes vat die koevert by haar, haal die brief uit, kyk vir 'n oomblik swyend na die bloedvlek in die boonste linkerhoek, druk die bladsy teen haar gesig, ruik daaraan. 'n Sinlose gebaar, asof haar pa se reuk ná veertig jaar nog aan die papier kan kleef, wat haar verleë laat lag net voordat sy in trane uitbars.

"Hierdie muur was die enigste plek waar ek aan sy naam kon vat, die enigste manier waarop ek kon seker maak dat hy rêrig bestáán het, verstaan jy? En nou staan sy naam hier in sy eie handskrif. Hy het dit self op hierdie papier geskryf ..." Haar hees stem raak weg. Sy sluk 'n paar keer terwyl sy na die brief in haar hande kyk. "Ek wou dit by die huis gaan lees het, in privaatheid, want ek was bang ek maak 'n gek van myself deur heeltemal onbeheers te begin snik." Nog 'n verleë laggie. "Maar nou's ek in elk geval klaar aan die tjank, en ek dink nie ek kan 'n minuut langer wag nie, so sal jy my verskoon as ek dit nou lees?"

Theresa knik net. Op hierdie oomblik vertrou sy nie haar stem nie.

Mercedes stap 'n paar treë verder, draai haar rug skuins na Theresa, 'n poging om darem 'n bietjie privaatheid te bewerkstellig voordat sy die brief lees.

Haar kiertsregop rug en lang nek laat Theresa aan 'n danser eerder as 'n dokter dink. Terwyl haar breedgeskouerde eggenoot eerder soos 'n rugbyspeler as 'n dokter lyk. Hy is 'n paar jaar jonger as sy, stewig gebou met gespierde bene en bultende kuite onder 'n kortbroek, plakkies aan sy voete. 'n Boerseun, het Theresa verras gedink toe sy hom sien, sweerlik iemand wat op 'n plaas grootgeword het.

Dalk is Egbert 'n rugbyspelende dokter, en Mercedes 'n dansende dokter. Mense hoef nie noodwendig een ding óf 'n ander ding te wees nie. Alles is nie altyd wit of swart nie. Soms kan wit en swart inmekaar vloei en dan kry jy grys. Die slapende babaseuntjie in 'n drasak teen Egbert se bors is die lewende bewys van hoe lieflik hierdie grys kan wees.

Theresa het haar aan Angel Engelbrecht Perez verwonder, sy een pienk wang plat teen sy pa se lyf gedruk, sy ooglede glinsterende perlemoenskerfies, sy pruilmond wat sagte steungeluidjies maak. 'n Piepklein pienk vuisie wat bo by die drasak uitsteek. Klein bakleiertjie, het sy pa hom mos in sy e-pos genoem.

As sy soos 'n goeie fee by die wieg van 'n sprokiesbaba één wens vir hierdie Kubaans-Afrikaanse seuntjie kon uitspreek, sou dit wees dat hy nooit in 'n oorlog hoef te baklei nie. Dat sy geslag daardie lewenslange letsels sal vryspring.

Mercedes lees haar pa se brief, maar dit lyk vir Theresa asof sy pynlik stadig vorder. Ná elke sin lig sy haar kop en staar 'n ruk lank na die blou lug, vee oor haar wange, haal diep asem. Dan eers waag sy dit om weer af te kyk na die brief en verder te lees.

Theresa dink aan Nini se vertaling, wat sy teen dié tyd soos 'n lang gedig uit haar kop ken, terwyl sy na Angel Perez Gonzalez se naam op die grys muur kyk. En na al die ander name wat syne omring.

Mi Querida Hija

As jy hierdie brief in jou hande hou, beteken dit ek het nie die oorlog oorleef nie. En as ek hier moet doodgaan, so ver van die huis af, sal dit 'n wonderwerk wees as jy eendag hierdie woorde lees. Maar soms is dit nodig om in wonderwerke te glo.

Indien ek oorleef, sal ek die brief weggooi. Waarom sal ek jou 'n klomp dooie woorde op papier gee as ek nog baie jare voor my het om jou alles te vertel wat ek nou op 'n stuk papier moet inprop?

My pa is dood toe ek nog te klein was om hom te onthou. En nou gaan ek ook verdwyn voor jy die kans kry om my te onthou. Dit breek my hart, dat ek so dom kon wees, dat die geskiedenis so sinloos herhaal moet word. My pa, jou oupa José Perez Laredo, was ook 'n soldaat wat die stryd teen fascisme en kapitalisme en allerhande groot woorde wou stry. In die jare vyftig het hy saam met Che en die Castro-broers vir die vryheid van Kuba baklei. En gesterf.

Onnodig gesterf, dink ek nou.

Ek het altyd gewens hy't vir my 'n brief geskryf voor hy dood is. Ek het gedog hy sou my wou troos, my vertel hoe trots hy is om sy lewe vir sy land op te offer. Maar noudat ek self in 'n oorlog beland het, dink ek nie meer so nie. Nou dink ek enigiemand wat die verskrikking van 'n oorlog van binne af belewe, behoort sy enigste kind te waarsku om nie in sy voetspore te volg nie, behalwe as hy so verblind en verdoof is deur patriotisme dat sy kind se lewe nie meer vir hom saak maak nie.

Daarom skryf ek nou vir jou om seker te maak dat jy nie eendag hierdie oorlog (of enige ander oorlog) verheerlik nie. Ek weet dooie soldate se naasbestaandes wil almal graag glo die soldate het as helde gesterf, maar die aaklige waarheid is dat baie min soldate ooit glorieryke heldedode sterf. Ons sterf onnosele, morsige, bloedige, onnodige dode.

Ek is jammer as hierdie woorde dit vir jou moeiliker gaan maak om my dood te verwerk. Nou het jy nie eens meer die troos dat ek 'n held was nie. Maar ek is beslis nie jammer as my woorde jou gaan keer om uit enige toekomstige oorlog weg te bly nie. Ek weet, soms het jy nie 'n keuse nie, die oorlog kom soek jou, in jou land of jou stad of jou straat. Maar dis nie wat met my gebeur het nie, mi querida hija.

Ek het die oorlog gaan soek. In 'n onbekende land, op 'n verre vaste-
land. Ek het gedog dis my patriotiese plig om dit te doen. Jou ma het
my gesmeek om nie Angola toe te gaan nie, maar ek het gedog dit sou
lafhartig wees om weg te bly as soveel ander dapper jong mans dit doen.

En natuurlik wou ek ook in my dapper pa se voetspore volg. Nou
sien ek my pa se voetspore lei reguit na my eie graf toe. Watter soort pa
sou dít vir sy kind wou hê?

Nou eers besef ek dit sou baie dapperder gewees het om by jou ma
te bly en haar te help om jou groot te maak.

Die army sal nie hierdie brief vir jou stuur as ek doodgaan nie, dit
klink te bitter en te onpatrioties, ek sal 'n ander manier moet vind om
dit by jou te kry. Want ek wil vir jou sê ek is jammer, ek is so verskriklik
jammer, dat ek jou nie gaan sien grootword nie.

Daar is so baie dinge wat ek graag saam met jou sou wou doen. Iets
so simpel soos om 'n sandkasteel op 'n strand te bou voel skielik vir my
duisend keer belangriker as om oorlog te maak. Of om saam met jou
na goggas en skoenlappers te kyk. Om jou te leer om nie bang te wees
vir spinnekoppe nie. (Jou ma gril haar dood vir goeters met agt pote.
Sonder my gaan jy dalk nooit leer wat 'n wonderlike ding 'n spinnekop
kan wees nie.) Of om jou te leer fietsry, so agter die fiets aan te hard-
loop terwyl ek dit vashou en dit te los sonder dat jy dit agterkom en te
kyk hoe jy al verder van my wegry.

Ek kan aangaan, die lys is so eindeloos soos my liefde vir jou, maar
ek het nie genoeg papier om vir my 'n hele lewe saam met jou te verbeel
nie. Druk dus maar hierdie brief teen jou bors, as jy dit eendag lees,
want hierin stort ek al die liefde wat ek nooit op enige ander manier vir
jou sal kan wys nie. Ek is so spyt dat ek jou nie beter kan leer ken nie,
maar ek sal nooit spyt wees dat jy gebore is voor ek doodgegaan het
nie. Jy het my vir 'n kort rukkie laat voel hoe dit voel om 'n pa te wees.
Elke keer as ek vir myself sê ek het 'n dogter wat my sal onthou, 'n kind
wat eendag met liefde aan my sal dink, voel dit nie so verskriklik erg
om so jonk dood te gaan nie.

Van jou verlangende pa

Angel Perez Gonzalez

Nadat Mercedes die brief gelees het, staan sy lank bewegingloos met die paar velletjies teen haar bors gedruk.

Theresa wag geduldig, bestudeer die Kubaanse name op die muur, wonder later of sy Mercedes nie liewers alleen moet los nie, by Egbert en die baba moet aansluit nie. Maar toe sy van die muur af wegdraai, kom Mercedes vinnig en met oop arms na haar aangestap. Theresa maak haar eie arms ook oop en omhels haar. Terwyl Mercedes soos 'n kind teen Theresa se skouer huil, streel Theresa woordeloos oor haar hare. Soos 'n ma. En miskien mis Mercedes ook 'n ma se vertroostende aanraking, want sy bly in dieselfde posisie staan selfs nadat sy ophou huil het, laat rus haar kop nog minute lank roerloos teen Theresa se skouer.

Tot sy eindelik diep sug en weer opkyk. "Kom ons soek vir Egbert by *Uitspanplek*," sê sy met 'n vasberade glimlag.

Die laaste woord lê so skeef op haar Spaanse tong dat Theresa ook glimlag.

"Sal ons 'n foto neem?" vra Egbert net voordat hulle groet, want Theresa moet 'n vlug terug Kaap toe haal. "Dis tog 'n geleentheid om te onthou. Die dag toe julle twee uiteindelik by mekaar uitgekom het."

"Kom ons maak dit 'n selfie sodat jy en Angel ook daarop kan wees. Asseblief," sê Theresa toe hy sy gesig onwillig trek. "Julle het mos nou deel van hierdie storie geword."

"Kom ons haal hom uit sy drasak sodat mens darem sy gesig op die foto kan sien," sê Mercedes terwyl sy die baba versigtig uitlig. "Dis in elk geval tyd dat hy weer gevoed word. My borste begin lek."

Angel maak sy oë oop, groot en donker oë soos dié van sy ma en sy Kubaanse ouma Luisá, terwyl Mercedes hom in haar arms wieg. Hy kyk verwonderd om hom rond, sukkel 'n bietjie om op iets te fokus, en staar dan stip na Theresa.

"Is almal reg?" vra Egbert terwyl hy die foon 'n ent bokant hulle koppe hou. Hy en sy vrou staan aan weerskante van Theresa, met een van *Uitspanplek* se doringbome op die agtergrond. "Smile!"

Teen die tyd dat Theresa haar sitplekgordel in die vliegtuig vasknip, het Egbert reeds 'n halfdosyn foto's na haar selfoon gestuur. Op die eerste vyf kyk sy bewonderend na Angel eerder as na die kamera, maar op die laaste een kon sy dit darem regkry om haar oë van die baba weg te skeur. Op dié een kyk almal, selfs die baba, na die kamera. Of dalk was Angel net vir 'n oomblik gefassineer deur sy pa se hand wat die selfoonkamera so hoog in die lug hou. Of deur die blou van die lug agter die voorwerp in sy pa se hand. Hoe sal sy ooit weet wat babas alles sien?

Dié foto gaan sy laat ontwikkel en in Theo se boks met army-aandenkings bêre.

Die groen notaboekie uit Angola het sy reeds ná haar reis in Kuba weer daarin gepak. Saam met die swart Moleskine-boek wat sy by Theo se ma gekry het en haar eie simpel dagboek uit die jare sewentig.

Sy weet nou dat haar oppervlakkige inskrywings met te veel hoofletters en hopeloos te veel uitroeptekens ook by daardie aandenkings hoort. Dis die ander kant van Theo se bosoorlog, die naïewe onkunde van 'n wit tiener op 'n plattelandse dorp. Ver van die grens, onaangeraak deur die oorlog, blind vir alles wat in die land gebeur. Tydelik blind, altans.

Die vyftienjarige Theresa Marais se dagboek is soos die foto van 'n spieël wat val, geneem in die breukdeel van 'n sekonde voordat dit die vloer tref en in ontelbare onherstelbare skerwe spat.

En die selfie wat vandag in Freedom Park geneem is, hoort ongetwyfeld ook in troep Theo van Velden se boks. Toe sy jonger was en nog in gelukkige eindes geglo het, sou sy seker gesê het die foto is 'n bewys dat Theo se storie minstens nie so 'n ongelukkige einde het soos almal gedog het nie.

Maar nou glo sy nie eens meer in eindes nie.

Troep Theo van Velden se storie gaan voort. Dit het net ander hoofkarakters gekry.

ERKENNINGS

Hierdie storie het begin by 'n frase oor die "onkommunikeerbaarheid" van oorlog wat ek jare gelede ontdek het in die Poolse joernalis Ryszard Kapuściński se aangrypende verslag oor die Angolese oorlog *Another day of life*. Dié boek is as't ware in die hitte van die stryd in 1976 gepubliseer – in Pools – en eers meer as 'n dekade later in Engels vertaal. Die aanhaling in my roman kom uit Penguin Classics se uitgawe van 2001.

Maar omdat oorlog so onkommunikeerbaar is – en omdat ek as vrou uitgesluit was van die aksie van die Suid-Afrikaanse grensoorlog – moes ek veel wyer as gewoonlik lees, selfs voordat ek die eerste sin kon skryf. Onder die niefiksieboeke wat belangrike agtergrondinligting verskaf het, kan ek enkeles uitsonder: *Suid-Afrika se grensoorlog* deur Willem Steenkamp (Tafelberg se uitgawe van 2016), *Die SAW in die grensoorlog* deur Leopold Scholtz (Tafelberg, 2013) en *An unpopular war: From afkak to bosbefok* deur JH Thompson (Zebra Press, 2006).

Ek het weke lank na dokumentêre video's gekyk, onder meer *Across the border* (1999) van die Nederlandse regisseur Saskia Vredeveld, die volledige TV-reeks *Grensoorlog/Bush war* (2008) wat deur Linda de Jager vervaardig is, en verskeie episodes in die reeks *Die Afrikaners* (2018), aangebied deur Hermann Giliomee en vervaardig deur Herman Binge. Carl en Gerrie Hugo se YouTube-videos, *Operation Savannah: Angola 1975/76*, verdien ook vermelding omdat dit so 'n intens persoonlike blik op daardie deel van die oorlog bied.

Webtuistes soos www.warinangola.com en vele soortgelykes het gehelp om die groter prentjie te begryp, asook om van kleiner persoonlike ervarings kennis te neem. As dit by die skryf van fiksie kom, is persoonlike ervaring altyd nuttiger as jare van navorsing. Die gesprekke wat ek met gewese dienspligtiges kon voer – op die internet en in lewende lywe – het meer as enigiets anders gehelp om my verbeelding vrye teuels te gee. Dankie aan almal wat hulle grenservarings met my gedeel het, en 'n besondere dankie aan Johann van der Merwe wat bereid was om breedvoerig oor die trauma van ernstige beserings te praat, al my vrae geduldig beantwoord het en verdere leesstof aanbeveel het.

James Scott, wat as sielkundige by die weermag betrokke was, het 'n vroeë weergawe van die roman gelees en waardevolle insette gelewer oor posttraumatiese stres en ander "onsigbare oorlogswonde". Kerneels Breytenbach en Riana Barnard het die manuskrip ook gelees, en soos soveel keer vantevore in my skrywersloopbaan het hulle albei praktiese voorstelle vir verbetering gemaak. My uitgewer, Fourie Botha, het my deur die uitgerekte proses van skryf en herskryf met raad en daad bygestaan, en Marietjie van Rooyen het die finale teks met groot respek en 'n ferm hand geredigeer.

Dankie aan al hierdie helpers agter die loopgrawe.

Maar as Kapuściński se aanhaling oor onkommunikeerbaarheid die vonk vir hierdie roman was, dan was my reis deur Kuba die brandstof wat nodig was om dit op papier te kry. 'n Opregte dankie dus aan Kitty Snyman wat my gehelp het om in Kuba uit te kom, asook aan die groepie geesdriftige reisigers wat my op my ontdekkingstog vergesel het.

Hoewel my karakters en hulle lewens suiwer fiksie is, het ek getrou probeer bly aan geskiedkundige datums en geografiese feite. Enkele "foute", soos 'n straat in Havana wat nie werklik bestaan nie, is doelbewus gepleeg. Fiksie verg nou eenmaal 'n gedeeltelike verdoeseling of vervalsing van feite, anders is dit nie meer fiksie nie.

Soos met my twee vorige volwasse romans, het ek weer 'n skrywersblog gehou terwyl ek aan *Grensgeval* gewerk het. Dit sal op my webtuiste (www.maritavandervyver.info) beskikbaar gestel word vir lesers wat meer wil weet oor die alledaagse frustrasies en vreugdes van die skryfproses. Verdere inligting kan gevind word deur by *Marita van der Vyver – official group* op Facebook aan te sluit:https://www.facebook.com/ groups/ 78346169084/

Laastens, soos altyd, die innigste dankie aan my lewensmaat, Alain Claisse, vir sy ondersteuning en begrip wanneer ek wegraak in die skryf van 'n storie.

Frankryk
Augustus 2019